JN111124

Roy Peter Clark
ロイ・ピーター・クラーク 著
越前敏弥、国弘喜美代 訳

Murder Your Darlings

名著から学ぶ創作入門

And Other Gentle Writing Advice from Aristotle to Zinsser

優れた文章を書きたいなら、
まずは「愛しきものを殺せ!」

フィルムアート社

Murder Your Darlings

And Other Gentle Writing Advice from Aristotle to Zinsser

by Roy Peter Clark

読み書きを教えているすべての教師のみなさんへ——特に、公立の学校で教えているかたがたへ。公益のために権力者に真実を語るすべてのジャーナリストたちへ。あなたがたは教養と民主主義の擁護者として勲章を受けるに値する。ご尽力に感謝する。

【凡例】

・本文中で扱われる書籍で未邦訳書については、読者の理解の助けになるよう、原題を日本語訳したうえで初出時に（ ）内に原題を併記した。

・本文中の引用作品における日本語訳については、基本的には既訳を参照した。ただし、当該箇所における本文の文脈に応じて、一部の訳を変更するか、新たに訳出し直している場合もある。既訳からの引用の場合は、文末の（ ）内に訳者・出版社名を記した。

・原著者による補足は［ ］、訳者による補足は〔 〕で示した。

・巻末のブックリストにおいて、邦訳書については基本的に現在市場に流通している書籍の書誌情報を掲載した。また、原書ブックリストでは一部書籍の書誌が未掲載であったため、日本語版では可能な範囲で補った。その際は初版の出版年と出版社を記した。

目次　名著から学ぶ創作入門

第2部 声とスタイル 58

第6部 使命と目的 262

まえがき

本の書き方について書いた本

コメディドラマ『となりのサインフェルド』のファンなら、どたばたして滑稽な登場人物、コズモ・クレイマーが本を出して大成功したエピソードを覚えているだろう。コズモの著書は、コーヒーテーブルについて書いたコーヒーテーブル・ブック〔本来は絵や写真入りの大判本〕だ。それは折りたたみ式の小さな脚がついた本で、脚を開くと小型のコーヒーテーブルになる。映画化の権利まで売れたという話だった。

本書の原題『愛しきものを殺せ（Murder Your Darlings）』は、「Q」という愛称で呼ばれるイギリスの教授が文章の書き方についてアドバイスした名高い一節を借用したものだ。これは本の書き方について書いた本である。わたしは文章術の手引書が好きで、それらに好かれてもいる。手引書は文章術に関するわたしの知識を裏づけ、聞いたこともない方法を教えてくれる。そのうえ、ごく稀に大事なところで、まるでフクロウに悪魔払いをするかのように、わたしの頭をぐるっとまわしてみせたりもする。

いまあなたが手にしているのは、二〇〇六年から数えて六冊目のわたしの著書で、読むことと書くこと、そして言語について著したものだ。版元のリトル・ブラウン・アンド・カンパニーに感謝する。わたしは教授たちから、本をたくさん書く秘訣を教えてくれないかとよく訊かれる。そんなときはまじめにこう答える。

「簡単だよ。職員会議のときに書くんだ」

「どうして咎められないんですか」

「メモをとってると思われてるんだろうね」

リトル・ブラウン社から出た、わたしの最初にして最も評判のいい著書は、『ライティング・ツール（Writing Tools）』だ。そのなかで紹介した書くための五十五の秘訣は、どこで見つけたのか。偉大な文学作品を精読したのである。大学時代に身につけて、その後さらに磨きをかけた「X線読み」という技術を使った。講師や編集者やほかの書き手たちから指南を受けながら、書いて書いて、また書きなおした経験から生まれたものだ。また、キリスト（その人自身がなかなかの語り部だ）生誕のはるか前より流布していたものから、つい昨年刊行されたものまで、創作に関する無数のエッセイや手引書から得られた秘訣でもある。

焦点はあくまで、書くことにまつわるそれらの重要な本のほうにあるわけで、自分に注目を集めようなどとは思っていない。むしろ、そういう本のよさを広め、わたしの文章術を形作ってくれた著者たちに借りを返すのが目的だ。ぜひそちらも読んでもらいたい！　書くことに関する本を読んでも書き方など身につかないと言う人たちには、こう返したい。「だったら、なぜ世のなかにその手の本があふれているんだ？」と。たいていの書店では、棚の一段か二段、あるいは棚一本がまるごと文章術の本に割りあてられている。わたし自身は千五百冊ほど本を所有していて、その大半が読むこと、書くこと、文法、レトリック、作文、言語、文学、ジャーナリズムに関するものだ。創作の講師で法学者でもあるブライアン・ガーナーは、ダラスにことばの智者のタージ・マハルとも呼ぶべき「写字室」を構えている。一方、フロリダのジャーナリズム研究機関、ポインター・インスティテュートにはわたし専用の空間があり、自分では「巣窟」と呼んでいる。部屋のようでもあり、子宮のようでもあるその空間は隠れるようにそこにあって、ほんの十歩先には一万二千冊の専門書を収蔵している図書室があり、そのほとんどがわたしの好む題材について書かれている。

世のなかには、書くことについて書いた本があまたある。そのなかからわたしは何について、どんな基準で書かれたものを選ぶのか。自分が何をしないかについて、ここで説明したい。まず、最高の手引書を選ぶつもりはない。最も実用的だとか、最も息が長いとか、最もなんとかという手引書は選ばない。ただし読者の立場で言えば、たとえば「ローリングストーン」誌で「ロック傑作百選」とか「オールタイム・ギターソロ百選」とか「ボブ・ディランのヒット曲百選」といったランキングを楽しむことはある。

わたしは書くことについての本に順位をつけずに評価したい。おもに読者に伝えたいのは、その本をなぜ評価するのか、その本から何を学べるのか、読者が何を得てそれぞれの作品にどう生かせるのか、ということだ。読んでもらえばわかるとおり、わたしの批評にも弱点がないわけではない。ジョン・マクフィーのあらゆるアドバイスは、マクフィーが「ニューヨーカー」誌の記者という特別な立場にあって、尋常ではないほどたっぷりの時間とリソースを手にしていたことを踏まえて聞くべきだ。アン・ラモットの場合は自分にきびしすぎるため、アドバイスを聞いても、やる気がそがれる恐れがある。そして、ドロシア・ブランドは史上稀に見るほど独創性のある文章術の手引書を著したものの、残念ながら編集者の夫とともに――一九三〇年代のアメリカのファシストであり、反ユダヤ主義を信奉していた。わたしたち教師は瑕（きず）のないリンゴを好むものだが、実際はまあ、このとおりだ。

これらの本をまとめる前に、わたしは不特定多数の人たちから情報を収集した。文章術の手引書で、ためになったもの、刺激を受けたものを教えてもらいたい、とソーシャルメディアで文筆業者に尋ねたのだ。何十人もから回答が寄せられ、その多くはわたしが何度も読んできた作家や著書だったが、うれしいことに知らない本も交じっていた。それらをすべて候補に入れたら、選定作業がよけいに大変になった。

わたしはまず、有名な本、評判のいい本、影響力のある本をあげることからはじめた。それで選んだのが、ウィリアム・ストランク・ジュニア&E・B・ホワイト『英語文章ルールブック』、ナタリー・ゴールドバーグ『魂の文章術』、アン・ラモット『ひとつずつ、ひとつずつ』、トム・ウルフ『ニュー・ジャーナリズム（The New Journalism）』だ。五つのW（だれ（who）、何（what）、どこ（where）、いつ（when）、なぜ（why））のなかでは、なぜ（why）がいちばん答えるのがむずかしい。そのため、これらの本がなぜ重要なのかをとらえることを自分の使命とした。

本書では、カタルシスをもたらす悲劇の性質を説いたアリストテレスから、話しことばに影響を与えた古代ローマの修辞学者クウィンティリアヌスまで、古典であるがゆえに基本でもある文章術の本を採りあげたいと考えた。そういう本を足がかりにすれば、読み、書き、話すという本質的な言語運用能力をもって人が意味あるものを築きあげてきた、長く力強い歴史をたどることができる。

誘惑に負けて、個人的な知り合いの作家や教師の著書も採りあげた。オックスフォード大学（わたしがすばらしいひと夏を過ごした場所）では教授に〝師(ドン)〟の尊称を付するが、多くの偉大なドン（ドン・フライ、ドン・マレー、ドン・グレーヴズ、ドン・ホール〔それぞれノースロップ・フライ、ドナルド・マレー、ロバート・グレーヴズ、ドナルド・ホールを指す〕）がこれまでにわたしの執筆部屋を通り過ぎていった。大恩に報いるべく、機会があるたびに、その人たちの知恵を世に伝えるようにしている。文筆の世界はわたしにとってとても居心地がいいので、これまでにウィリアム・ジンサー、ウィリアム・ハワース、コンスタンス・ヘイルをはじめ、おおぜいの書き手とともに仕事をした。スティーヴン・キングに取材をしたこともある。E・B・ホワイトとは書簡をやりとりした。トゥーソンの文学会議でビュッフェの列に並んでいたとき、エルモア・レナードと会って、ひとつの作品に感嘆符はいくつまで許されるかという問題について、親しく議論を交わしたこともある（レナードの主張は、十万語ごとにひとつというものだったが、トム・ウルフだけは例外で、制限なしとされた）。

いま名前をあげたのは、自分のためではなく、読者のためだ。文章術のよい手引書では、著者が――フランク・スミスの名言を借りれば――仲間に加わるよう読者を誘う。作家になりたいと願う読者もいるだろうが、よい手引書を読めば、自分もその一員で、物書き族の世界に属していると感じるかもしれない。

本書はどんなふうに書かれ、どういう構成なのか

本書『名著から学ぶ創作入門』は、六部に分かれている。もともと六つに分けて書いたわけではなく、特に構想もないまま、霊感に導かれるままに書棚から本を選んで書いた。よく知っている本について書くこと

で勢いをつけて——途中であちこちに立ち寄った。一冊一冊について一章一章書いていくと、文字の列車はついに七万五千語の壁を突破し、そのまま十万語の境界を越えた。五十章を書き終えて手を止めたが、採りあげるつもりだった本がまだ五十冊近く残っていた。わたしはパニックに陥った。そのとき、わたしの文章術の師であるドナルド・マレーの声が聞こえた。そして、長く書きすぎた者たちにわたし自身がこれまで幾度となく送ってきた助言をささやいたのだ。「簡潔さは圧縮ではなく、選択によって得られる」と。わたしは三十六章にまで削り、さらに減らして三十三章にした。

各章をどう並べればいいだろうか。何部に振り分ける？　わたしは顔をあげ、机のそばに積んであった真新しい索引カードを見た。めくってみると、六色あった。白、ピンク、黄、緑、紫、青。なるほど、六色か。六部に分けたらどうだろう。そこで、やってみた。

・黄は「ことばと文章術」。
・紫は「声とスタイル」。
・白は「自信とアイデンティティ」。
・青は「ストーリーテリングと登場人物」。
・ピンクは「レトリックと観客・読者」。
・緑は「使命と目的」。

本書で紹介した本の多くは、これらのテーマや問題に言及している。わたしが急に本筋からそれて、脇道で起こっている興味深い話、役に立つ話を語りはじめても、驚かないでもらいたい。ここにあげた本を読み、分析し、評価し、それらと戯れるうちに、わたしも書きたくなっていた。本そのものについてだけではなく、公私ともに、自分の創作人生のあらゆる側面について書きたくなったのだ。読者のみなさんにも、書きたいと感じてもらえたらと願っている。

本書の読者が得る特典

・文章術の手引書を五十冊以上味見できるので、読みたい本、手もとに置きたい本を選ぶ参考になる。
・採りあげた本には、それぞれ文章術に関する教訓が無数に含まれている。本書では、わたしが書くときに特に役立った点をひとつかふたつに絞って紹介する。
・ここにあげた本の多くは出版され、販売されている。古いもののなかには、ネット上で無料公開されているものもある。一方、稀少な絶版本もある。本書はそれらの数々の宝石について知る機会を提供する。
・それぞれの本からの引用には、執筆のヒントだけではなく、著者の声を簡潔に読者に伝えるエッセンスが含まれている。

本書を書くための下調べをはじめた当初、わたしは「漸近線」という単語に出会った。これは数学の用語であり、グラフ上で直線に近づいていく曲線のことだが、どんなに接近しても、直線にはけっして届かない。わたしは「漸近線」を自分の人生と仕事を表す隠喩として受け止めた。日々教えるなかで、わたしはあらゆる年齢の学生たちに対し、文章術に関して新しいこと、学生に伝えることを果てしなく学ぶのが目標だと話している。嘘くさく聞こえても仕方がないが、そうは感じない人は、ことばを果てしなく学ぶ日々を自分のものとして受け止めてもらいたい。本書がその道案内をつとめよう。

第1部 ことばと文章術

アメリカの桂冠詩人ドナルド・ホールは、英語という言語のことを、まるで人の住める場所、そのおかげで呼吸ができて、人生を充実させてくれる空気であるかのように書いている。本書『名著から学ぶ創作入門』で検証したどの本においても、ことばへの愛が輝いている。ことばは意味を形作る材料になる。それをエッセイや小説や詩に変えるには文章術が必要だ。

文章を書くことは、ジョン・マクフィーほどの作家の手にかかれば魔法のように見えるかもしれないが、ウィリアム・ハワースはそれが実は魔法などではなく、ひとつのプロセスの成果である――たしかに複雑ではあるけれど、学ぶことのできる成果である――ことを明らかにした。もちろん、それはわたしも承知している。現に、はじめての著書はマクフィーの手法を使って書いた。それを読者のみなさんも習得することになる。

サー・アーサー・クィラ・クーチは、惚れこんだ単語や言いまわしを捨て去るよう学生たちに勧めた。一方、ウィリアム・ジンサーはみずからの文章術に身を賭して取り組んでいたため、まず自分の書いたものを不完全な状態で人目にさらし、文をわかりづらくしている雑然とした個所にしるしをつけたのち、不要なことばをすべて削った。

ジョージ・キャンベルは、ことば（the word）と聖書（the Word）の賢明なる守り人であり、それこそが十八世紀において最も尊いものであると考えて、隆盛をきわめる英語に注目した。文章術はページの上でも説教壇からも効果を発揮した。文は最大限の明瞭さや望ましい文学的効果が得られるように形作られ、実用性や美を表現する。

ここにあげた――世代も文化も多岐にわたる――作家たちはみな、ことばへの愛を伝えている。ことばは読む者に霊感を与えるものだ。作家たちからわたしたちへの特別な贈り物は、詩や小説のなかに見つかる創造的なことばだけではない。ことばについてのことばや言語についての言語の使い方、それにわたしたちの眼力を研ぎ澄ます超越した視座をも与えてくれる。

1

愛しきものを殺せ。

気に入っているフレーズに注意しよう。

サー・アーサー・クィラ・クーチ『書く技術について（On the Art of Writing）』

自分の好きなことを書こう。それはすばらしいことだ。その感覚を楽しもう。ただし、推敲中はきびしく自分に問うこと。その華麗な一節や如才ない考えは、本旨に沿うものだろうか。ちがうと思ったら、その表現は取り除こう。大事に思っているその隠喩を「殺す」必要はない。また別の機会の別の話のためにとっておけばよい。

書くことについてのとりわけ有名な助言として、イギリスの作家で、大学の同僚や学生たちから「Q」と呼ばれたサー・アーサー・クィラ・クーチのことばを見ていこう（Qと言っても、ジェームズ・ボンドの映画で007に最新機器を提供する、デスモンド・リュウェリンなどが演じた男ではないから、おまちがいなく）。「愛しきものを殺せ」。Qが学生たちにそう指示を出したのは、一九一四年のことだ。講義の内容が活字になったとき、Qはその部分をイタリックで強調した。わたしはQに感謝している。というのも、本書の原書タイトル（Murder Your Darlings）はそこから拝借したからだ。

アメリカでは別の人物（ジョージ・オーウェルなど）の発言と勘ちがいされ、「赤ん坊を殺せ（Kill your babies）」と誤って引用されることもある。こういう短い文は多分に真実めいた響きを帯びるものだが、Qの指示「愛しきものを殺せ（Murder your darling）」は、モーセがシナイ山で授かった十戒のひとつ「汝殺すなかれ（Thou shalt not kill）」というはるかに有名な一節と混同されることもあって、さらに強い印象を持つことばになった。

変わり者のQ教授は、著書『書く技術について』の最終章「文体について」で、みずからの意図を正確に述べている。文体とはどういうものであるかを定義する前に、文体とはどういうものでないかを論じたのだ。

> 文体とは（中略）余分な飾りではないし——そうあってはならない。古代ペルシャの恋する男がどんな手立てで情熱を伝えたかを思い出す人もいるだろう。手紙書きの専門家を探し、美女を魅了すべく、かごいっぱいの宝石に添える美辞麗句を買い入れるのである。しかし、専門家と金の力を使ったこの見当ちがいの装飾は、まちがっても文体などではない。もし実用的な判断基準を求められたら、わたしはそんなふうに答えよう。

ここでいったん止まろう。このくだりを読んだとき、わたしは一九一四年にケンブリッジにかよっていた大学生となった自分の姿を想像した——フランスの塹壕戦やスペイン風邪の大流行の前、ことばと文字の世界だけしか目にはいらず、講堂でQ教授の知恵を書き留めようと羽ペンを手に構えていたであろう自分の姿を。

> 過剰なほど美麗な文を書きたい衝動に駆られたときは、その衝動に——心ゆくまで——従ったのち、

できあがった原稿を出版社へ送る前に、その部分を削除すべし。まさしく、「愛しきものを殺せ」だ。

Q教授がそう言った当時、『オックスフォード英語辞典』は完成へ向けた作業のさなかにあった。となると、「愛しきもの（darling）」の定義を明らかにするには、この大辞典を調べるのが妥当だろう。古英語から派生したdarlingとは、広く「親愛なるもの」という意味を表す。「だれかにとってきわめて大切な人、愛情の対象、心底愛されている者。親しみをこめた呼称としても一般的に用いられる」というのが語義だ。

つまり、単に好きな――あるいは、せいぜい大好きな――単語や句や一節を消すだけでは、Q教授は満足しなかった。Q教授がきびしく学生たちに求めたのは、心の底から惚れこんだことば、愛しきものを「殺す」ことだった。人間の例で言えば、かわいくてたまらないわが子を。あるいは、頬を染める花嫁を。さらに言うなら、聖なる母を。

ここで、わたしにとってQ教授の隠喩が現実になった出来事について見てみよう。

話は二〇一七年三月にさかのぼる。出身校であるロードアイランド州のプロヴィデンス・カレッジから何度か電話がかかってきて、ジャーナリズム学博士の名誉学位を授けたいと伝えられた。それ以上に重要だったのは、卒業式に大学百周年を祝うスピーチをしてくれないか、と学長のブライアン・シャンリーから頼まれたことだ。わたしは驚いて口もきけなかった。

おおぜいの前でスピーチをしたことはあったが、そこまでの規模ではなかった。千二百人の卒業生と一万人ほどの大観衆の注目を集め、喜ばせようというのだ。「お引き受けします」と答えた瞬間から、五月二十一日の日曜日に大役を果たす瞬間まで、ずっと胃痛に悩まされた。

家族や友達との深いつながりを思えば、わたしの著述家としての人生で最大の栄誉と言えるだろう。それから何十日間も、ほぼスピーチのことだけを考えていた。一か月のあいだ、紙にもパソコンの画面にも一語も記さず、ベッドのなかで、あるいはシャワーを浴びながら、コーヒーを飲みながら、はたまた運転中も、頭のなかでスピーチの文言を繰り返して過ごした。「進み具合は？」と友人たちに尋ねられると、即席の聴衆に見立てて、そのときどきのテーマについて述べたり、砕けた冗談をはさんでみたりした。

十五分で二千語ほど話せばいい、と見積もっていた。五月のはじめに初稿ができた。八千語に増えていた。計算したところ、その原稿を読むと、少なくとも一時間かかるとわかった。出番は式の最後のほうだから、二時間以上すわりっぱなしのおおぜいの聴衆は尻の感覚がなくなっているころだろう。アポロシアターの舞台に立つ自分の姿が目に浮かんだ。そこでは、オーディションで客に受けないと、演者が舞台から引きずりおろされる。ゲディスバーグでリンカーンが二分間の演説をする前に、前座として二時間しゃべる男になった気分だった。

「きみが選ばれたのは、簡潔に書くことについての本を書いたからだぞ」友人のひとりが言った。

「たしかに」わたしは答えた。「ただし、あくまで本だがね」

初稿を読み返したところ、自分の書いた何もかもが大切に思えた。そういうときはどうすればいい？　すると、イギリス人の声がわたしの思考に押し入ってきてこう言った。「〝愛しきものを殺せ〟だよ」わたしはその声に従った。愛しき母を殺したのだ。

その方法と理由を説明する前に、Q教授のことばを振り返ろう。

「過剰なほど美麗な文を書きたい衝動に駆られたときは、その衝動に――心ゆくまで――従ったのち、できあがった原稿を出版社へ送る前に、その部分を削除すべし。まさしく、〝愛しきものを殺せ〟だ」

「惚れこんだことばを書き留めるな」とは言っていないことに注目してもらいたい。Q教授は愛しきことばを体から追い出す方法として――むしろ、書き留めろと勧めている。書いて、追い出して、殺す。愛しきものを殺す前に、作り出さなくてはならない。それから推敲を経て、殺すわけだ。Q教授は、執筆時にすべて盛りこんで推敲時に容赦なく削除するタイプの書き手だということになる。

八千語の初稿のなかに、自分の母親に言及した個所が八つあった。初稿に母の記述が多くなったのは、つぎのふたつの理由による。第一に、卒業式が母の日におこなわれるとわたしが勘ちがいしていたから。実際には、母の日は卒業式の一週間後だった。第二に、長らく保存されていたボイスメールのメッセージという形で、死後の母からの訪いがあったから。母は二〇一五年三月、九十六歳を目前にして亡くなった。ボイスメールに聞き漏らしがないか調べていて、わたしは偶然そのメッセージを探しあてた。それはこんなふうにはじまっていた。「もしもし、ロイ。母さんよ。覚えてる？　あなたを産んだ母親よ」

母は家族の者のことを訊いていたが、その内容とは関係なく、訪ねてきてくれたように思えて、母シャーリー・クラークにまつわる好きな逸話がつぎつぎとよみがえった。純粋に楽しい話もあれば、卒業生への教訓になりそうな話もあった。例をふたつあげればじゅうぶんだろう。

・母は保守的なカトリック教徒だったが、波止場の労働者や過激なラッパーも顔負けの悪態をつくことがあった。Fではじまる四文字の単語を、母が一文のなかに四度もぶちこむのを聞いた覚えがある。母の暮らしていた介護つきマンションで、雑学を競うイベントがおこなわれたことがあり、そのときも母はピーター・ポール&マリーの「パフ、ザ・マジック・ドラゴン」という有名な曲名をどうしても思い出せず、こう言った。「ファ×ク、ザ・マジック・ドラゴン」

・母は九十歳になって、いちばん上の孫娘が同性愛者であることを知った。すると翌日、当の孫娘アリソンに電話をかけて、あなたの幸せだけを思っていると伝えた。「みんな、あなたを愛してる」母はもう一度言った。「家族みんながあなたを愛してるの」

まだまだあるが、割愛する。とにかく、書くことが山ほどあった。特別なその日に、わたしが母への敬愛の念を語れば、卒業生の母親たちも喜ぶだろうと思った。

しかし、どうすれば八千語を二千語にできるのか。

おそらく母を消し去る必要はなく、いくつもある母の魅力のなかから最善のものを選べばよいのだろう。数日が過ぎ、さらに数週間が過ぎるうちに、祝辞はどんどん短くなった。八つあった母への言及個所が五つになり、三つになり、ひとつになった。そして、ゼロになった。

なぜ母が最終的に犠牲にならざるをえなかったのか。これは母についてのスピーチではないからだ。母はストーリーを作るうえでの足場にすぎず、その足場を組んでから、自分がほんとうに言いたいこと、卒業生がほんとうに聞きたいであろうことを突き止めるわけだ。

短くしたスピーチでは、プロヴィデンスという大学の名前が持つ意味を中心に据えた。神意（プロヴィデンス）とは、宗教にまつわる古い格言「神は曲がった線を使って直線を描く」を指していると八年生のときに教わった。高校を卒業して、プロヴィデンスに進学するつもりはなかった、とわたしは卒業生たちに語った。プリンストン大学へ行きたかったけれど、はいれなかったのだ、と。

「結局、自分の望む場所には受け入れられませんでした。でも、いま思うと、自分はかならず、行く必要のある場所にたどり着いていたんです。ちょっと振り返っただけで、そういうパターンが見えましたよ。自分の人生では、失望がやがて好機に転じたことが何度もありました」

やや神学じみた最終稿からはじき出されることについて、母ならどう考えただろう。弟のテッドとヴィンセントが意見を聞かせてくれた。母のシャーリー・クラークは芝居が好きな人で、何度も地域のお楽しみ会の脚本を書き、監督をつとめたことにはふれるべきだったという。母は愛しきものを殺すようなことはけっしてしなかったが、いまごろはきっと天国の片隅で、サー・アーサー・クィラ・クーチの首に絞め技をかけていることだろう。

Lesson

1 気のきいたことを思いついたら、なんとしても書き留めよう。

2 こう自問しよう。「これを盛りこむのは、自分の考えをしっかり示し、読者の心に残る喜ばしい体験を与えるためだろうか。それとも、自分がよい文筆家であることを示すだけで、それを盛りこむことは的はずれなのだろうか」

3 その個所を「殺す」ことに決めても、ほかの使い道があることを忘れてはならない。その個所をファイルや日記に保存しておく。また別の場面でうまく使えるかもしれない。

4 自分ひとりでは判断をくだせない場合がありうる。そういうときは、編集者や文筆家仲間の力を借りよう。わたしの編集者トレーシー・ビハールは、この原稿で気になる部分を数十か所指摘してくれた。それらの表現は、別の機会に活字になるのをいまかいまかと待ちかまえている。

2
雑然とした個所を見つけて削除しよう。

たとえ何稿目でも、冗長なことばを探すこと。

ウィリアム・ジンサー『うまく書くことについて　ノンフィクションを書くためのクラシックガイド（On Writing Well: The Classic Guide to Writing Nonfiction）』

ウィリアム・ジンサーと同じように、第三稿や第五稿、あるいは第十一稿でも、ことばを盛りこみすぎているのではないかと考えてみよう。ただし、どこが雑然としているのかわからなければ、削りようがない。あらゆることばを検証せよ。「しかるべき道」に読者をとどめる必要はない。「道」には「しかるべき」という意味がもともと含まれている。

文章術に関するあらゆる本のなかで最も影響力があるのはどれなのか、読者投票をおこなったら、結果はどうなるだろう。一位はウィリアム・ストランク・ジュニアとE・B・ホワイトの『英語文章ルールブック』にちがいない。このふたりについては後述する。次点はおそらく、ウィリアム・ジンサーの『うまく書くことについて』だろう。この三十年で百万部以上売れた本だ。ジンサーの助言をひとことで表すなら、「雑然としたところは削れ」となる。

わたしにとって、『うまく書くことについて』と言えば、まず著者であるウィリアム・ジンサーへの憧れが大きい。刊行直後にジンサーと会い、その後、ジンサーが九十二歳で亡くなる直前にも電話で語り合った。すでにジンサーは視力を失っていたが、それでもマンハッタンの自宅アパートメントを訪れる作家たちとともに作業をしたり、詩の個人レッスンを受けたりしていた。九十歳の老人が詩を習っていたことは、けっして忘れられない。そのことを思うと、元気が出て愉快な気分になる。まさに「生涯学習」ということばがぴったりだ。わたし自身が文章術に関して新しいことを日々学んでいく際に、それが背中を押してくれた。触発されて、わたしもトロンボーンを習いたくなった。いまからはじめれば、九十歳を迎えるころには、ジャズバンドに加われるかもしれない。

実のところ、一九八〇年にニューヨーク市で開催されたジャーナリスト会議の席ではじめて会ったとき、すでにウィリアム・ジンサーは見るからに老大家だった。会場はウォルドーフ・アストリア・ホテルの豪奢な舞踏室。『放送用のニュースを書く（Writing News for Broadcast）』という名著の著者エドワード・ブリスも出席していた。ジンサーは刊行されたばかりの著書を売りこみにきていた。その後、百万部以上のセールスを記録し、三十周年を迎えることになる本だ。

当時、わたしにはまだ自著がなかった。

その会議以降、百万部以上の『うまく書くことについて』が読まれ、借りられ、しるしをつけられ、貸し出され、メモ差しに刺され、ばらばらにされてきたが、そのうち一ダース余りはわたしの手によるものだ。

九十歳になってもなお、ジンサーはわたしの追随を許さなかった。

オンライン書店のベストセラーリストを最後にチェックしたとき、ジンサーは著者ランキングの一位にいた。一方、わたしの著書『ライティング・ツール』は四位（デジタル版は十六位）。アマゾンで販売されている全書籍のうち、わたしの本は二千百十五位で、ジンサーの本は三百六十位だった。わたしが二位の座に就いた日も多かったが、それでもまだジンサーの後塵を拝している（いま気づいたが、こんなことを書くとジンサーの本がまた売上を伸ばしてしまう。「本の書き方」の本の競走トラックで、わたしはジンサーの亡霊に周回遅れを喫している）。

この分野の大成功者であるストランクとホワイトが、一部の教師や専門家たちから貶されているのと同じで、わたしも切磋琢磨するライバルだからこそ、ジンサーの『うまく書くことについて』は過剰に評価されているのではないかとつい口に出したくなる。『アベンジャーズ』でハルクがロキにしたように、弱々しい執筆の神ジンサーにドロップキックを見舞い、ボディスラムを決めたいくらいだ。しかし、そんなことはできるはずがない。

なぜかと言うと、あの二ページがあるからだ。あのただならぬ二ページが。

わたしの持っている『うまく書くことについて』の版で、それは十ページと十一ページにあたる。その二ページをわたしは目がかすむほど読みこんだ。そして、さまざまな年齢の数えきれない作家志望者たちに、そのページのことを伝えてきた。これほど実用性と説得力のある意義深い二ページは、いまだかつてどんな手引書にも——ぜったいに！——存在しない。マイルス・デイヴィスやトニー・ベネットらがジャズの精神を明快に表現してきたのと同じように、ジンサーは文章術において、書き手が削除すべき個所を具体的に示している。

十ページと十一ページは、第二章「簡潔さ」と第三章「雑然」のあいだに、類型の例として挿入されたものである。「雑然というのは、アメリカ人の文章が陥りやすい病だ」と、ジンサーは六ページに書いている。「われわれは、不要なことばやまわりくどい構文、大げさな装飾や無意味な専門用語にまみれ、窒息しかかっている社会そのものである」。そして十二ページでは、第三章をつぎのようにはじめている。「雑然との闘いは、雑草との闘いに似ている——書き手はつねに半歩遅れをとるものだ。新たな変種が一夜にして芽を出し、昼には日常語の一部になっているのだから」

ジンサーはアメリカ人の文章に対して、あまりにもきびしい見解を示す。どんな言語にも、当然かつ必要な冗長さが本来具わっていること、そして、専門用語はたしかに物々しいが、ある種の書き手や考えの持ち主が集まったときには目的に合致しうることを、ジンサーは認めることができず、また認める気もないらしい。

それでもジンサーのきびしい基準を許容できるのは、ジンサーが自分自身にも同じように——十ページと十一ページで——それを課しているからだ。十一ページの下のほうに、その二ページは初版の『うまく書くことについて』第二章の最終稿を引用したものであることを示し、こう記述している。

これらは最初の原稿のように見えるが、ほかのほとんどのページと同じで、四、五回書きなおし、タイプしなおしたものだ。書きなおすたびに、なくてもよい要素をすべて取り除いて、より簡潔で、より力強く、より正確な文章にしようと試みている。そのあと声に出して読みながら、もう一度見なおす。するとたいていは、まだ削れる雑然とした個所がいくつもあって驚く（のちに重版した際に、「作家」や「読者」を表す「彼」（he）という性差別的な代名詞は削除した）。

十ページと十一ページでは、タイプ打ちされた原稿に、多くの校正記号が書きこまれている。その個所は文の途中から、こんなふうにはじまっている。

（読者は）……あまりにぼんやりしているか退屈しているため、書き手の思考の流れについていけない。わたしには読者の気持ちが完全にわかる。読者はさほどぼんやりしているわけではない。読者が迷うのは、たいがい、記事の書き手の配慮が足りないために、読者をしかるべき道にとどめ置くことができなかったからだ。

わたしの目には、雑然としたところはないように見えるが、ジンサーはさらに手を入れている。「書き手の」「完全に」「読者はさほどぼんやりしているわけではない。」と「記事の」のほか、「道」の前の「しかるべき」も削除した。以下が修正後だ。

（読者は）……あまりにぼんやりしているか退屈しているため、思考の流れについていけない。わたしには読者の気持ちがわかる。読者が迷うのは、たいがい、書き手の配慮が足りないために、読者を道にとどめ置くことができなかったからだ。

ジンサーはもとの文章の二十パーセント程度を刈りこみ、十ページと十一ページ全体を通じてその割合を保っている。

ところで、この二ページについて、わたしがなぜこんなに声を大にして繰り返すのか、おわかりだろうか。それは、寛容な書き手の理知と感情が見えるからだ。校正記号が書きこまれたこの二ページには、訓練された書き手が執筆するときの心の動きが表れている。その書き手は、みずから従う気のない基準を人に課したりはしない。

削除をしたのは、考えがあってのことだ。なぜ「記事の」のような語句を入れたくなるのだろう。わたしは短期間ながら映画評論の仕事をしたことがあり、そのときいっしょに仕事をした編集者は、わたしの原稿から「この映画の」ということばを繰り返し削除した。書かなくてもわかりきっているからだ。なぜ「完全に」を入れたくなるのか。「完全に」ではなくて「一部は」わかるとすると、話が変わってくるからだ。

では、「道」の前の「しかるべき」はどうなのか。わたしなら削除しなかったと思う。「しかるべき（proper）」と「道（path）」はどちらもPではじまって韻を踏むし、一音節の語の前に二音節の語を置いたほうがリズムがよいと考えただろう。しかし、ジンサーの言いぶんは正しい。「道」にはもともと「しかるべき」の意味が含まれている。

ジンサーと会って一年ほど経ったころ、わたしは自分がはじめて講師をつとめるライティングセミナーのために、ジンサーをフロリダのジャーナリズム研究機関、ポインター・インスティテュートに招いた。ジンサーは文章術の話になると俄然生き生きしはじめた（創作を教える偉大な講師、ドナルド・マレーも同席していた）。そのとき、わたしは推敲作業の話からセミナーをはじめ、十ページと十一ページをタイプしなおしてコピーしたものを持参していた——ただし、ジンサーの入れた校正記号はなしで。不要なことばを削ることを目標に、文章を編集するよう受講者たちに伝えた。「雑然とした部分を捨ててください」とわたしは言った。

そのあとの展開はとても意義深く、わたしはそれを機に、永久にジンサーを慕うことになった（まったく忌々しい男だ！）。ジンサーは誠実そうだが困ったような顔をして、自分でもどこを削ったかわからない、と認めたのだ。ジンサーにも解けない問題はあり、答えを覚えていなくて、再現することができなかった。見習い時代ならだれでもそういう不安を覚えるものだが——大御所になっても変わらない者もいるということだ。

最後に話したとき、ウィリアム・ジンサーはわたしに励ましのことばをくれた。「この使命をいっしょにつづけていこう」と。ジンサーが人々に伝えようとしたのは、文章術であり、文章の持つ人間性であり、読み書きや学習やコミュニティや民主主義のためにストーリーを語る力でもあるだろう。そこにわたしもみずからの旗を立てるし、ことばの世界の同志たちにもそうあってもらいたい。

Lesson

1. この本の適当なページを開く。筆記具を持って、節や章の趣旨とは関係ないと思われる単語やフレーズにしるしをつけよう。
2. 別のページを開く。練習のために、十パーセントを削除しなくてはならないと想定する。削除できそうな部分にしるしをつけよう。
3. 刊行された自分の著書にこのプロセスをあてはめる（学生の場合は、論文か何かでよい）。それから基準をきびしくして、二十パーセントを削除しよう。
4. 最後に、いま自分が書いている原稿の雑然としているところ、弱いところを見つける。だれかに手伝ってもらって、削除した個所をチェックし、意見が合うかどうかをたしかめよう。

3 ことばのなかで生きることを学ぼう。

ことばの字義どおりの意味と暗示するものの両方を理解すること。

ドナルド・ホール『うまく書くには（Writing Well）』

人は自分のなかにことばを持っている。なんたる天恵だろう。だが、立場を反転させたら？ 魚が海のなかで呼吸するように、人がことばのなかで生きていると想像したらどうだろう。作家はことばのなかで泳ぐものだ。内側から考えたら、純然たる同義語など存在しないとわかる。「ソファー」と「カウチ」は入れ替えられない。ことばの字義どおりの意味だけではなく、暗示的意味や生み出す連想を理解しよう。

一九七三年、リトル・ブラウン社からドナルド・ホール著『うまく書くには』の初版が出たころ、わたしは博士論文を書いていた。手早く書きあげた論文は、あまり出来がいいとは言えなかったが、それでも別にかまわなかった。反対者はいたものの、ロングアイランドのニューヨーク州立大学ストーニーブルック校で博士号を与えられるだけの評価は得たのだから。博士号を取得したあと、わたしはアラバマ州のオーバーン大学モンゴメリー校（AUM）ではじめて教鞭をとった。教員補助として、ストーニーブルックで作文講座を受け持ったほか、AUMでも一学期に少なくともひとつ創作講座を担当した。わたしが『うまく書くには』を教本として頼った理由はただひとつ。その名のとおり、うまく書かれていたからだ。
　自分の手もとにあった——いまもある——一冊の古い本を見て、その当時の自分が何に注目していたのかを振り返るのは興味深い作業だ。しるしがついているページがあれば、なおさらおもしろい。『うまく書くには』の二十七ページ、以下の文章にしるしがつけてあった。ノーマン・メイラーとジョン・アップダイクの作品について、ホールが論じたくだりだ。

　これらの作家は独創的だ。はじめて見たかのように書きながらも、自分の目に映るものを他者に届くことばで伝えているからだ。作家にまず必要な資質は想像力である。そのつぎに必要なのが技術だ。どちらが欠けても、文章は書けない。想像力だけで技術がともなわなければ、ひどい混乱に陥る。技術だけで想像力がなければ、うんざりするほど陳腐になる。

『うまく書くには』は、少なくとも九版を重ねた。ドナルド・ホールはミシガン大学での創作講座の講師をやめてフリーランスの物書きになり、やがてアメリカ有数の創造的で多才な作家として、二〇〇六年には桂冠詩人の称号を得た。最後の著作となった『喪失の祭り（Carnival of Losses）』は、二〇一八年、八十九歳で他界した数週間後に刊行された。
　一九七九年まで、わたしはポインター・インスティテュートという専門教育機関で、ジャーナリストたちに教えていた。ホールが野球の本を二冊書いていたことを知り、わたしはフロリダのセント・ピーターズバーグにホールを招き、いっしょに野球チームの春季キャンプを訪れて、スポーツライターたちの前で詩を朗読してもらった。ひとりの詩人が下世話な野球記者たちを刺激するのを目のあたりにして、うれしかったものだ。
　その後、何年もホールとの交流は途絶えていた。たしか、どこかで——どこでだったのか思い出せない

――ドナルド・ホールの『うまく書くには』を評論で褒めた。すると、二〇一七年のクリスマスごろに、ホールから短い手紙が届いた。

親愛なるロイ

ずいぶん会っていないね。きみが詩人ドナルド・ホールと、はるか昔に書いた教則本『うまく書くには』を引用してくれたと知って、うれしく思っている。

こちらは九十に手が届こうというところで、七月に新しい本が出る予定。『喪失の祭り 近く九十歳になる者の手記』という本だ。

では、また。

ドン

手紙をもらってとても驚き、わたしはニューハンプシャー州ウィルモットのイーグル・ポンド・ファームへ返事を書き送った。突然、文通仲間になったわけだ。

親愛なるロイ・ピーター・クラーク

変わりなさそうで何よりだ！（中略）『うまく書くには』を褒めてくれたと聞いて喜んでいる。何度重版したことだろう。こんなふうに着々と版を重ねたら、古本の売上を吹き飛ばしそうで、気が気でならない！

まもなくきみは七十、わたしは九十か。（中略）そう、日がな一日ごろごろしていてもおかしくない歳だ。働かざる人生を望む者がいるだろうか。いや、いるとも、おおぜい！

では、また。

ドン

六か月後、ドンがこの世を去って、墓に花を投げ入れるがごとくつぎつぎと弔いのことばが寄せられ、その一か月後、絶筆となった著書が刊行された。働かざる人生を望む者がいるだろうか。いい質問ですよ、ドン。

ドナルド・ホールがわたしに遺したもうひとつの贈り物は、『うまく書くには』を見なおす機会だ。おかげで数えきれないほどの教訓と洞察を得たが、ここでは以下の三点のみを伝えるにとどめる。

1　ことばはわれわれのなかにあるが、われわれはことばのなかに生きることができる。
2　度が過ぎれば、よいことも毒になる。執筆においても、人生においても。
3　滑稽化することで、物事の構造をつかむことができる。

『うまく書くには』は、詩人が創作について記した教則本だ。その特長は、単語についてもその集まりについても、深く理解できるようになることである。まるでことばに扉があって、そこから中へはいるよう誘われているかのようだ。

> 単語を正しく認識するためには（中略）どんな単語も別の単語の同義語にはなりえないことを、書き手も読み手もまず理解する必要がある。単語のなかには、互いに意味が近いものもあるが、どんなに似ていても同一ではない。書き手はことばの表面上の定義を押さえるだけでなく、その単語から連想され

るコンテクストの集まりを理解しなくてはならない。たとえば、「ナイフ」と「切る」、さらには「ケーキ」などだ。こういったグループはその単語の暗示的意味を表していて、明示的意味からの連想によって生じる。たとえば、「胡椒」は「塩」の暗示的意味ではないが、「塩」から連想しうる。書き手はこのグループ全体を用いるので、暗示的意味と連想を区別することは重要ではない。とはいえ、その単語の内なる本質を知る必要があるので、こういったグループに精通していなくてならない。

ドナルド・ホールは、「emulate（見習う）」「imitate（模倣する）」「ape（猿真似する）」といった、一般に同義語と言われているものをみごとに区別している。どれも「copy（真似る）」という意味を持つ単語だ。しかし、のちの桂冠詩人は、これらに目を注ぎ、耳を傾け、こんなふうに伝えている。

> emulate（見習う）には巧みにできるという印象があり、そこから考えると、これにはたいがい自己改善の意味がともなう。imitate（模倣する）は中立だが、本物ではないとだれもが知っていて、劣ったものだという印象が付きまとう。copy（真似る）は正確に複製することと言ってもよいが、これもimitateと同様、本物らしさに欠ける。ape（猿真似する）とはまさしく物真似であり、ばかにしたり茶化したりするという意味をともなう。もし若いピアニストが名高い巨匠をimitateして演奏したときに、うっかりapeという単語を使って評したら、ゴリラ並みの優雅さだったと言っていることになる。肝心なのはコンテクストであり、単語の本質は、コンテクストの力を増大させたり継続させたりするものだ。

わたしはことばのなかで泳ぐことをホールから学ぶ一方で、ほんとうらしく聞こえることばと嘘っぽく聞こえることばを識別する力を身につけた。『うまく書くには』の初版は三百二十四ページに及ぶが、そのなかの二ページ（四十六ページと四十七ページ）は、例文ひとつひとつ、単語のひとつひとつに至るまで、四十年近くわたしの記憶にしかと刻まれている。「動詞のなかの擬色」と題された一節は、自著を校正する際に大いに役に立ってきた。わたしはそれを逆の意味での教訓ととらえた。つまり、作家は新たな技巧を覚えてそれを使ううちに濫用するようになり、やがて効果が薄れて、退屈で不快にすらなるということだ。

多くの作家は、まず能動態と受動態という修辞上の区別について学ぶ。概して「能動態はよくて、受動態は悪い」とされるが、ドナルド・ホールによれば、能動態をむやみに使うと、ホールの言う「擬色」の使いすぎに陥る。これを例証するために、ホールはタイプのちがう一九五〇年代の人気作家ふたりの文体を模倣してみせた——まずは、冒険物の大衆雑誌で男性読者を対象にして書いた文体から見てみよう。

> ハートは唇の皮をこすり、鼻に指を突っこんだ。鼻くその塊をこすりとり、ナチスのくそ野郎めがけてはじき飛ばす。それから顔をゆがめると、こぶしを振りまわして、ドイツ野郎の歯を肉にめりこませた。

これについて、ホールはこう説明している。「荒っぽい表現だけがうんざりするような描写過多となるわけではない。ひょっとすると、上品な表現のほうが、たちが悪いかもしれない。（中略）動詞に頼って、不快きわまりない作品になることもある」

> 窓の外で鳥がさえずり、軒下でブドウの蔓が巻き、土のなかから芽が緑の先端を突き出し、リスたちがタンポポの野で踊り、春が一日を喜びで満たした。

ホールがこれらのくだりを男性向けの雑誌や恋愛小説から写しとった可能性もあるが、どうもホール自身が書いたパロディーではないかという気がする。ホールはこうした愉快な手法を——文学的効果を強調して、その作用（あるいは非作用）を理解させるために――『うまく書くには』の全編にちりばめて、ある教訓を伝えている。それは、ジャンルや文体の本質をつかむには、滑稽化するという方法もあるということだ。それで人を笑わせることができたら、みごと本質をつかめたということになる。

Lesson

1 ことばのなかにはいりこむには、いわゆる同義語のあいだのちがいを見きわめるという方法もある。emulate（見習う）、imitate（模倣する）、ape（猿真似する）のちがいをホールがどのように説明したかを見なおそう。

2 辞書の助けを借りて――『アメリカン・ヘリテージ・ディクショナリー』をお勧めする――sofa（ソファー）とcouch（カウチ）、naked（裸）とnude（ヌード）、charity（慈悲）とlove（愛）など、同義語のちがいを調べよう。

3 単語には文字どおりの意味――明示的意味――があるが、暗示的意味もあることを忘れてはいけない。色を使って考えてみる。『キャッチャー・イン・ザ・ライ』のホールデン・コールフィールドは赤いハンチング帽をかぶっている。『白鯨』のエイハブ船長は、一頭の白いクジラに復讐しようとする。「青」には、幸福な暗示的意味（青空など）と、悲しい暗示的意味（ふさぎこむ(ゲット・ザ・ブルー)）がある。緑、黄、紫、茶、オレンジ、ピンクでも、同じようにやってみよう。

4
「愛しきものを殺す」ための方法には、自分が書いたもののなかから「擬色」を見つけ出すというのもある。描写過多、凝りすぎた文章、ことばへの耽溺と言い換えてもいい。目立たせようとして、多くの強烈なことばを衝突させすぎてはいけない。そういうことばのなかで、どれがいちばん興味深く、重要であるかを判断する。それ以外を殺そう。

4 — 狙った効果にふさわしい文の形を選ぼう。

明快な文にするには、主節を先に書き、主語と動詞を離さないように。

ジョージ・キャンベル『レトリックの哲学（The Philosophy of Rhetoric）』

中心となる考えをはじめに置く文もあれば、最後のほうに置く文もある。このちがいは重要だ。早いうちに要点を述べるほうが、より自然で、会話っぽい印象になる。そういう文を読むほうが、内容に集中しやすく、書き手の存在が気にならない。特別な効果を狙って、より派手に見せようという場合には、トランペットを吹き鳴らすのを最後にまわそう。

文章術に関する良書の著者のことを調べていると、たいがいうれしい驚きがある。たとえば、一九〇四年刊行の大学で使う作文の教科書に、参考文献として『作文とレトリックの本質（The Essentials of Composition and Rhetoric）』があげられていた。そのまえがきにこんな一文がある。「十八世紀の中ごろ、すぐれた二冊の本が、修辞学の理論をあらゆる形式の文学にあてはめ、その領域を拡大した。その二冊とは、ブレア博士著『レトリックの講義（Lectures on Rhetoric）』と、キャンベル博士著『レトリックの哲学』である」

ブレア博士とキャンベル博士のファーストネームは書かなくてもわかる、と当時の編集者が判断していた点に着目したい。これはつまり、ブレアとキャンベル、そしてその著作が、約一世紀前の教育界ではよく知られていたということだ――今日わたしたちがストランクやホワイトに言及する場合と同じである。わたしが収集した本の山の奥に、ブレア博士の講義録が数冊あるのはわかっていたが、キャンベル博士のことは恥ずかしながら知らなかった。その三日後、ジョージ・キャンベルの『レトリックの哲学』が一冊、わたしの自宅に配送された。

当時著名人だったキャンベルは神学博士で、神は空のどこかにいるのではなく、日々の現象と体験のなかに見いだされるものだと固く信じていた。キャンベルはスコットランド啓蒙運動の中心人物でもあった。それは、理性と信仰の両立する知的世界を模索したカルヴァン派の神学者、哲学者、実践主義の学者たちによる運動である。

ジョージ・キャンベルは一七一九年のクリスマスの日に生まれた。聖職者兼学者として、さまざまな問題について書いたが、知的情熱を注いだのは修辞学だった。聖職者ながら実用主義者でもあったキャンベルは、神のことばを説教壇から人々に届けるのだから、よい伝道者になるためには修辞学を究めるのが筋だと考えた。アバディーン哲学協会の創設メンバーでもあったため、聡明な仲間たちに一連の講演で『レトリックの哲学』の一部を披露していた。それが出版されたのは、一七七六年という重要な年である。

『レトリックの哲学』は十八世紀の哲学書だが、いまなお読者、特に抽象的な概念や専門用語や複雑な構文を苦手とする者たちに、実り豊かな道を示している。修辞学を学ぶ学生にとっては必読書だ。しかし、わたし自身が惹かれたのは、実用について書かれた章であり、中でもキャンベルの言う「快活さ」の効果と「語の配置」に強い興味を持った。

一九五〇年代、社交性に富む若い女性は「快活」だと評された（男性はそう呼ばれていない）。手もとにある『アメリカン・ヘリテージ・ディクショナリー』では、「快活さ」とは「活気のある性質、あるいは状態。

生き生きとしていること」と定義され、例として「子供の目を見て笑いかける明るさと快活さ」というディケンズのことばが引用されている。

「どうすれば散文を快活な、つまり生き生きとしたものにできるか」と訊いたら、キャンベルは「語の配置だよ」と答えるだろう。キャンベルによる例証を調べたところ、「強調のための語順」にわたしほど興味は持っていないようだった。これは、重要な語や句をはじめに置くか、あるいは最後に（「注目して！」とばかりに）置くことで、際立たせようとする手法だ。

「語の配置」の章では、まったく異なるふたつの複文について述べている。複文とは、ひとつの主節と複数の従属節から成る文を言う。キャンベルは昔ながらの専門用語を使ってふたつのちがいを説く。いわく、主節からはじまって、そのあとに従属節が並ぶとき、その文を「散列文」と呼ぶ。散列文とは、主節に向かって組み立てられるのではなく、文が尻すぼみになっていくような形と言ってよいだろう。

一方、はじめに従属節がつづき、読み手に要点を聞く準備をさせてから、満を持して主意を伝える場合、そういう文を「掉尾文」と呼ぶ（掉尾文では中心となる事柄が文末に来る、と覚えてもよい）。わたしとしては、「散列文」「掉尾文」といった専門用語より、むしろ最近の言語学者が構文を説明する際に用いる「右枝分かれ」と「左枝分かれ」ということばを用いたい。まず、ひとつの文が一本の横線の上にある図を思い浮かべる。主語と動詞のある主節から文がはじまる場合、すべての従属節が右側へ枝分かれしていく（散列文と同じ）。最後に主節が来る場合は、従属節が左側へ枝分かれする（掉尾文と同じ）。

以下に簡単にまとめよう。

▼右枝分かれ文、すなわち散列文

はじめに主節の主語と動詞が現れる。

ほかの要素は右へ枝分かれする。

例「竜巻がカルーサ・シティを木曜日に襲い、そこでヤシの木をつぎつぎと地面になぎ倒し、屋根板をはぎとり、超高層ビルの窓を粉々にし、子供たちを逃げ惑わせた」

▼左枝分かれ文、すなわち掉尾文

最後のほうに主節の主語と動詞が現れる。

ほかの要素は左へ枝分かれする。

例「竜巻のニュースが届き、五時間車を走らせて自宅の通りの前まで行き、警察に身分証明書をたしかめられて、きのうまで自分の家が建っていた場所まで歩いていく許可を与えられたあと、メリッサは飼い猫が見つかることを心に祈った」

修辞学に則って、ことばが読み手や聞き手に及ぼす影響を考察しよう。読み手や聞き手は情報を得たり、困惑したり、気を悪くしたり、励まされたり、楽しんだり、疲弊したりするだろうか。それはことばの選び方と配置の仕方しだいだ。ここで、キャンベルの文章が見識ある読み手や作家志望者にもたらす効果を見てみよう。

二種類の複文、すなわち掉尾文と散列文を比べると、それぞれに長所と短所があることがわかる。前者［掉尾文］はより技巧的で意図を感じさせ、後者［散列文］はより自然な印象になる。しかし、掉尾文は快活で力強くなりやすく、散列文は弱々しく退屈になりがちだ。掉尾文はどちらかと言うと、書き手が使うのに向いていて、散列文はどちらかと言うと、話し手が使うのに向いている［両方を混ぜた形が最も効果的だ、とキャンベルは主張する。どちらに向いているのかは文章のタイプしだいだ］。概して、掉尾文は歴史学者、政治記者、哲学者などの威厳を表すのに最適である。一方、散列文はエッセイ、対話文、家族の手紙、寓話などに必要な軽さを出すのにふさわしい。これらは会話の形式に近く、掉尾文がはいりこむ余地がほとんどない。

この対比は非常に重要なので（読み手と書き手としてのわたしにとっても重要だが、あなたにとってもそうであればいいと願っている）、ここでキャンベルの見解をもう少し嚙み砕いてまとめる。

・中心となる考え（主語と述語）をはじめに置く文もあれば、最後のほうに置く文もある。
・早いうちに要点を述べる文のほうが、より「自然」に感じられる。
・そういう文のほうが、より会話っぽい印象をもたらす。
・そういう文は、技巧を加えたものである感じがしない。
・そういう素直な文――特に、長さが同じ文――を多用すると、退屈に感じられる場合がある。
・平易な散列文を読むと、書き手の存在に気づきにくい。
・散列文はスピーチで最も効果を発揮する――たとえば、教会の説教壇などで。
・散列文は、すばやく理解されることが必要な一般向けの文章で最も効果を発揮する。たとえば、エッセイ、ニュース記事、手紙、大衆向けの物語など。
・もう一方の掉尾文は、要点、いわば肉を文末の近くに置くもので、消化しづらいが、嚙み応えがある。
・掉尾文では、書き手とその技巧の存在に気づきやすい。
・掉尾文は、文学や知的な分野、たとえば、哲学、歴史、政治論でよく見受けられる。とりわけ、何世紀も前の作品に多い。
・現代の風潮では、掉尾文より散列文が好まれるため、掉尾文を見かけるほうが少ない。しかし、だからこそたまに掉尾文を使うと効果がある。

Lesson

語の配置についてどれだけ理解しているか、以下の課題で試してみよう。

1 五つか六つの文から成る段落をひとつ選んで、すべての文が一方向に流れるように書き換えてみる。最初と中盤と最後にどの語や句が来るか、すべての文について調べる。

2 主節を見きわめる。主節とは、文として独立して成り立つ単語の集まりのことだ。主節はひとつではないかもしれない。ひとつだけの場合、それはどこにあるか。はじめか最後か、どちらに近いだろうか。

3 すべての節について、主語と述語動詞の位置を見てみる。一般に、主語と動詞が近くにあって、しかもその位置が文頭に近いほど、読みやすい文になる。

4 文末に書こうと思って、とっておいたことばに注目する。特に、段落の最後まで残したことばをよく見る。主語と動詞がはじめのほうにあっても、特別なことばを最後にとっておくことはできる。興味を引きそうなことばが、文や段落の真ん中で迷子になっていないだろうか。最初か最後のもっと目立つ位置へ移動できないだろうか。

5 ― 計画に沿って書こう。

メモを参照せずに書けるリード文も作るとよい。

ジョン・マクフィー『ピュリツァー賞作家が明かす　ノンフィクションの技法』

ウィリアム・L・ハワース編『ジョン・マクフィー選集（The John McPhee Reader）』

執筆のプロジェクトが大きければ大きいほど、計画を立てる必要が増す。資料を整理し、大きなまとまりを決めて、軸となるアイディア――焦点――を補強しなくてはならない。計画のプロセスが欠けても、ジョン・マクフィーなどの著者から拝借することができる。プロセスを進める上で重要なのが「リード（書き出しの文）」だ。これはせいぜい二千語程度で、書き手や読み手が内容をつかむ助けになる。リードはメモを参照しないで書こう。リードがストーリーという井戸の底を照らす懐中電灯の役割を果たし、未知の世界を明らかにしていく。

本が二冊、わたしの机の上にある。一冊は『ジョン・マクフィー選集』だ。一九七六年、つまりわたしが大学で教えるのをやめてニュース編集室へ移る前年に刊行された本で、「ニューヨーカー」誌の記事の抄録を十二編集めたアンソロジーだ。これらのマクフィーの記事は、大半がノンフィクション本として世に知られるようになる。もう一冊は、それから四十一年後にわたしの自宅に届いた本で、長い年月を経たぶん親しみが増した。それが『ノンフィクションの技法』であり、マクフィーが執筆、取材、編集に手腕をふるって、「ニューヨーカー」誌の八つの記事をまとめたものだ。『ジョン・マクフィー選集』が饗宴のコース料理だとすれば、『ノンフィクションの技法』は饗宴の準備の秘訣を明らかにした本である。

ジョン・マクフィーがこの半世紀でも有数のすぐれたアメリカのノンフィクション作家であることは、衆目の一致するところだろう。わたしの計算で今年八十八歳になるマクフィーは、一九六五年からいままでに三十九冊の本を上梓している（シェイクスピアは三十七作の戯曲を発表したが、記者の仕事までする必要はなかった）。

プリンストン大学の教授で、出身校も子供のころからの本拠もプリンストンだというマクフィーは、七十代に突入したわたしにとって手本のような存在だ。レス・ポールは九十の坂を越えてなおマンハッタンのイリジウム・ジャズクラブでギターを演奏していたし、ウィリアム・ジンサーは視力を失いながらも、九十二歳のときに若い講師から詩の個人レッスンを受けていた。マクフィーはいまも執筆し、教壇にも立ち、その著書『ノンフィクションの技法』を通じて、担当講座を受講できる幸運なプリンストン大学の新人以外へも持論を広めている。

ただし、マクフィーを現実の手本とするには問題がある。マクフィーは優遇された執筆生活を送っているからだ。書きたいことを、書きたいときに、自分のペースで書く、とみずから公言している。また、編集者の持ってきた仕事を受けたのはこれまでに二度だけだと認めている。その二度にかぎり、読者から提案されたアイディアを使って話を書いたという。

マクフィーが選ぶテーマのなかには――たとえば、地質学などがそうだが――説明が明快で人物造形が緻密なのに、広い層には受けそうにないものがある。また、時系列に沿って書き、叙述に勢いをつけるために障壁を多く設けすぎるきらいがあるとも評されている。だとしても、絶好調のときは、こわいものなしの書き手だ。さいわい、寛容な作家なので、秘訣を自分の胸だけにしまっておいたりはせず、かと言って押しつけるでもなく、学生や読者に広く手法を教えている。同士の作家諸君、マクフィーが特権を享受していることをお忘れなく。みなさんもわたしも、締切に追われている。マクフィーはみずからの権限で締切を「必要なだけずっと」に延長できる。それを頭に入れたうえでなら、マクフィーの手法や習慣は巷の作家たちの役に立つ。『ノンフィクションの技法』からいくつかアドバイスを選んで、以下に示そう。

・「読者がページをめくる手を止められないような構成を組み立てられる」
・「構成を読者に気づかれてはならない。人の骨と同じくらい、表から見えないようにする」
・「何度もメモを見て、資料に目を通しても、リードを書くまでうまく構成を組み立てられないことが多い。メモのなかをいくら歩きまわっても、どこにもたどり着けない。パターンがつかめず、どうすべきかわからない。そういうときは、すべてやめてみるといい。メモを見るのをやめる。うまい書き出しを求めて頭のなかを探す。それからリードを書こう」
・「リードは——タイトルと同様——光をあててストーリーを照らし出す懐中電灯の役割を果たす。リードは見通しであり、いま書いているものはこの先こういうふうになるという見こみを表す」
・「わたしはいつも、本格的に書きはじめる前に、どこで終わらせるかを知っている」
・「執筆とは選択である。メモをとるとき、人は絶えず選択している。書いたことより、書かなかったことのほうが多い」
・「執筆が楽しいことは、ごくたまにしかない」

長年にわたって、わたしはプリンストン大学の英語学科で教えていたウィリアム・ハワースとの友情をはぐくんできた。ハワースは『ジョン・マクフィー選集』の編者であり、序文を書いた人物でもある。ハワースがマクフィーについて書いた文章をはじめて読んだとき、わたしは三十二歳ぐらいだった。三十歳のとき、わたしは新聞のコラムで、四十歳までに成しとげたいいくつかのことについて書いた。その筆頭が「いい本を一冊書く」だった。また、子供たちに作文を教えることにも興味があった。わたしは三人の愛娘がかよっていた公立のベイ・ポイント小学校への訪問を三年間つづけ、そこで言語科目担当の教師たちと協力して、ジャーナリズムやノンフィクションの手法を用いて生徒にライティングを教える実験に取り組んだ。ひとつ例をあげると、生徒全員に取材手帳を配ったのである。わたしは毎回の授業後、十五分ほど教室に残って日誌をつけた。三年間で、われながらすばらしい資料が集まった。作文の授業、ケーススタディ、生徒や教師のプロフィール、子供たちの作品例、さまざまな方策、保護者へのアドバイスはもちろん、刺激的で愉快な物語がたくさん集まったのが何よりの収穫だった。資料が山ほどできたところで、つぎはどうすればいいだろうか。本を書く方法は？

そんな絶妙のタイミングで、捜索隊がジョン・マクフィーの姿を借りて登場した。わたしはプリンストン大学の手法にほぼ忠実に従って――ウィリアム・ハワースが詳述したとおり――はじめは手書き、つぎにタイプライター、そのあとはコンピューターで執筆した。一九八五年のことだった。

マクフィーにならって、まとめてみる。

▼手もとに何があるかを知る

手書きのメモを清書した。タイプするときに、メモを読むことで記憶から引き出されたり、思い浮かんだりした考えや語句を加えた。使わない要素も多くあることがわかり、早くもその段階で情報を取捨しはじめた。詳細なメモのコピーをとったのち、それをまとめて綴じた。

▼大きなまとまりを見つける

メモを読み――自分で書いたメモについてさらにメモをとりながら――テーマやカテゴリーを考え、全体をいくつかのまとまりとしてとらえるためのパターンを探した。

▼リードを書く

腰を据えて――メモを見ないで――リードの第一稿に取りかかった。ここで言うリードとは、新聞などの特集記事用にまとめた冒頭の一段落序文のことではなく、子供たちに作文を教える意義についてまとめた千五百字の説明文のことだ。

▼焦点を見つける

信頼できる友人数人にリードを読んでもらって、自分のめざすところを伝えた。それによって、作品の焦点――軸となる考え――がなんであるかについて確信を得た。

▼章を決める

リードを懐中電灯代わりに、材料を分類した。このとき、キーワードとなる語句や頭字語を用いたが、それらは物語やテーマを深めていく要素、さらには章のタイトルになる可能性もある。

▼移動する

構成の鍵となる要素――具体的には、「罰としての作文」「生徒の作文を出版する」など――を索引カードに書き写した。

▼**順序を調整する**

できたカードを掻き混ぜたり絨毯に置いたりして（愛犬のランスが手伝おうとして、カードに鼻をなすりつけた）、しばらく動かしてみた。いろいろ入れ替えて、いちばんよさそうな順序を見つけた。

▼**ストーリーボードを作る**

それらのカードを自宅の仕事部屋の壁にテープで貼りつけた（そのあとにいくつか別のプロジェクトがあったため、実際には掲示板に貼った）。

▼**整える**

メモのコピーをとり、決めてあった構成分類に従って振り分けた。それをはさみで切り、できたパーツをそれぞれ「章」カードのタイトルと同じファイルフォルダーに整理した。

▼**さあ、書こう！**

最初のファイルを取り出して、原稿を書きはじめた。

一九八七年、ハイネマン・エデュケーショナル・ブックスはロイ・ピーター・クラーク著『自由に書く（Free to Write）』を出版した。はじめての自著の第一刷を手にしたときの誇らしさと喜びは、ことばでは言いつくせない。それ以降、著作のプロジェクトを十回以上経験してきたが、どれもマクフィーとハワースから四十年前に教わったプロセスで進めた。それをみなさんに伝えていく。さあ、本を書いてみよう。ようこそ、物書きの世界へ。

Lesson

1　執筆のプロジェクトに取りかかるときは、必要だと思う量よりはるかに多くの材料を集めよう。

2　収集のあとは選択を。よい選択のためには、軸となる考え――焦点――が必要である。

3　焦点を見つけるには、リード、つまり導入のための一節を書くのもひとつの手だ。マクフィーはリードを懐中電灯として使った。長い作品でも、リードは短くてかまわない（たとえば、『白鯨』の冒頭の「わたしのことはイシュマエルと呼んでくれ」のように）。必要なら、まる一章ぶんの長さでもよい。

4　行きづまり、資料に溺れてしまったら、ひとまずすべてを脇へ置く。そして、深呼吸しよう。メモを見ないでリードを書くといい。記憶に導かれるまま、格段におもしろくて大切な要素を見つけよう。

第2部

声とスタイル

わたしがこれまでに教えてきた書き手は、ひとり残らず、自分だけのスタイルを作り出したい、本物の声を獲得したいと望んでいた。スタイルと声。声とスタイル。ベン・ヤゴーダは米国有数の多才な作家であり、スタイルと声を同義で用いて、作家の文章術について説いた。わたしの師であるドン・フライは、声とは錯覚であり、書き手が講じるあらゆる手段によって作り出された音の効果だと述べている。『英語文章ルールブック』で例を引いて示されているとおり、「スタイル」ということばにはふたつの異なる意味がある。その本のなかでは、著者のひとりウィリアム・ストランク・ジュニアが「慣習」を一手に引き受け、その教え子だったE・B・ホワイトが「修辞」を担っている。ストランクはすぐれた書き手のだれもが従う慣習があることを強調し、ホワイトは書いたものがだれかのものと似ることなく、自分だけのものに聞こえるための手法について説明している。

ゲイリー・プロヴォストは、たったひとつの選択が——文章の長さが——作品の響き方や読者の体験にどう影響するかについて、みごとな例を示している。その知恵を裏づけるのが、アーシュラ・K・ル＝グウィンだ。ル＝グウィンは「すべての文に独自のリズムがあり」、それがまた作品全体のリズムになる、と述べている。

ロバート・テイラーとハーマン・リーバートの『仕事場の作家たち（Authors at Work）』は、古い手書き原稿を集めた本で、書き手の声を調律したり作品のスタイルを整えたりする修正作業のパターンを視覚化している。有名作家たちの未完成原稿を見て、修正時に作家が自身の声をどう調整していったのかを知るのは、とても励みになる。

修正はふつう、プロセスの終わり近くにおこなわれるが、ベラ・ジョン＝スタイナーは、芸術家が最初の段階で構想を想起し、その構想を「心の手帳」に描きはじめるときに何が起こっているのかを明らかにする。紙にことばを書き留める前に、頭に浮かんだ思いつきをスケッチ画、表、線図、輪郭として記すのである。

読むこと、書くこと、そしてストーリーテリングについて考えてみると、印刷機からテレビ、さらにコンピューターやインターネットへの科学技術の進歩が、ことばの意味にも影響を与えてきたのがわかる。『ワイアード・スタイル（Wired Style）』で、コンスタンス・ヘイルはデジタル時代のスタイルと文学の収斂とを指摘し、声について実験するには、書き手は新旧双方のことばに通じた「マルチリンガル」でなくてはならないと述べている。

ページや画面上で自分の声がどう「聞こえる」かに耳を傾けるよう、どの本もわたしたちに説く。自分の書いたものを声に出して読み、それぞれのジャンルを代表する最良の声に耳を澄まそう。

6 「スタイル」の相反するふたつの意味を認識しよう。

個々のスタイルを表現するためには、グループのスタイルを放棄する覚悟を持つ必要がある。

ウィリアム・ストランク・ジュニア、E・B・ホワイト『英語文章ルールブック』

『英語文章ルールブック』によれば、「スタイル」という単語の意味は流動的だ。とらえたと思った矢先に噴き出して、新しい形と意味が現れる。同じ綴りなのに、正反対のふたつの意味を持つ単語がある。木をsandすると言ったら、紙やすりをかけてなめらかにするという意味だが、氷をsandすると言ったら、上に砂を撒いてざらざらにするという意味になる。「スタイル」という単語もそれとほぼ同様だ。文章のスタイルについての本のなかには、統一を図ることを目的にしたものもある。たとえば、シリアルコンマ（A, B(,) and C のような場合、and の前のコンマ）を入れるかどうかということだ。その一方で、文章のスタイルは、書き手を特徴づける手法のひとつでもある。文章のスタイルを見れば、だれが書いたのかを見分けられる。これらのふたつの定義は共存できるが、摩擦が生じて衝突が起こる場合もある。個々のスタイルを表現するために、グループのスタイルを無視せざるをえないことがあるかもしれない。

『英語文章ルールブック』は、文章術に関するあらゆる本の曾祖父であり、曾祖母である。曾祖父と曾祖母という呼び方を使ったのは、性差別を避けるためだが、著者がひとりではなく、ふたりだからという理由もある。ウィリアム・ストランク・ジュニアとE・B・ホワイトだ。一世紀前、ストランクはコーネル大学の英語学教授で、その教え子だったホワイトは飛び抜けて有名になり、二十一世紀の多才な作家のひとりに数えられるようになった。ホワイトは「ニューヨーカー」誌で長く働き、取材記者、論説委員、特派員、エッセイスト、詩人、小説家として活躍した。『スチュアートの大ぼうけん』や『シャーロットのおくりもの』の著者として、親子二世代にわたる知名度がある。教授のストランクと、作家のホワイト。たぐい稀なふたり組だ。ストランクとその教え子たちから「ささやかな本」と呼ばれていた本は、やがて「ストランクとホワイト」という通称で知られるようになる。そして一千万部以上を売りあげ、大きな影響力を持つようになった。

『英語文章ルールブック』についてほかに知るべきことは、二〇〇九年に刊行されたマーク・ガーヴィー著『表現様式（Stylized）』にほぼすべて記されている。マーク・ガーヴィーは自著のことを「付きまといの歴史に近い」とみずから評している。ストランクとホワイトのファンならだれでも、『英語文章ルールブック』についてガーヴィーが記した詳細な年代記に興味を引かれ、ホワイトと出版社とのやりとりを知ることになるだろう。「ささやかな本」の長年の愛読者も、容赦ない批評家も、ガーヴィーの集めた論評を読むことができる。論評を寄せたのは、デイヴ・バリー（ユーモアで知られるコラムニスト）、シャロン・オールズ（詩人）、アダム・ゴピック（批評家）などの有名人たちで、それぞれが人生のある時期に「ストランクとホワイト」のアドバイスをどう生かし、どう生かせなかったのかを、口述記録の形で証言している。

この章のもともとのタイトルは「なぜいまもストランクとホワイトは重要なのか」だった。「ストランクとホワイト」を書名ととらえるにせよ、もともとの著者と改訂者のふたりととらえるにせよ、重要であることに変わりはない。その理由をいくつか見ていこう。

▼短い

一九一八年にウィリアム・ストランク・ジュニアがコーネル大学の学生のために執筆し、自費出版したものとの版は、全部で四十三ページしかなかった。ハーコート・ブレース&ハウ社から出た一九二〇年版でも、たった五十二ページだ。内容は、以下の七章から成る。語法のルール、作文の基本原則、形式の問題、誤用の多い語・表現・綴り、そして最終章の練習問題。

▼安い

一九七〇年、プロヴィデンス・カレッジを卒業した年に、わたしはマクミラン社によるペーパーバック版『英語文章ルールブック』を九十五セントで購入した。当時は書籍全般がいまよりはるかに安く、特に大学の教科書は安価であり、一ドル以下のものを富豪並みの気分で買うことができた。しかし、見かけの金額に惑わされることのない調査能力を具えたジャーナリストたちから、わたしはちょっとした秘訣を教わった。一九七〇年に買ったその本が、いまならいくらになるか計算してみよう。物価の上昇を加味すると、六・一七ドルになるはずだ。

各出版社は、評判のよい本に新たな特徴を加えて新しい版を作れば、金儲けができることを学んでいた。現在わたしは『英語文章ルールブック』を八つの版で持っている。一九一八年版のドーヴァー社による復刻版。ストランクの同僚であるエドワード・A・テニーの編集による、ハーコート・ブレース社刊の一九三四年版。ほかにも六つの版の「ストランクとホワイト」がわたしのもとにある。

▼よく読まれている

何十億もの人が味わったと看板に書いてあったという、ただそれだけの理由で、マクドナルドのハンバーガーを食べたくなるものだろうか。まあ、そうかもしれない。わたしはコンバース・オールスター――チャックテイラー、もしくはチャックという呼び方のほうがより知られている——のスニーカーを半ダース持っているが、それが過去一世紀で八億足売れたことを知ってもいる。本の執筆に関しても、多くの人に読まれることが重要だ。『英語文章ルールブック』は薄くて安いため、教師たちが何世代にもわたって教科書に指定してきた。「薄い」と「安い」というふたつの強みのおかげで、学生が学生に、編集者が著者に、この本を勧めやすくなったわけだ。作家のジェームズ・ジョーンズは、スクリブナーズ社の名高い編集者、マックス・パーキンズと仕事をしたことがあり、パーキンズのことをこんなふうに言っていた。あの人は作家たちに本を処方するんだ、ちょうど医者が試しに薬を渡すみたいに。「ストランクとホワイト」はまさにそんなふうに、作家のささやかな助手として使われた。もっと簡潔に、もっとまとまりよく、もう少しわかりやすくしたいと作家が悩んでいたら？　このふたり、ストランクとホワイトから学んで、午前中に何か書いてみるといい。

▼まず学者の視点から、つぎに作家の視点から

文学界に昔からある区分のひとつが、学者の文章と作家の文章の別だ。わたしが大学院生だったころ、会議の場で英語学の教授たちが世評の高いジャーナリストの文章をからかっていた。嫉妬からなのか、それともただ単に属しているコミュニティが異なっていたからなのか、わたしには教授たちの考えがわからなかった。

著名な作家であるホワイトが恩師の本を改訂する話に加わったとき、それまであったかもしれない不調和が解消された。一九五八年、ホワイトのもとに大学時代の友人がストランクの「ささやかな本」を一冊送った。自分の手もとになかったばかりか、ホワイトはその本の内容をすっかり忘れていたが、恩師についての記憶は鮮明だった。

言い換えると、恩師の自費出版による教則本は、少なくとも直接的には、ホワイトに影響を及ぼしていな

かったことになる。ホワイトは専門的な文法や、語法に対する従来のアプローチに嫌気が差していた。「執筆とは信頼に基づく行為であって、文法を弄することではない」とホワイトは書いている。作家でイラストレーターのメリッサ・スイートがホワイトの人生を描いた子供向けの本のなかに、こんな記述がある。「アンディ〔ホワイトの愛称〕は『英語文章ルールブック』の改訂版を作る話に（ストランクの原本に忠実に作るという条件で）同意しましたが、自分のことを文法の専門家だとは思っていませんでした。アンディ本人がこう書いています。〝いよいよ文法には耐えられないと思ったら、自転車に乗ってハイウェイを行ったり来たりして、もやもやを吹き飛ばすんだよ〟」

『英語文章ルールブック』に対する特にきびしい批判のなかには、いまや流行らない文体――引き締まって、飾らない文体――を持ちあげすぎだというものもあった。古い語法に焦点をあてつづけるかぎり、ストランクは記述言語学者たちの標的にされ、語法に関してストランクの考えを断固否定する大物の書き手の証言を延々と聞かされることになるだろう。

句読法を例にとろう。わたしはストランク教授のスタイルを踏襲していると言っていい。先に述べたシリアルコンマもそうだし、単数名詞の所有格を表す場合に、その名詞がsの文字で終わっていても、アポストロフィとsをつける（一部、例外はある）というのもそうだ。たとえば、「チャールズの銃」を表すときは、AP通信のスタイルブックに従ってCharles' とするのではなく、Charles' sとする。また、「faith, hope, and love（信仰、希望、愛）」というように、andの前にコンマを打つ。このほうがよりおごそかな雰囲気になるが、AP通信スタイルブックでは、このコンマは打たない。イギリスの新聞を読んでいて、引用符の外に小さなコンマがよるべなく漂っているのを見ると、そこへ命綱を投げて、港に引きあげてやりたくなる。そのまま潮の流れに逆らってその綱を引き、ほかの作家クラブの作家や編集者たちが勝手にそんな決まりを定めた過去まで文章術を巻きもどすのだ。

ストランク教授は、サー・アーサー・クィラ・クーチと、読み書きについてのクィラ・クーチの著作を高く評価していた。その著作には、文法や語法より修辞や文学作品そのものに焦点をあてる傾向があった。となると、重要なのは、ストランクがどこで標準英語から一線を超えて、個々の修辞上の戦略に注目するようになったかをつかむことだ。ストランクのルール十八番は「強調する語は文の終わりに置く」というものだ。わたしの場合、それに相当するのは、ライティング・ツールその二「強調のためにことばを並べ替える」である。気に入っている例――高校の教師たちの言う「指導用模範文」――として、わたしなど足もとにも及ばない作家シェイクスピアの『マクベス』を見てみよう。「お妃さまが、陛下、お亡くなりになりました（The Queen, my lord, is dead）」とあるが、わたしなら主語と動詞を近づけて「お妃さまがお亡くなりになりました、陛下（The Queen is dead, my lord）」と書いたかもしれない。偉大なる詩人シェイクスピアは重要な単語Queenを冒頭に置き、いちばん重要な単語――驚くべき知らせ――を最後のすぐ近くに置くのを好んだ。

ストランクの本を読みなおしていたら、うれしいことに、教授が戦略を一歩押し進めて、いつしか自分の作業台の上に載っていたことに気づいた。「いちばん目立たせたいものにふさわしい場所は末尾であるという原則は、文中の語にも、段落中の文にも、作品中の段落にもあてはまる」。一週間前にそれを読むまでは、考えもしなかったことだ。けれども、いまこうして自分の著作のなかでその価値を認め、実際に試すのを楽しみにしている。

E・B・ホワイトは『英語文章ルールブック』を大ベストセラーへと押しあげた。ホワイトの功績は以下の三点である。

1　みずからの名声を作品に付与した。ホワイトは一九五九年にはアメリカの人気作家の仲間入りをしていたため、その知名度の高さが加わって、『英語文章ルールブック』が文学として進んでいるように印象づけられた。これは、学者ストランクの書いた原本には不足していた。

2　ホワイトはストランクを褒めそやした。ホワイトの「ニューヨーカー」誌のエッセイが、のちに『英語文章ルールブック』のまえがきになったが、その文には人を引きつける魅力があり――まっすぐで、頑固で、率直で――広く支持される洗練された英語の使い方を究めている。以下のくだりは――少々冗長ではあるが――記憶に強く印象づけられる。

「不要な語を削れ！」著者のウィリアム・ストランクは二十一ページで声をあげ、その命令に全身全霊を注いだ。わたしがストランクの講義を受けていた当時、ストランクは不要な語をたっぷり削っていた。それもあまりに強引で、あまりに熱心かつ明らかに楽しんでいたので、よく自分を、もう話すことがなくなって時間を持て余している人や、定刻より早く話し終えてしまったラジオ伝道師のように見せかけていたようだ。ストランクはこの窮地を、いとも簡単な技巧で切り抜けた。すべての文を三回ずつ言ったのだ。文の簡潔さについて教室で弁舌をふるうときは、机に身を乗り出して、両手で上着の折り襟をつかみ、かすれた声で陰謀めかして言ったものだ。「ルール十七番。不要な語を削れ！　不要な語を削れ！　不要な語を削れ！」

わたしは初期の自著のなかで、いたずら半分にこの一節を書きなおして、不要な語を削ってみた。たとえば、「折り襟」の前に「上着」は必要だろうか。折り襟でなければだめなのか。気のきいたおもしろい文章を書こうとして、教え子が師に無言で逆らうのは、これがはじめてというわけではない。

3　ホワイトが共著者の権利（および同額の印税）を得ているのは、短い論考に二十一個の「提案と注意事項」を添えた「スタイルへのアプローチ」という章をひとつ執筆したためだ。わたしはその章を読みなおし、あまり印象に残っていないことに気づいた。読んでいて、だらけてきたり自己顕示欲が頭をもたげたりすると、ディズニー映画『ピノキオ』のジミニー・クリケットのように、ページが話しかけてくる。そこでわたしは「適切な構想を立てたのち、それに従って書く」ことを試してみた。ただし、構想はある程度の筆慣らしをしてから立てるのがいいかもしれない。「修飾語の使用を避けよ」というルールを守り、どうしても必要な場合以外、わたしは修飾語を避けている。また、「耳がよくない人は方言を使わないこと」というルールがあるので、たいして耳がよくないわたしは、両手の指で数えられるくらいしか方言を使おうとしたことがない。

ホワイトのアドバイスは修辞学的だ。それを応用すると、いわゆる「スタイル」ができる。「スタイル」ということばについて——ストランクとホワイトの見解を踏まえて——考えてみると、文脈によってふたつの正反対の意味を持ちうる単語だとわかる（たとえば、「裂ける」と「くっつく」という意味を持つ cleave もそうだ）。

ストランクの考え方によれば、「スタイル」とは、決められた慣例——Charles' ではなくCharles's と書くなどの慣例——を意味する。そうするほうがいい、とみんなが合意しているというのがその理由だ。選択してきたものが慣例、つまり同一の集団や文化における社会的な契約となる。整合性や明快さを求め——混乱と不和を避けるべく——だれもが同じやり方をすることに決めるのだ。物事に関するそういう約束を集めたものを、スタイルブックと呼ぶ。

ホワイトの考え方によれば、「スタイル」は、識別できる独自性をもって作家が自分を表現することで獲得される。E・B・ホワイトは自分の書いたものが他人のものと似て見えるのをきらい、自分自身のものにしか見えないことを望んだ。ホワイトは実績をあげ、大いに報われた。ストランクとホワイトの言う「スタイル」の意味は相反するものの、共存する。くわしくは、お手持ちの「ささやかな本」を読み返してもらいたい。なぜいまもその本が重要なのかわかるだろう。また、なぜふたりが重要なのかもだ。「ストランクとホワイト」は、調子の出ないおおぜいの作家に、文章術とは魔法の仕業ではなく、約束事と道具を駆使することだと説きつづけている。

Lesson

1 「スタイル」にはふたつの意味があることを覚えておく。ひとつは作家が従う慣習という意味で、もうひとつは作家を目立たせる、ことばの独自の要素という意味だ。

2 書き手の新しいコミュニティに属したら、スタイルブックがあるかをたしかめる。そしてなんとしても、その内容を覚えること。語法の基準をつかさどる社会的契約に同意しよう。

3 慣例は合意であり、規則ではない。また「スタイル」は、作家としてくだした決定、ほかの人とはちがう、ときに反逆的な決定のことを指す。

4 自分の書くものがスタイルブックと食いちがっていることに気づいたら——よくあることだ——そのときは独自の語法を試す。こっそりやるよう、めざとい編集者から言われるだろう。前もって知らせておけばうまくいくはずだ。

7 — 文の長さを変えて、心地よいリズムを作ろう。

ひとつひとつのピリオドを、一時停止の標識と考えること。

ゲイリー・プロヴォスト『文章を上達させる百の方法　スタイルと力を具えた文章のための、実証された専門技術（100 Ways to Improve Your Writing: Proven Professional Techniques for Writing with Style and Power）』

アーシュラ・K・ル＝グウィン『技巧の船を操る　二十一世紀に物語の海を渡るためのガイド（Steering the Craft: A 21st-Century Guide to Sailing the Sea of Story）』

短い文は真実味が感じられる。作家は読者の注意を引くために短い文を使う。長い文は読者を旅へ誘い、線路沿いにひろがる錆色の街に雪が降るなか、列車が音を立てて過ぎていく景色を見せる。長さだけによって——短いか、中くらいか、長いかによって——それぞれの文は読者にひそやかなメッセージを送る。変化が加わると、レガートからスタッカートまで、文に音楽的なリズムが生まれる。反復と変化を組み合わせることで、心地よい音楽になる。

フロリダ州セント・ピーターズバーグで、セントラル・アヴェニューの書店に立つ自分を想像してもらいたい。書店の名前は、店主の姓――ハズラム――にちなんだもので、八十年かけて歴史、規模ともに南東部有数の大書店になった。ジャック・ケルアックも足しげくこの店を訪れ、一九六九年にセント・ピーターズバーグで人生の旅路を終えたと言われている。その書店でわが物顔をしているのは二匹の猫、ティーカップとベオウルフだ。だれかの飼い猫になる気があるかはわからない。貢ぎ物としてにおいの強烈な食べ物を持参すれば、成功の見こみが増すだろう。

あなたは作家の卵だが、文章術のアクセルをしっかり踏みたいと思っている。物書きの公道レースを走るマッスルカーに、ことばの亜酸化窒素を積んで、知識と技能を一段引きあげたいと望んでいる。もっと書きたい。本を出したい。稼ぎたい。

わたしがあなたを書店へ連れていって、新刊も古書も合わせて文章術に関する手引書が並ぶ一角へ行くとする。そして良書をいくつか勧めよう（本書で紹介する数十冊の本を含む）。あなたとしては、古書ではなく新刊本がほしいが、懐がさびしく、所持金は八ドルしかない。「全部でこれだけじゃ、まともな手引書は買えないでしょうね」

「若き詩人よ、心配は要らないさ」わたしはそう言って、黄褐色に青色の文字がはいった薄い本に手を伸ばす。ゲイリー・プロヴォストの『文章を上達させる百の方法』だ。一九八五年にメンター・ブックスから出版され、いまも販売されている。価格は六・九九ドル。一ページ一ページ、一セント一セントが、これまでに書かれたどんな文章術の本より役に立つだろう。著者のゲイリー・プロヴォストは創造的で多才な作家で、フリーランス作家の擁護者だったが、五十歳のときにケルアックの言う「ローマ花火」のように炸裂して散った。

『文章を上達させる百の方法』は、あらゆる文章術の本のなかでも史上稀に見る魅力を具えた型破りな本かもしれない。

わたしはフリーランスの物書きなので、郵便受けを見て一喜一憂する。この二十年というもの、それぞれに思い入れのある郵便を四万通以上送ったり受けとったりしてきた。そのあいだで、配達の不備を心配したのはせいぜい一、二度だけだ。郵便をネタにしたジョークを聞いて笑い、自分でも言ったことさえあったが、実のところアメリカ郵政公社は、わたしが出会ったあらゆるビジネスのなかで抜群に高い成功実績を誇っている。よって本書を、郵便番号01561、マサチューセッツ州サウス・ランカスターの郵便局の職員、そして全国の郵便局の職員に捧げる。

一年に二千通の郵便をやりとりする物書きなど、わたしには想像もできない。とはいえ、ベテラン郵便局員であるわが娘婿ダンがプロヴォストの献辞以上に喜んでくれるものを、わたしは何ひとつ書いたことがない。

プロヴォストは「ライターズ・ダイジェスト」誌と長きにわたって実りの多い関係を築いた。『百の方法』の一部を同誌で発表し、その後、すべての章をまとめて一冊の本にした。目次を見ると、番号を振ったリスト上に、土台となる構成が浮かびあがる。

1　書かないでも書くのを上達させるための九の方法
2　執筆中のスランプを乗り越えるための九の方法

こうするための五つの方法、ああするための十一の方法と進み、やがて合わせて百に達する。わずか百五十六ページの本なのに、執筆のためのアドバイスひとつひとつに対して適切な目標が示されている。ひとつのアドバイスに一ページ半ほどでは、持論を展開したり凝った説明をしたりする余裕はないものの、鋭いヒントを示すにはじゅうぶんすぎるというわけだ。

十章は「上司にきらわれないための十二の方法」というタイトルだ。「専門用語を避けろ」「クリシェは避けろ」「挿入句は避けろ」「脚注は避けろ」といった、ごくあたりまえのアドバイスが並んでいる(わたしがアドバイスするなら、「避けろという単語を避けろ」だろうか。というのも、たとえば、脚注が申し分のない回答になる場合もあるかもしれないからだ)。わたしが好きなのは、「トム・ウルフごっこをするな」というつぎのようなアドバイスだ。

トム・ウルフの初期の作品を読んだことがある人は、ウルフが「ウッヒォォォ!!!!」などの表現や、大文字ばかりの生き生きした一節や、「ヤばい」「ク・ト・ウ・テ・ン……!!!?」など、視覚的な細工を多用する作家だと知っている。

わたしはそれを「トム・ウルフごっこ」と呼んでいる。ウルフ本人はそれでいい。愉快な作品だ。文学として成立している。それが作家としての個性であり、まさしくウルフなのだから。

しかし、この手のものは九十九パーセントの確率で失敗する。小細工のほうに目が行って、内容から関心がそれるのだ。文字を読んでいることを読者に意識させ、著者に愚鈍の烙印が押されてしまうこともある。

見てくれは関係ない、とは言えないだろう。きれいな紙、ボールド文字、余白——これらはすべて、作品の評価に響く。だが、そもそも文学はビジュアルアートではない。文学は油絵よりも音楽に似ている。くねくねした小さな線の形や大きさや色に頼れば頼るほど、それは文学ではなく、ほかの何かになっていく。

「ナぁんかコぉぉユぅぅの!!!」と表記するじゅうぶんな理由を述べられないのなら、トム・ウルフごっこはしないことだ。

エルモア・レナードも同種の反感を感嘆符について表明し、作家たるもの、感嘆符で叫ぶ登場人物が許されるのは、二冊にひとり程度がいいところだと述べている。プロヴォストと同じように、レナードもトム・ウルフには免罪符を与えた。二〇二〇年のいま、顔文字や絵文字の全盛時代に、プロヴォストとレナードが天国でどんなやりとりをしているか、ぜひそっと聞いてみたいものだ。きょろきょろ動く目や、笑顔のうんこマークの絵文字でメッセージを飾れる時代に、なんのそっけもない感嘆符にどうしてこだわる必要があるだろう。

本書に盛りこむべき内容について、担当編集者のトレーシー・ビハールが助言をくれた。リトル・ブラウン社からこれまでに出た五冊の著書で使ったアドバイスや例をむやみに繰り返すのはやめたほうがいい、というものだった。わたしはその点に関してはトレーシーほど気にしていないが――わたしたちふたりがいいコンビ関係でいられる理由のひとつだ――それはただわたしがこう考えているからだ。「執筆とは魔法ではなく、プロセスであることを忘れるな」。これは文章術の本の冒頭を飾るにふさわしい、実に意義深いことばだ。

そこで、わたしの著書『ライティング・ツール』にも登場する、プロヴォストの本からの短い一節を紹介したい。『ライティング・ツール』でそのくだりをはじめて見た作家たちに何度も引用されているため、わたしのことばだと誤解している人もいる。プロヴォストの本は、文の構造と組み立てを明らかにする模範例の一種として、作家たちに好まれている。その本は、なぜ文の長さを変えるべきなのか、どう変えればいいのかを教えてくれる。

たとえば、この文は短い。これは短い文だ。短い文はいい。ただし、それがつづくと単調になる。短い音を聞く。短いとつまらない。短いと退屈だ。まるで壊れたレコードだ。耳は変化を求めている。さあ、聞け。文の長さを変えて、音楽を作ろう。音楽を。執筆の歌を。その歌は心地よいリズムと、はずむ音と、ハーモニーを具えている。短い文を使おう。中ぐらいの長さの文も使おう。そして、読者が作品に没頭したと確信できたら、読者に取り組ませるべきなのはかなりの長さの一文であり、その文は力強く燃えあがると、しだいに勢いがついて、ドラムの連打が、シンバルの大音響が――この音に耳を傾けよ、これこそが重要だとばかりに鳴り響く。

そう、短い文と、中ぐらいの文と、長い文を組み合わせて書こう。読者の耳を楽しませる音を作ろう。ただことばを記すのではない。音楽を書こう。

アーシュラ・K・ル＝グウィンは、わたしが知っているなかで最も有名なアメリカの作家かもしれない。ル＝グウィンが二〇一八年一月に没したとき、まさにわたしはこの本に全力で取り組もうとしていた。ル＝グウィンの逝去と、それを受けて寄せられた多くの弔辞に、わたしは関心を引かれた。「タンパベイ・タイムズ」紙の書籍編集者コレット・バンクロフトが寄せた追悼文の一部を紹介する。

ル＝グウィンは正真正銘の偉人である。SFとファンタジーの作家として名高いが、ほかにも多くのジャンルの作品を書き、半世紀にわたる作家人生のなかで二十の小説と（中略）十三の児童書、多くの翻訳作品のほか、短編集、詩集、エッセイ集を数えきれないほど上梓した。ル＝グウィンの作品は四十の言語に翻訳され、世界じゅうで数多く販売されている。

ル＝グウィンは数々の賞を受賞したが、そのひとつは全米図書協会から贈られたアメリカ文学特別功労賞だ。

ときどきあることだが、読書家を自認する者でも、ある作家が亡くなってはじめて、自分がその作家について何も知らなかったと気づく。その作家には多くの著作があって、いくつも賞をとっていたというのに。ル＝グウィン逝去の報からしばらくして、一冊の上品な装幀の本がわたしの目に留まった。それが『技巧の船を操る　二十一世紀に物語の海を渡るためのガイド（Steering the Craft: A 21st-Century Guide to Sailing the Sea of Story）』だ。うまいタイトルだ、と思わずうなった。craftという単語には「技巧」と「船」というふたつの意味があり、「技巧（船）を操る（Steering the Craft）」と「海を渡る（Sailing the Sea）」が対になっている。また、タイトルは七つの単語から成るが、最後の三つを含む四つがSの文字からはじまっている。

著者は？　アーシュラ・K・ル＝グウィンだ。

その本は、一九九八年に『技巧の船を操る　孤独な航海士か反抗的な乗組員のための、物語の創作に関する練習と解説（Steering the Craft: Exercises and Discussions on Story Writing for the Lone Navigator or the Mutinous Crew）』としてはじめて刊行され、マリナー・ブックスから出た二〇一五年版で新たな命を与えられた。作家が死去すると、その作家の著作が改めて脚光を浴びることも多く、ル＝グウィンの場合は本人が書いた文章術の本にも注目が集まった。『技巧の船を操る』は、ゆるやかにつながったアドバイスが並んで、それを補うべく有名な文学作品の例文や応用課題がはさまれているが、名著と呼ぶには構成が弱い。文章術の本にその手の構造の問題が見つかったとき、わたしはそれにはかまわず、金貨を探そうと地面に目を向ける。そのささやかな百四十一ページの本には、注目すべき点が多くある。そのなかには、平凡ながら重要な文学用語も含まれている。地方の作家のための支援グループを作り、そのグループをまとめて維持していくのに有効な手引きや、作家と批評家双方のために定めた約束事も、そこに盛りこまれている。

ル＝グウィンはゲイリー・プロヴォストと同じく、文章の話になると、とたんに熱がこもって実践的になる。たとえば、conjunctivitisは「結膜炎」という意味だが、これを「接続詞（conjunction）の病」という意味で使い、文章の書き手にありがちな症状をこう説明している。「短い文を接続詞でつなぐと、形ははっきりするが、たいした考えもなく使うと、子供がだらだら書いたような、筋を追いにくい文になる」

ル＝グウィンの書いたこんなパロディーがそれをよく表している。「彼らは幸せで、そして踊っているような気分で、そしてそれからヘミングウェイを読みすぎていたような気分になって、そしてもう夜だった」。これでリズムを意識しすぎだと感じられるとしたら、もっとよい音楽を響かせるにはどうすればいいのだろう。ル＝グウィンはこう述べている。

> すべての文に独自のリズムがあり、それがまた作品全体のリズムの一部となる。リズムとは、歌を鳴らすもの、馬を走らせるもの、物語を動かすものだ。
>
> 文章のリズムは――当然ながら――文の長さに大いに左右される。

ル＝グウィンは「よい文は短い文だけだ」といういまどきの迷信に異を唱え、こんな皮肉を言っている。「有罪判決を受けた罪人なら、短い刑期（センテンス）のほうがいいから、賛成するかもしれない。わたしは認めないけれど」

ル＝グウィンの言い分は以下のとおりだ。

> つながりのなかであれ単独であれ、ごく短い文は、正しい位置にあれば高い効果をあげる。簡単な構造の短い文ばかりを連ねた文章は、単調なうえに、ぎくしゃくして苛立たしい。短い文から成る文章があまりに長くつづくと、ごつごつしたリズムのせいで、実際はどんな内容であれ、単純な話に感じられて、ただただばかげて聞こえる。たとえば、教科書に出てくる「スポットを見なさい」「ジェーンを見なさい」「スポットがジェーンを噛むのを見なさい」のように。

文章術の本で語られているアドバイスの価値を測るには、著者自身がそれを実践しているかどうかを見るといい。「文章の音」とささやかに題された章から一節を引く。

子供はたいてい、ことばの響きそのものを楽しむ。繰り返しや、耳に心地よいことばの響き、バリバリやズルズルといった擬声語・擬態語のなかで転げまわり、そして、音楽のように美しく響くことばに恋をして、あらゆるまちがった場所でそのことばを使う。作家のなかには、幼いころにことばの響きに感じたこういう興味や愛情を、大人になっても持ちつづけている者がいる。その一方で、読み書きするものについての口や耳の感覚から「卒業」してしまう者もいる。それは大変な損失だ。自分の書くものがどんなふうに聞こえるかを意識することは、作家には欠かせない能力である。さいわい、その力を養ったり、身につけたり、ふたたび目覚めさせたりすることは、けっしてむずかしくない。

プロヴォストが文の変化を巧妙に実践して見せたのを思い出し、わたしはル＝グウィンの七つの文の長さを比べてみた。長さだけでなく、冒頭の短い単文のあとは複文を置くなど、構文にも変化があり、著者がみずからの主張を文中で実践しているのがわかった。ル＝グウィンのすばらしい文章を読むのが楽しみになった。さしあたり、ル＝グウィンの名言を紹介しよう。「よい作家は、よい教師と同じように、心の耳を持っている」

Lesson

1　自分の書いた原稿を、声に出して読もう。単調なリズムがないか耳を傾けよう。

2 文の長さを変えて、退屈な部分を修正しよう。必要なら、ほぼすべてを変えるといい。ピリオドの数と位置がリズムを決めることを忘れないこと。ピリオドはすべて、一時停止の標識と考える。

3 特に強調しようとする場合に、意図して繰り返すのは有効だ。しかし、繰り返しをもとにパターンを作ってから、最後に興味を引くひねりを加えてもいい。

4 自分らしい文章だと考えている一節が、読者に対して有効かどうかを見きわめよう。まず、すべての文の長さを測る。正しい手順はないが、同じ長さの文があまりに多いと感じるなら、書きなおしを検討しよう。

8 視覚的なマーキングによって、創作の進行を促そう。

そして、修正を明確にする。

ロバート・H・テイラー、ハーマン・W・リーバート編『仕事場の作家たち（Authors at Work）』

ベラ・ジョン＝スタイナー『心の手帳　思考を探る（Notebooks of the Mind: Explorations of Thinking）』

執筆のアイディアを絵にしよう。プロセスの地図を作ろう。修正を視覚化しよう。グラフ、図、リスト、物語の輪郭を考えよう。円形、螺旋形、三角形、ピラミッド形、棒線、矢印——無数の矢印——を使おう。これらの青写真は、着想（紙ナプキンに殴り書きしたもの）から生じた思考を、原稿の余白に書いた最終変更へと導いていく。デジタル時代になっても、形のあるものを使って原稿を編集するほうが、道筋と目的地を思い浮かべやすい。

わたしがドナルド・マレーの弟子であることは周知の事実だ。ニューハンプシャー大学で創作を教えていたマレーは、影響力のある人物であり、その活躍の場は創作教室から「ボストン・グローブ」紙などのニュース編集室にまで及ぶ。「弟子（disciple）」ということばからは、信仰に近い含みも感じられる。宗教的な意味合いはともかく、マレーが「作家の町」に颯爽と馬で乗りこんで以来、すべてが一変したという意味では、それも納得できる。

マレーから譲り受けた多くのもののなかに、『仕事場の作家たち』という特殊な本がある。ジョン・ロック（一七〇四年）からディラン・トマス（一九五三年）に至るまで、二百四十九年にわたる著作物の手書き原稿の複写を集めた本だ。一九五五年、この手稿展覧会にいたく感動したマレーは、この限定版カタログを大量に購入し、スランプにあえぐ作家たちに、薬代わりとして処方したのだった。

『仕事場の作家たち』で紹介された十三の原稿を通して、デジタル時代からロマン主義の時代へ、時をさかのぼろう。ロマン派の詩人パーシー・ビッシュ・シェリーが、代表作のひとつとなる詩のタイトルを修正しようとしている。ページ上部に、本人のはっきりした筆跡で「あのヒバリに寄せて（To the Sky-Lark）」とある。これに満足できなかったのか、筆者はtheを消してaに代え、「ヒバリに寄せて（To a Sky-Lark）」とした。「消して」とひと口に言ったが、実際はペンを手にとって、theを掻き消し――まさしく引っ掻くようなごちゃごちゃした線で消し――その上の余白にaと記したのである。ここでは変更した理由にはふれない（わたしの著書『文法の魅力（The Glamour of Grammar）』で明らかにしている）。いま問題なのは、とにかく変更したということだ。作家が突きつめたすえの些細な変更は――theをaに代えるだけでも――重要な意味を持つことが多い。

わたしはこれらの手書き原稿を何年も見てきたが、いまも心が躍る。原稿は窓であり、そこから技巧、登場人物、目的、読者、そしてそれを書いた著者の特徴に迫ることができる。

『仕事場の作家たち』から得る教訓は、修正の大切さだけではない――そんなことはだれでも知っている。ほかに知るべきなのは、修正には予測できるパターンが三つあり、それらの基本的な作業を目に見える形で示すべきということだ。

・削除する。
・書き入れる。
・移動する。

以下にいくつか例をあげる（『仕事場の作家たち』の記述を写したり言い換えたりしているほか、ハーマン・W・リーバートのことばをそのまま引用している）。

・ジョゼフ・アディソンは「書きながら修正する」。あるフレーズを捨て去って、同じ文の途中から新しく書きはじめている。
・アレクサンダー・ポープの詩はすらすら読めるが、「手間をかけて書きなおされている」。書きなおす前から残っている詩句はごくわずかで、著者は最後まで文に磨きをかけている。
・サミュエル・ジョンソンは十八世紀文壇の大物であり、本人の証言によると、自室をうろうろ歩きまわりながら、頭のなかで一度に五十行もの詩を作った。調子の悪い日は半分の行だけ書き留めて、残りは後日、思い出して書いたという。それが嘘ではないことを原稿が物語っている。
・ヴォルテールには独特の創作スタイルがあり、原稿上にふたつの異なる筆跡がある。ヴォルテールが執筆し、そのあと訂正が加わる。別の筆跡——おそらく秘書か筆記者の筆跡——が著者の草稿を写し、著者による訂正を書きこんでいる。

・リチャード・シェリダンは戯曲『悪口学校』の著者であり、書くのは速いが、欄外の書きこみがとても多い。話の辻褄が合わなくならないよう、話者の名前が左側の欄外に書き出されている。

・フランシス・バーニーはキーワードの順序を二度三度と変えている。「開かれたページに、長い挿入文がピンで固定されている」

・ジェームズ・ボズウェルは二つ折り判の右側のページに『サミュエル・ジョンソン伝』の草稿を書き、左側のページは、長い加筆ができるように、何も書かずにあけてある。多くの手紙をはじめ、さまざまな書類を集めたため、ボズウェルは書き加える個所に「挿入」としるしをつけた。二十一世紀には「カット・アンド・ペースト」というデジタル用語が広く用いられているが、そのアナログ版と考えていい。「日誌を何枚も貼り合わせて数フィートの長さにしたものを、我慢強い印刷機宛にときおり送り出していた」

・チャールズ・ラムは「捨て去ることばをとがった道具で消し」、その上に重ねて新たな語句を書いた。

・オノレ・ド・バルザックは、訂正ずみの校正刷りにさらに訂正を入れるときも、もとの原稿に入れるのとほとんど変わらないほど多くのことばを新たに書き入れた。

・チャールズ・ディケンズは「ほとんどすべての文に、少なくともひとつは修正を入れている」。

・トーマス・カーライルは、メモ帳、執筆用の紙、原稿、修正ずみの校正刷り、修正を入れた組版見本の細部に至るまで、徹底してこだわっている。封筒、細長い紙片、切り抜きを貼り集めたもの、フォルダーにまとめた書類など、あらゆる種類の紙を使った。

・ヘンリー・ジェイムズは、タイプ原稿全ページのうち、会話部分については、修正後にわずか七十六語しか残していない。二百語以上を削除した。

・ディラン・トーマスは「プロローグ」という詩の草稿を七十以上書いた。

ここにあげた作家たちを見習って創作技術を向上させたいのであれば、修正に修正を重ね、それでもまだ修正しなくてはならない。ほとんどの作業はパソコンで進むものだが、紙で作業をすれば、自分が書いたものの長所と短所にたくさん気づける。これらの手書き原稿が示すとおり、さまざまな方法を用いることができる。

・ひとつのことばや行の上に、鉛筆でていねいに線を引く。
・語句を掻き消して、代わりの語を書く。
・長く塗りつぶす、あるいは×印で消す。
・適切な個所に単語、句、節を挿入する。もとの文字の上部か、余白に書く。
・はさみとテープで切り貼りする。
・右側に書いて、左側は修正のためにあけておく。
・余白を使って、追加、訂正、詳述、記憶、再考、あるいは他者との連絡をおこなう。

削除する、書き入れる、移動する。この三つの基本的な作業を忘れてはならない。

一九九八年に特集記事でピューリッツァー賞を受賞したトーマス・フレンチは、書き手としてひとつの重要な転機を迎えたのは『仕事場の作家たち』にはじめて目を通したときだったと述べている。著作を持つ作家が書きあげた本のほとんどは、徹底して、ほぼ際限なく、ときには異常なくらい修正を加えた成果であることを、その本が確信させてくれたのだという。手書きの原稿を集めたこのカタログでまえがきを担当したハーマン・W・リーバートは、この展覧会の目的を「できるかぎり創作の瞬間へもどり、その後の著作の進歩を追うこと」としている。

本章ではここまで、修正というほぼ最終段階のプロセスで作家たちが使うしるしや合図を見てきた。この手のマーキングは、作家だけでなく、その他の創作に携わる人々にとっても作業を視覚化するのに役立つ。これはしばしば、紙面や画面上に一文目が現れる前の段階でも用いられる。

執筆プロセスを考えると同時に、原稿を書いてだれかに見せる心の準備ができる時点、つまり転換点のようなものについて考えてみよう。紙ナプキンに一行走り書きをして、向かいにすわっている相手に見せるなど、その機会が早めに訪れる可能性もある。だが、もっとあとの場合もあれば、さらにそのずっとあとの場合もあり、ときには――結局、機会が訪れない場合もある。小説の改稿を十回重ねたすえに、最終版の原稿を抽斗(ひきだし)に眠らせることもあるだろう。

自分の書いたものを人に見せる覚悟は、いつできるのだろうか。デジタル時代が到来する前には、その問いの答えは、使っている紙の質しだいだった。裏紙や取材手帳、日誌や日記のたぐいに書いている場合、あるいは黄や青などに染まった紙や、螺旋綴じノートなどに書いている場合は、できたものはさしあたり自分だけが見ることになるだろう。

もっと質のよい紙――先述した手稿などの紙――を使う段階に達していたら、それはただ知りたい、突き止めたいのではなく、人に伝えたいという気持ちが反映されている。伝える相手は配偶者、友人、教師、編集者のどれでもかまわないが、ともかく書いたものをだれかに渡す心づもりはできている。見せようという気持ちがそんなふうに高まるまでは、「自分に電報を打つ」という賢明なことばが役立つだろう。これは、一九八五年に刊行された良書『心の手帳』の著者、ベラ・ジョン＝スタイナーの至言だ。

『心の手帳』もまた、ドナルド・マレーが気に入って広く勧めていた本である。わたしにとっても大切なもので、何度も読み返していることは、残した無数の鉛筆書きのマーキングを見れば一目瞭然だ。円形、下線、チェックマークのほか、余白のあちこちに所見が書きこんである。ただ文を読むのではなく、そうして著者と対話しているわけだ。

著者のベラ・ジョン＝スタイナーはホロコーストからの生還者であり、ニューメキシコ大学で言語学と教育心理学の教授として四十年以上教鞭をとってきた。彼女は百人以上から聞きとり調査をおこなった。対象はさまざまな分野から思慮と想像力に長けた人物が広く選ばれ、ジャーナリスト、詩人、心理学者、作家、生物学者、哲学者、写真家、物理学者、踊りの振付師、画家、人類学者などが含まれていた。ジョン＝スタイナーの目標は、リーバートと同じく、創造性の早期の表出、言い換えれば、思考がしぐさやことばやイメージとなって現れる転換点を明らかにすることだ。

ジョン＝スタイナーは人々からの生の証言に加え、実在の著名人たちの手帳、日誌、日記、青写真から証拠を掘り出していった。『心の手帳』の弱点のひとつは、そんなふうに克明に描かれているものの、二、三の例外を除いて、写真が添えられていないことだ。左のページには、「ダーウィンの木」と説明書きがついたスケッチ画が載っている。本人の手帳にあったものだ。そこでは、「私見（I think）」ということばの下に、人類の起源の仮想概念らしき系統樹が見てとれる。

その右のページには、アメリカのダンサー兼振付師、マース・カニンガムの作業書の一部が載っている。そこには、ダンスの初期の構想が棒線で描いた人間の形で記され、ステップの名前や「ＬＲＬ（左右左）」

の文字が添えられている。自然淘汰を図示するにしても、ニューヨーク・シティ・バレエ団のダンスを振りつけるにしても、とにかくどこからかはじめるしかないのである。

社会科学における「プロトコル分析」によって、研究者は思索に富んだ実践者がどんな手順で準備を進めたか、どんな慣習を作ったのかを知ることができる。どんな新案を——科学理論であれ、ソナタであれ、詩であれ——作るにしても、他人には見せないつもりで書いたマーキングからはじまることが多い。いわば、自分宛の絵葉書だ。

ジョン＝スタイナー『心の手帳』の「言語的思考」の章では、作家ヴァージニア・ウルフの例が紹介されている。一九三八年九月の終わりのある日、ウルフは、ひどく疲れているからふだんのやり方では伝記のつぎの章を執筆できない、と日記に書いている。そこでウルフは、伝記に盛りこむ内容を一覧にして、「スタッカート奏法で、声に出して考える方法」で書き留めていった。


たぶんHの死後（狂気）、わたしは逃げる。

別の章で、R氏自身の発言を引用。

その後、逃げる。

それから、まちがいなく第一の出会いがはじまる。

そのときの第一印象——世界で活躍する人であり、教授でもボヘミアンでもない。それから彼が自分の母親に送った手紙で事実を伝える。

その後また、二度目の出会い。

写真。芸術の話。わたしは窓の外を見ている。

（中略）

戦前の空気。オット。ダンカン。フランス。

美と官能についてブリッジズへの手紙。

以下に、ジョン＝スタイナーの見解を引く。

これらは自分に宛てたメモであり、作中に現れる重要なディテールや概念をどう組み立てるかを、作家が思い出す助けになる。電報のような形のほうが、新たなつながりを探しやすく、速く前へ進める。筋の通った読みやすい散文を作ろうとすると、この作業がずっと大変になる。作家が構想を練るいきさつを書き写した記録は、このように考えを凝縮した形をとることが多い。

書けなくて苦しんでいる作家を指導するとき、わたしもシンプルなこの方法を使う。そういう作家はおそらく、行きづまり、迷い、悶々としているだろう。そんなときはコーヒーを飲むといい。わたしは紙ナプキンをつかんで言う。「いいま何を考えてるのか、いいから話してくれ。もしできたら、ストーリーにどんなことを盛りこんでみたい？（〝もしできたら〟という言い方で気楽にさせる）」。そしていきなり口述を書き写しはじめる。

五十年ほど前、ジャック・ケルアックはフロリダ州セント・ピーターズバーグで血を吐いて死んだ
四十七歳で死亡、大酒飲み
旅路の果て
いまでも街じゅうにケルアックの痕跡
フラミンゴ・バー
ハズラムズ・ブックストアをよく訪れる

これらは心の手帳だ。手帳である必要すらない。心の紙ナプキンでじゅうぶん用は足りる。

Lesson

1　目で見える形で考えたり計画したりするのは、ことばを使う人々にとって必要な手段であり、特にプロジェクトの最初には役に立つ。執筆を先に進めるために、作りあげたいものの絵や図を描いてみよう。画家のように描かなくても、棒人間、簡単な図形、矢印、螺旋で事足りる。

2　索引カードをそばに積んでおこう。いくつか色ちがいがあると便利だ。カード一枚に、その日の執筆計画を書いて自分にメモを送るといい。自分宛の絵葉書だ。「やあ、ロイ。きみがここにいてくれたらいいのに。わたしはこれから〝Lesson〟の項目を書きなおすつもりだ。きみの助けがあればなあ！」

3　索引カードを使って、プロジェクトのまとまりを示そう。カード一枚が一場面、ひと区切り、あるいは一章を表す。意味のある並びになるように、カードを移動させよう。

4　修正の三つの方法を忘れないこと。削除する、書き入れる、移動する。執筆に行きづまったら、パソコンの画面での作業からプリントアウトに切り替えてみよう。そうすると、作品の構造をより広い視野で見られるようになり、各部分をどう組み合わせればいいかがわかる。

9―自分の声をデジタル時代に合わせよう。

ことばと表現法の実験をする。

コンスタンス・ヘイル、ジェシー・スキャンロン『ワイアード・スタイル　デジタル時代における英語の語法の原則（Wired Style: Principles of English Usage in the Digital Age）』

子供のころ、クラシックピアノを習っていたわたしは、モーツァルトやベートーベンの曲を体で覚えた。その一方でロックンロールも楽しんでいた。リトル・リチャードのように演奏するためには、音楽の聞き方を変える必要があった。コード進行や即興演奏を覚えなくてはならなかった。それと同じで、デジタル時代の書き手は、幅をひろげなくてはならない。読者は耳慣れた声ばかりではなく、その作家独自の声を求める。言い換えれば、ことばで実験しようとする作家を求めるのだ。それはわけのわからない専門用語にとらわれろという意味ではなく、より豊かな文化体験（聖書からツイッターまで）について書くということであり、高尚な効果を得るために軽いことばを使ったり、大まじめと大ふざけをうまく組み合わせる方法を探ったりするということだ。

コンスタンス・ヘイル（Constance Hale）という名前をはじめて見たとき、天気予報のような響きだと思った〔constant hail は「絶え間ない雹」の意〕。わたしは名前というものが大好きで、ついいろいろと考えたり、歌のように口ずさんだりしてしまう。友人やファンからコニーと呼ばれているコンスタンス・ヘイルについては、とりあえず教師であり作家であるとだけ紹介しておこう。よい文章とことばの効果的な使い方に関して、絶え間なく第一人者でありつづけ、ハーヴァードとバークレーでライティングをテーマにした重要な会議を主催している。その著書『罪と統語論（Sin and Syntax）』と『手こずらす、たぶらかす、ぶつける、口づける（Vex, Hex, Smash, Smooch）』は、受動態の戦略的な活用にしかるべき評価を与えている数少ない書のひとつだ。ヘイルは「E・B・ホワイトそっくり」との異名を持つが、その異名はわたしの眠気を吹き飛ばした一冊『ワイアード・スタイル　デジタル時代における英語の語法の原則』に大いなる宣伝効果を添えている。

ヘイルと共著者のジェシー・スキャンロンは、旧来の知識人と新興のデジタル知識人が競合するこの時代に、「ワイアード」誌のライティングと語法に関する内規を整える任を担った。科学技術は新しく生まれたことばをつねに言語体系に組みこみ、古いことばに新たな役割と概念を与えている。一九九六年に刊行された『ワイアード・スタイル』は独特な本だ。デジタル時代のライティングについて、これほどの野心と気迫をもって取り組んだスタイルガイドはほかにない。新旧の言語の切り替え機能を具えたこの本は、既存の文学の価値にしっかりと敬意を払う一方で、新たな読者に向けた新しい形を用いながら、刺激的な新しい声で書くことを強く促すものであり、アルファベット、印刷機、インターネットを人類史における最も重要な情報技術と認めている。

わたしが持っているのは百五十ページほどの版で、コミュニケーションのためのデジタル技術の進歩に欠かせない用語をすべて網羅している。たとえば、「ミーム（meme）」とは何かを、七十歳の人が恥ずかしくて孫に訊けないとき、この本を見ればこう書いてある。

感染するアイディア。思考のウイルス。伝えていく文化の単位。「組織（scheme）」と韻を踏む。進化生物学者のリチャード・ドーキンスが『利己的な遺伝子』で、「ミーム」ということばをはじめて紹介した（概念の詳説ではない）。それによると、ミームとは「体内での遺伝子の機能と同じように、心のなかで機能するアイディア」のことだ。特に広まりやすいアイディアが「ウイルス性ミーム」である。

ヘイルとスキャンロンは一九九六年にすばらしい用語集を作り、デジタルの世界を形作る多種多様なことば、概念、制度などを定義した。そこに載っている用語は、よく知られた頭字語、たとえば「愚見ながら（in my humble opinion）」という意味の「ＩＭＨＯ」などから、大衆文化、たとえば『スター・トレック』などのＳＦ作品のイメージが与えた影響にまでに及ぶ。デジタル世代ではない人間の目でこれらをながめてみると、二〇二〇年のいまなお通用していることばが多いことに気づく。むろん問題は、デジタル文化は移り変わりが非常に速く、すたれるのも速いことだ。その結果、かつては実際に使われていたことばが――たとえば、「フロッピーディスク」などが――「タイプライター」や「トランジスタラジオ」と同じく、懐旧の情を誘う骨董品へと転じる。「フェイスブック」や「ツイッター」はまだこの用語集には載っていない。当然ながら、デジタル文化という変化の速いものを扱うには、書籍は最適な手段ではない。だが、こう言わせてもらおう――「それがどうした？」。『ワイアード・スタイル』は、その後のあらゆるデジタル用語集が拠って立つ礎を作ったのだ。

さらに興味をそそるのは、二十四ページに及ぶまえがきである。そこでヘイルとスキャンロンがワイアードの十の原則を提示しているので、それを以下に要約する。

・メディアは重要だ。

・声で戯れろ。
・サブカルチャーに精通していることを誇れ。
・専門を越えろ。
・話しことばをとらえろ。
・未来を予測せよ。
・不敬であれ。
・新しいメディアの新しい世界に挑戦せよ。
・グローバルであれ。
・ドット、ダッシュ、スラッシュを活用せよ（当然ながら！@#＜＞$*も）。

これらの原則がそれぞれくわしく説明されているが、用語集に関しては、少々時代遅れのものもあるように感じられる。

このなかでは、「声で戯れろ」というアドバイスが最も重要だろう。その一文は、文章術において定義が必要なふたつの単語、「play（戯れる）」と「voice（声）」から成っている。

▼play（戯れる）

この動詞は、あふれんばかりの若さ、笑い声、喜び、娯楽を連想させるさまざまな行動を明示、暗示する。書くということの大半は——死亡記事でさえ——さまざまな形の戯れであると言えよう。シェイクスピアのひどく陰惨な悲劇さえ（『タイタス・アンドロニカス』を最近読んだ人はいるだろうか）「戯曲（play）」と呼ばれる。デジタル時代のライティングという意味において、こんな実験を考えてみよう。ひとつにまとめないほうがよいと思われるいくつかの要素をごちゃ混ぜにし、ますます多様化するジャンルとプラットフォームを用いて新しい意味を作るのだ。

ポインター・インスティテュートのウェブサイトが立ちあがった当初、およそ三年間にわたって、わたしは「ドクター・インク」というペンネームで四百本ほどのコラムを書いた。気どったインテリっぽい記事には不思議なほど大きい学習効果があり、この自称専門家はジャーナリズム、政治、大衆文化について書く際に「わたし」という単語をけっして使わず、たとえばこんなふうに好んで三人称を用いた。「ドクター・インクは、AP通信のスタイルに従って最後のandの前にコンマを打たない者を、その完璧に整った鼻で嘲笑する」

▼voice（声）

voiceとはふつう、耳に聞こえる話し声のことを言うが、文章の場合、それは声に出して語られるのではなく、ページや画面上に表示されることばの効果を指す。「怒っているように聞こえる」や「おもしろがっているように聞こえる」という表現を、わたしたちは目で見るだけで理解できる。わたしは最近、ツイッターでこんな質問を受けた。「なぜあの人はいつもあんなにめそめそした話し方をするんでしょうか」。いくつかのツイートを読み、なるほど、そのとおりだと思った――書き手の声の録音を聞いたわけでもないのに、たしかにめそめそした話し方だと思ったのだ。

新聞や雑誌にもそういう特殊な力があって、ひとつの記事のなかでさえ、いくつもの声を響かせている。火曜日の新聞で、わたしたちはかなり平易なほぼ中立の文体で書かれた多数の記事を読む。一方、社説で見るのは、組織の声で書かれた見解だ。署名入りのコラムは、とりわけはっきりした声を伝えていて、署名がなくてもだれが書いたかわかる。読者の投書は、抑えたトーンから声高なものまで幅広い。スポーツコラムニスト、料理評論家、人生相談欄の返答者、案内広告の作者たちの声については、いちいち言及されることもない。そういう声は、すべてが好ましいわけでも効果的なわけでもないが、なんとなく意味があるように聞こえるものだ。

デジタル時代に自分の声を進歩させるには、ウェブサイトやブログやソーシャルネットワークであなたに「話しかけてくる」書き手をよく観察することだ。たとえば、わたしの好きなツイッターの書き手に、本書で後述するメアリー・カーという作家がいる。以下の例で、書き手としての彼女の工夫を見てみよう。

メアリー・カー「未来の本を二年＋にらんだあと――最初の八十二ページ、それから百七十八ページを投げこんで――八ページばかり飼育&捕獲。落ちて、起きあがって、砂を払う。できる女ぶって、いま歌ってるとこ」

デジタル時代ならではの文章だろう。数の使い方、縮めたことば、ダッシュ、&、切れぎれの文に目が行くが、注目すべきは新しい形の比喩だ。この投稿者は声で戯れている。

『ワイアード・スタイル』は、声の比喩をデジタル時代に投影する。これについて、ヘイルとスキャンロンのことばを見てみよう。

「クライアント／サーバー・データベース」「パーティカル・ポータル」「高帯域幅ネットワーク」の時代にあって、わたしたちはデータにまみれている。しかし、よいライティングとはデータのことではない。わたしたちは情報だけではなく、コンテクストや文化、精神、色彩を求めて、文学的ジャーナリズムに注目している。人は声に反応する。声と言っても、明瞭ながらあまりにも保守的な標準書記英語の声ではない。コンピューター業界紙による、データに溺れた声でもない。大手報道機関による、なめらかに濾した声でもない。個人の物書きによる、癖のある声だ。

声は人の話し方を写しとる。声は姿勢や信憑性を添える。声はライティングの本質であり、どこかに存在するだれかが発したストーリーであることを読者に伝える。

ヘイルはネット上のプロフィール覧にこう書いている。

わたしはサンフランシスコを拠点に活動する作家で、オアフ島ノースショアで育った。家では「正式な」英語を話し、学校ではハワイ・クレオール英語（「ピジン英語」とも言う）を話していた。きっとこの「ふたつのことばでの教育」が、ことばへのこだわりを生んだのだろう。わたしはよくハワイを訪れている。それはハワイの文化とのつながりを保つためで、いまもカリフォルニアでフラダンスを習っている。六作あるわたしの著書につながりがあるようには見えないかもしれないが、わたしの出自を理解すれば、つながっているのがわかるだろう。

突然、頭のなかにイメージが浮かんだ。コニーとわたしが作家の集まる会合で演奏をしていて、わたしがウクレレでハワイアンソングを弾き、コニーがフラダンスを踊っている（ところで、「ウクレレ」という単語の起源は、「跳躍するノミ」というふたつの単語であり、弦から弦へとすばやく動く指の比喩のように思える）。だが、わたしが最も興味を引かれたのは、「ふたつのことばでの教育」のくだりだ。たしかに、だれもがさまざまな聞き手に対してさまざまな方法で意思を伝えることができる。ラブレターと銀行への苦情のちがいを考えてみるといい。『ワイアード・スタイル』についてわたしが理解しているのは、最も文学的な声から、最も専門的な声まで、多種多様な声を許容しているということだ。結局のところ、あらゆる声はその人らしく聞こえなくてはならない。だからと言って、作家が多重パーソナリティ障害を患っているわけではない。作家とはすなわち、意味に飢えた世界でことばを究めようとする者だ。

Lesson

1 デジタル時代の書き手に特に必要なのは、柔軟性だ。さまざまなメディアプラットフォームにまたがって、さまざまなマルチメディアの形で、長いものも短いものも含めてさまざまな記事や物語を、速く書いたりゆっくり書いたりする練習をしよう。

2 ネットでのライティングとは、以前のやり方を放棄することではない。デジタル時代には、これまで以上に見出しが重要な意味を持ち、ストーリーがいたるところにあふれている。いまでは、ストーリーはウェブサイト、ブログ、ソーシャルメディア上で公表され、ハッシュタグをともなったりもする。「友達」、フォロワー、コメント投稿者、まとめ作成者、クリック誘導者、悪質なネット釣り師など、いろいろな立場で書ける。それぞれのジャンルのなかで最良の書き手をよく観察して、どういうふうに書いているのかたしかめよう。

3 ネット上に別のIDを作って楽しもう。あくまで楽しみと学習のためであって、悪事を働くためではない点に注意すること。自分のデジタル上の分身に名前をつけて、自分の声とは異なるライティング用の声を与えよう。自由に戯れ、その経験を参考にするといい。

4 すると、インターネットは情報の高速道路ではないことがわかる。それどころか、インターネットは汚染された海であり、底のところどころに宝が埋まっていると考えたほうがいい。ネット上では、宣伝者、ハッカー、陰謀論者、荒らし、いじめをする者たちの害毒を弱め、公共の利益を追求するようつとめよう。

10 書き手の声として聞こえるよう、ダイヤルを調節しよう。

書いたものを声に出して読み、自分の声に――あるいは、それよりちょっといい声に――聞こえるかどうかをたしかめること。

ベン・ヤゴーダ『ページの響き　大物作家たちが文章のスタイルと声について語る（The Sound on the Page: Great Writers Talk about Style and Voice in Writing）』

自分が書いた文章の声を、アンプを通した歌声の一種と考えよう。舞台に立ち、マイクに向かって歌い、それが音響システムを通って流れるとき、あなたの声は、ボリューム、ベース、トレブル、エコーなど、調整装置の影響を受ける。あなたの書いた文章の声にも、そのためのスイッチがある。「わたし」を使うか、「わたしたち」を使うか。物語を書くか、記事を書くか。アリストテレスを引用するか、市井の哲学者のことばを引用するか。自分の最高の声を見つけて、その声を届けるために、スイッチの操り方を身につけよう。

わたしは力説したい。作家たちによって生み出されたあらゆる効果のなかで、「声」と言われるものほど、重要かつ、とらえどころのないものはない。よい作家は自分の声を「見つける」ことをめざし、その声に「権威」を持たせることを望むものだと言われている。「権威（authority）」というのは「作家（author）」

と源を同じくすることばだ。作家は「本物（authentic）」だと認められたい。作家が聖なる宝や特別な力を探す旅に出るとしたら、追い求めるのは「声」と呼ばれるものだろう。

コンスタンス・ヘイルの主張の繰り返しになるが、デジタル時代には、これまで以上に声が重要になる。作家たちは、自分自身の「ブランド」、言い換えれば、信頼できること、すぐれていることを証明できるものを培う必要がある。選べる情報源が多いため、読者はパソコンやモバイル機器で作家を探す。その場合、それぞれの作家が、話すときの声ではなく、書くときの、その人だとわかる声を持っていると言えるだろう。

（デジタル時代の作家の声について考えたとき、二〇二〇年のさまざまなサブジャンルと方式を表すリストを思いついた。例をあげると、ブログの投稿、ステータスのアップデート、ツイート、ショートメッセージ、クリック誘導、迷惑コメント、辱め、荒らし、マンスプレイニング、リンキング、専門用語、ブランディングなどがある）

ある定義によると、スタイルとは外的性質、つまり身にまとっているもの、衣類のようなものだ。一方、調節されることはあるものの、声というのは、内側から生じる、より根深い総合的な性質を表す。エルトン・ジョンは、粋かどうかはさておき、トレードマークとして奇抜な眼鏡をかけている。ロンドンのウェンブリー・スタジアムで「クロコダイル・ロック」を歌おうと、ウェストミンスター寺院でのダイアナ妃の葬儀でバラードの「キャンドル・イン・ザ・ウィンド」を歌おうと、その声には特徴があり、ジョンのものでしかありえない。作家を歌手と比べるのは、さほどおかしな考えではないだろう。「歌いたくなる」というのは、よい記事を指すジャーナリズム用語として昔から存在する。音楽に使う用語——リズム、テーマ、響き、クレッシェンド、反復、コンポジション、そして、そう、声などは、文章の効果を説明することばでもある。

ポルノグラフィーに関する古い定義を借用すると、声というものは「見ればそうとわかる」、いや「聞けばそうとわかる」ことになる。ウィリアム・サファイアとジョージ・ウィルはふたりとも年長の白人男性で、保守系のコラムニストだが、読者は署名を見なくても、どちらの記事なのかをたやすく見分けられる。アナ・クィンドレンとモーリーン・ダウドは、どちらもリベラルのフェミニストで白人だが、ふたりを混同する読者はほとんどいない。これら四人の声は際立っていて、自分が何者であるかを画面やページから大声で訴えているも同然だ。

声はあとから付け加えられるものではなく、かなりの部分がもとから具わっているものだということは、たとえば、詩人デイヴィッド・マッコードの逸話からわかる。あるときマッコードが手にとった古い「セント・ニコラス」誌に、子供の書いた物語が載っていた。マッコードはそのうちのひとつに興味を引かれた。「読んではっとした。その声に、見たことがないくらい素朴で自然な響きがあったんだ。E・B・ホワイトの響きに似ている、と思った。で、署名に目をやったら、エルウィン・ブルックス・ホワイト、十一歳とあった」。マッコードは幼い書き手のスタイル――声――に含まれていた特徴に気づいたのだ。その幼い書き手が長じて、『シャーロットのおくりもの』をはじめ、多くの作品を書くことになる。

作家たちが探し求めているのは、文章の響きについて書いた単純明快な教本だ。文章の声を設定し、調律し、調整するための実質的な戦略を示す教科書だとも言える。もしドン・フライの主張が正しくて、声が書き手の文章戦略の「総決算」であり、その戦略がスピーチの幻想効果を作り出すのに欠かせないとしたら？その問いに答えるために、イコライザーという音響装置について考えてみよう。これは三十ほどのつまみ、スライドスイッチ、制御装置を具え、「低音」や「高音」などのつまみをコントロールすることで、音域を調整する音響機器である。低音をあげて、高音をさげ、少しだけ残響の効果をかけたりして、望みどおりの音を作り出す。

もしだれもが、自分が書いた文章の声を手軽に調整できる装置を持っていたら、何を制御するだろうか。どんな点があるか、ひとつずつ以下に示す。

▼**ことばのレベル**

ことばのレベルとは？　作家が使うことばが、具体的なものなのか、抽象的なものなのか——つまり、「一九五六年のミッキー・マントルの野球カード」のようなことばなのか、それとも「英雄崇拝」のようなことばなのか——あるいは、その中間の何かなのか。巷で使われている俗語を使うのか、それとも哲学の教授が立論に用いる用語を使うのか。

▼**人称の選択**

どの人称で作品を書くのか。親しみやすい声を作るために、「わたし（I）」を使うのか。それとも労働組合のような集合体であることを示すべく「わたしたち（we）」を使うのか。あるいは、「あなた（you）」を使って対話にするのか。より客観的に感じられるように、いちばん無難な「彼ら（they）」を使うのか。あるいは全部を使うのか。

▼**引用の出典と範囲**

他人のことばをどこから引いて、どれだけ使うのか。ハイカルチャーからなのか、ローカルチャーからなのか、それとも両方からか。引用するのは、中世の神学者のことばか、それともプロレスラーのことばか。T・S・エリオットか、ワイルド・ビル・ヒコックか。

▼**比喩の頻度**

どのくらいの頻度で比喩やそれに似た技巧を使うのか。たとえの表現を多用して、詩人のような作品を書きたいのか、それとも、特別な効果のためにだけ比喩を用いて、ジャーナリストのような作品を書きたいのか。

▼文の長さと構造

どんな長さと構造の文を多用するのか。短くて単純なものか、長くて複雑なものか。それとも、さまざまな形を使うのか。

▼中立からの距離

使うことばは中立で、客観的、公平に聞こえるだろうか。偏って聞こえるのか。熱に浮かされ、没入しているように感じられるのか。

▼包括的か閉鎖的か

その文章は平易な文体、だれにもわかる声で書かれているだろうか。つまり、多くのコミュニティで多くの読者の関心を引くように書かれているのか。それとも、特別な読者集団に向けて、俗語や専門用語で話しかけるものなのか。

▼従来の構成か実験的な構成か

その声は、ソネットであれ、見出しであれ、ブログの投稿であれ、特定のジャンルやプラットフォームに属すると感じられるものだろうか。それとも、従来の境界を越えて、驚くべきもの、衝撃さえ与えるようなものを作り出すつもりで書いたものなのか。

▼オリジナルか模倣か

その声は、ミュージシャンたちがほかのミュージシャンの有名な作品からサンプリングするように、ほかの作家や作品から明らかに借用したものなのか。それとも、まったく独創的な作品を模索し、独自のものと読者に見なされる声なのか。

わかりやすい例を見てみよう。トロントで、ひとりの男が十歳の少女を強姦して殺害し、死体を損壊した罪を認めた。これほどの凶行を前に、完全に中立な立場を保てる者はいなかったが、熾烈な競争を繰りひろげるトロントの各新聞社が、この事件をどう扱ったのか、そのちがいを調べてみると、おもしろいことがわかった。

イギリス流のタブロイド紙「ザ・サン」は、こんな見出しをつけた――「地獄の鬼畜」。「グローブ・アンド・メール」紙の見出しは「闇の奥」。「トロント・スター」紙は「その男の〝暗い秘密〟」だった。

見出しをつけた記者たちの声は、それぞれアプローチが異なっていて、そのちがいは中立からの距離によるものと考えられる。言うまでもなく、中立からいちばん遠いのは「地獄の鬼畜」だ。見出しは、専門の記者が地元のコラムニストの記事から選んでいる。リード記事はこうだ。「地獄の鬼畜にして極悪人が……」

そこまで煽りはしないものの、やはり強い調子なのは、「グローブ・アンド・メール」紙の「闇の奥」という見出しである。これがジョゼフ・コンラッドの同名の中編小説への言及だと気づくのは、読者のほんの数パーセントだろう。この見出しは、クリスティ・ブラッチフォードのこんなリード記事を受けたものだ。「人の心の闇には古くからの歴史があるが、トロントの裁判所できのう繰りひろげられた光景ほど、それをくっきりと詳細に伝えるものは珍しい」

中立にいちばん近いのは、「トロント・スター」のアプローチだ。「その男の〝暗い秘密〟」の引用符は、それが別のどこかからの引用であって、かならずしも記者や新聞社の見解ではないことを読者に示している。当然ながら、リード記事はどこの紙面より事件を簡明に伝えていた。「（殺人者の名前）の供述によると、幼い子供と性交渉を持ちたいという気持ちが、抑えがたい欲望、妄想となって日々を蝕んだという」

重要なのは、記者が声を張りあげ、怒鳴り、悪態をつくと、その声がよりおおぜいに広まりかねないことだ。一方、配慮のすえに中立を保っている記者の声も、やはりひとつの声であり、それこそが公平無私に真実を知ろうとするときに必要な声である。

作家として、わたしはほかの書き手、それも守備範囲の広い作家に特に興味を引かれる。そういう人の作品は、長さ、ジャンル、文体、主題が幅広いため、わたしの手が届く機会が多くなるわけだ。ベン・ヤゴーダは、わたしが作ったアメリカの現代作家のリストの上位にいる。ヤゴーダとケヴィン・ケラーンの共著による『事実の技術（The Art of Fact）』は、文学的ジャーナリズムの選集だ。ヤゴーダは「ニューヨーカー」誌や、ウィル・ロジャース、いわゆるグレート・アメリカン・ソングブック、そしてわたしの好きなドクター・ルース・ウェストハイマーについても本を書いている。ルース・ウェストハイマーは、セックスセラピストの小柄な女性で、ＭＴＶがまだ音楽に関心を持っていた時代に、ケーブルテレビの番組で、訛りのある率直な語りを炸裂させていた。

ベン（わたしがヤゴーダのことをそう呼ぶのは、いくつかのプログラムでいっしょに仕事をしたことがあるからだ）も、書くことについての本を書いている。声にまつわる著書『ページの響き』で、ベンは自身の見解とアドバイスを述べ、それと同様に、何十人もの成功した作家たちの意見も紹介している。『ページの響き』には、「音楽とスタイル」「スタイルと個性」「声を見つける、スタイルを見つける」などの章や項がある。

わたしは、ベンが「声」と「スタイル」という語を同等の要素として使っているのに驚いた。たとえば、サブタイトルも「大物作家たちが文章のスタイルと声について語る」となっている。スタイルと声、声とスタイル。しかし、これは誤解を招きかねない。手もとにコンピューターがあれば、「声」と「スタイル」が——ベンの著作とわたしの著作のなかで——何度使われているか、正確な回数を数えられると思う。ベンの場合は「スタイル」が「声」の数を上まわり、わたしのほうはそれと逆の結果になるはずだ。ベンがふたつの単語をどう扱っているかを比較してみよう。ここでは特に「声」について見る。

往々にして作家は、自分の声を見つけることについて語る。たまに使われる月並みな比喩も――話すための声は最初から具わっているので、捜索隊は必要ない――たしかにそのとおりだ。事実として、生まれながらに「スタイル」を持つ恵まれた作家は、磨きをかけたり、その力を伸ばしたりするだけでいいのだが、ほかの多くの作家たちは、パウロがダマスカスへの道中で、イエスの声を聞く一瞬を得たように、突然ことばが転がり出て、はじめて正しく響く瞬間を体験するものだ。

作家特有の表現の性質について考えた場合、「声」は「スタイル」の同義語なのだろうか。それとも、両者には重要なちがいがあるのだろうか。わたしは戯れに、『オックスフォード英語辞典』で本来の意味を調べてみた。なるほど。名詞としてのstyleの下に、七段にわたって定義と過去の用例が記されていた。語源は、先のとがったもの――尖筆（stylus）、つまり粘土板に書くのに使う棒である。二十六の定義があり、その大多数がさまざまな形の記述行為と直接の関係があって、最終的には美術から音楽、ファッションなど、その他の創造的な表現へとひろがっている。一般の慣用としては、作品のスタイルと内容を区別するのがふつうだ。ある書き手の作品の内容が退屈に感じられたとしても、形式に興味が湧くということはありうる。ここでまたベンの話にもどって、まえがきから例を引用しよう。

何度目かではじめてアーネスト・ヘミングウェイを例に出す。ヘミングウェイの作品の内容とはどのようなものだろう。ヘミングウェイには、釣りや戦争にまつわるすばらしい物語があるが、動きにはやや欠ける。また、名誉と恥辱についてのヘミングウェイの考え方には、現代の多くの読者を困惑させるものがある。特に小説の登場人物、とりわけ晩年の小説に出てくる人物は厄介だ。しかし、ヘミングウェイのスタイルときたら！　初期の作品のひとつである「三日吹く風」という短編の第一段落を見てみよう。

そして、ベンはヘミングウェイの「三日吹く風」を引用している。

The rain stopped as Nick turned into the road that went up through the orchard. The fruit had been picked and the fall wind blew through the bare trees. Nick stopped and picked up a Wagner apple from beside the road, shiny in the brown grass from the rain. He put the apple in the pocket of his Mackinaw coat.

（ニックが果樹園をのぼっていく道にはいると、雨がやんだ。果実はすでに収穫され、裸になった木々のあいだを秋の風が吹き抜けている。ニックが足を止め、道端からワグナー林檎を拾いあげると、林檎は茶色く枯れた草むらで雨に濡れて輝いていた。ニックはその林檎をマッキノーのコートのポケットに入れた。）

もう一度ヤゴーダ『ページの響き』から引用する。

まずこのくだりに関して気づくのは、描かれている動きが少しもドラマチックでもなければ、意義深くもおもしろくもないことだ。つぎに印象的なのは、ヘミングウェイだからこそ書けたはずであり（中略）たとえヘミングウェイの作品を読んだことがなくても、注意深い読者であれば、まとまりと一貫性があって眠りすら誘う響きを感じ、心を打たれるだろう。むろん、ことばが平易で、一文が短い点にも気づく——だからこそ、三つ目の文のコンマがやさしく肩を抱く腕のように感じられ、最後の

「Mackinaw（マッキノー）」という三音節の単語が無償の贈り物に思える——しかも、こうした技術こそが雰囲気を作りあげていることにも気づく。複文、ラテン系の単語、副詞、さらには代名詞をなるべく使わず（たとえば、「he（彼）」や「it（それ）」で代用せずに、「Nick（ニック）」や「apple（林檎）」とそのまま繰り返す）、また一段落にぎこちなく前置詞句を八つも使うリスクまで冒しながらも、世界を正確に描こうという衝動に従っている。この作家を知れば知るほどわかることがある。それは、ヘミングウェイが選んだスタイルの表現する心理状態や知見や倫理観は、いまでは一語——ヘミングウェイという語——で伝えうるということだ。

ベンがスタイルの構成要素としてあげているものを、わたしは声として体験している。つまり、わたしはその声を見るのではなく聞いている。ベン自身が用いた単語や技巧の表現から例をあげてみよう。以下は、ベンが記したまえがきの一節である。「本書はひとつのシンプルな所見からはじまる。すなわち、作家たちは何を語るか以上に、どう語るかによってわたしたちを楽しませ、感動させ、励ますことが多い。何を語るのかというのは、情報とアイディア、それに（フィクションの場合は）物語と登場人物だ。それをどのように語るかが、スタイルである」。ベンが「何を」と「どのように」ということばを強調している点に注目してもらいたい。その二文を声に出して読んでみよう。傍点がこれらの語の読み方にどう影響を与えるかを考えてもらいたい。ヘミングウェイについて述べたくだりでベンがごく稀に感嘆符を使うのも、やはり同じことだ。「しかし、ヘミングウェイのスタイルときたら！」という文は、感嘆符をとってただ「しかし、ヘミングウェイのスタイルときたら」とした場合とは、声の調子が大きく変わる。

ベン・ヤゴーダは『ページの響き』で大いにわたしたち（わたし）に尽くし、わたしたち（わたし）のためになることを書いてくれたので、こちらはそれを讃えて、挨拶代わりにいまこれを書いている。書き手はページや画面からほかの書き手に話しかけることができる。声を出す必要のない対話ができるのだ。

Lesson

1 自分の書いたものを、友達か編集者の前で、声に出して読んでみよう。そして、それが自分らしく聞こえるか、相手に訊く。その答えについて話し合うといい。

2 自分の書いたものを、声に出して読んでみよう。自分の声を形容する語句、たとえば「重苦しい」「攻撃的」「自信がなさそう」などを列記する。そう感じたのは、自分の文章に見られるどんな特徴のせいなのかを見きわめよう。つまるところ、執筆についてのどんな戦略がそういう特徴を生むのか。見えなかった問題が、聞こえてくるだろうか。

3 日刊新聞を読もう。なるべく多くのリード記事に目を通すといい。中立からの距離に応じて、記事にマーキングをしよう。どの記事が中立、すなわち客観的に聞こえるか。独断的、すなわち偏って聞こえるのはどれか。どれが熱くて、どれが冷たいだろう。

4 自分に訴えかけてくる声を持つ作家をひとり選ぼう。なぜその作家が気になるのか。その作家が書いた文章の一節を、声に出して読もう。「自信に満ちた」「慰められる」「賢明そう」など、その作家の声を表す形容語句をあげるといい。その文のどんな要素がそう感じさせるのかを見つけよう。

第3部　自信とアイデンティティ

ドナルド・マレーは大学の教室や新聞社のニュース編集室で指導をしていたが、そこで教わっていた書き手の卵たちのなかには、自信をなくしていった者もいただろう。受講者のなかには、自分が書き手の集団に属していると自覚できない者もいる。ニュース編集室でも、「レポーター」と呼ばれるのを好む者が多い。プロの書き手は多くの障害を乗り越えなくてはならない。それはたとえば、発作的に訪れる不安、執筆中のスランプ、先延ばし、偽物症候群などである。偽物症候群とは、実績があるにもかかわらず、いつか弱点が露呈して、いまの地位からおろされるのではないかという恐怖のことだ。

アン・ラモットは、作家として不安を感じる瞬間が多くあることを認めている。ラモットがそう言って学生たちを励ますのは、必然的に「第一稿はひどい」ことを見越してのことだ。ピーター・エルボーの文章指導はある種のグループセラピーで、無気力に陥っていた受講生たちが、集中して書く「フリーライティング」の話を聞いて、一気に自由に書くようになる。フリーライティングとは、速く執筆する方法であり、思考や気持ちよりむしろ手を使って作業をする。エルボーは著書のなかで、賢明なアドバイスや批判によるサポートについての取り決めがある、書き手同士の小規模なグループに意義を見いだしている。

一九三〇年代に文章術について書いたふたりの女性が、大恐慌期に書き手たちを不況から救おうとした。ドロシア・ブランドは書けない作家を力づける修練の仕方を説き、作業中に何を飲むといちばん仕事がはかどるかに至るまで、執筆や修正の作法を定めるよう促した。ブランドは作家たちの力になろうとする一方で、きびしい監督者でもあった。片やブレンダ・ウェランドは、着想に満ちた勤勉家である。社会や家庭の役割に苦しめられている女性たちに向けて、「ことばの世界の同志のみなさん、あなたならできる」と何ページにもわたって訴えている。

スティーヴン・キング以上に自信を持って執筆している作家は、そうそう思いつかない。生産性という点でも、キングに匹敵する作家はきわめて稀だ。自分の作家としてのアイデンティティは、出来の悪い作品を読んで、何をしてはいけないかを知ることで形作られてきた、とキング本人が認めている。また、作家に必要なのは、厳格な執筆習慣を確立することであり、一日あたりの文字数を目標として定めて、快適に働ける時間と場所を選ぶことだと述べている。そう、キングは「第七の日に安息」するのだ〔創世記第二章二節「第七の日に、神はご自分の仕事を完成され、第七の日に、神はご自分の仕事を離れ、安息なさった」より〕。

11 ― 執筆というプロセスの手順を知ろう。

よい文章は魔法ではないが、驚きに満ちている。

トマス・ニューカーク、リーサ・C・ミラー編『ドン・マレーの精髄　全米一の創作講師の教え（The Essential Don Murray: Lessons from America's Greatest Writing Teacher）』

個々のジャンルの要件に通じる前に、すべての書き手がかならず通る以下のプロセスを理解しよう。ストーリーのアイディアを見つける、必要な材料を集める、焦点を定める、最適な内容を選ぶ、構成を考える、原稿を書く、プロセスの全パートを時間をかけて見なおす。どの手順に対しても、問題解決と意味づけに役立つ方法を見つけられる。

先ごろ、ポインター・インスティテュートで、荷物の積みおろし場に大きな箱が五つ置かれ、フェデックスのトラックが集荷に来るのを待ち受けていた。箱いっぱいに詰められていたのは、百二十五個を超えるファイルボックスに分けたドナルド（ドン）・M・マレーの文学的功績だ。わたしに言わせれば、ドンはアメリカが誇る最も優秀な文章術の講師である。箱詰めにされた――百冊に及ぶドンの実験的な日誌を含む――貴重な資料は、もともとあった場所、ニューハンプシャー大学へ運ばれた。送ったわたしたちは、学生や教師、学者やジャーナリストたちがその資料を実際に目で見て、手をふれられるようになるといいと考えていた。そうすれば、作家であり教師であるドン・マレーの功績がわかるだろう。ドンが英語という言語の分析と執筆のプロセスの解明につとめ、わたしたちの作家としての成長を助けるために、いかに尽力してきたかがわかるはずだ。

ポインター・インスティテュートで文章術を教えるわたしたちに、ドンは多大な影響を及ぼした。わたしがアーサー王なら、ドンは魔術師マーリン。わたしが『指輪物語』のフロドなら、ドンはガンダルフ。わたしがルーク・スカイウォーカーなら、ドンはヨーダ——ただし、丸顔にサンタクロース風の顎ひげを蓄え、ウォルマートで買った服にズボン吊りをつけた大柄なヨーダではあるけれど。

ドンとわたしは、さながら方程式の問題に出てくるふたつの列車のように、正反対から同じ場所へたどり着いた。ドンは高校を二度中退し、空挺部隊員として第二次世界大戦を経験したのち、一九四八年にニューハンプシャー大学で英語学の学位をとり、「ボストン・ヘラルド」紙のニュース編集室に籍を置いた。一九五四年、二十九歳のときに、軍備に関する長期連載でピューリッツァー賞の社説部門賞を獲得し、同賞の最年少での受賞者になった。

それから十年後、ドンは創作の教師としてニューハンプシャー大学へもどり、成果だけでなくプロセスも大事にする作文指導法の創始者となる。文章術に関するその実践的な理論は、あらゆる水準の教授法を変える力になった。専門家の集まる会議では、ドン自身は望まぬものの、教皇に等しい座を占め、わたしたち弟子一同は、ことばの一族のリーダーとしてドンを崇めたてた。

わたしは文学と作文の教師として、ドンとは逆の方向からジャーナリズムにたどり着き、一九七七年に、記者の指南役として「セント・ピーターズバーグ・タイムズ」紙に雇われた。翌年、ドンは「ボストン・グローブ」紙に指南役として招かれ、同紙で人気のコラム欄を作って、二〇〇六年に八十二歳で亡くなるまでほぼ毎日執筆をつづけた。

ドン・マレーの出版作品はどれも、書き手が注目するだけの価値がある。これら全部ではないものの、大半は学問の世界の読者に向けて、つまり文章術に少なくとも膝まで浸かって苦心している教師や学生に向けて書かれたものだ。中でも重要な著書を刊行順に紹介する。

『物書きが教える文章術（A Writer Teaches Writing）』（一九六八年）
『読者のための文章（Writing for Your Readers）』（一九八三年）
『書くことと学ぶこと（Write to Learn）』（一九八四年）
『読むことと書くこと（Read to Write）』（一九八六年）
『修正の技法（The Craft of Revision）』（一九九一年）

さいわい二〇〇九年に、学問とジャーナリズムの両方の世界でドンを敬う者たちが『ドン・マレーの精髄全米一の創作講師の教え』を編纂した。タイトルに「精髄」とつく選集の問題点は、選書にはいらなかった作品は精髄ではないと見なされる可能性があることだ。ただし、この本に関してはそんな恐れはない。編者のトマス・ニューカークとリーサ・C・ミラーが適切に選定し、それぞれが小さな入口にも思える章に分けて、マレーの作品の幅広さと影響力を明らかにしている。各章のタイトルとサブタイトルは以下のとおり多岐にわたる。

・成果ではなくプロセスとして文章の書き方を教える
・執筆の意味を見いだす方法
・執筆の前に書く
・日誌

・作品の声
・上手に書くために下手に書くこと
・ある作家の秘密
・物語の時間に注目する
・すべての文章は自伝である

あとがきで、ドンの最も熱心な教え子にして親友のひとり、チップ・スキャンランが、わたしたちの気持ちを代弁してつぎのように述べている。「プロセスを重視するドンのアプローチは、わたしの考え方、書き方を変えた。いまやそのアプローチは、作家でも教師でもあるわたしの教育法の唯一にして最も重要な要素であり、その影響力があまりに強いために、わたしは師のことばを日々できるかぎり広めんする使徒と化した」

一九五五年、ポインター・インスティテュートは『ニュース編集室の記者（Writer in the newsroom）』と題したドン・マレーのエッセイを出版した。わたしたちはいまなおその本を、特別な機会に論文冊子の形で配布している。ニュース編集室で働かなくても、多才な作家にして文章術の真の伝道者であるドンのアイディアや経験を味わうことができる。

『ニュース編集室の記者』　ドン・マレー著

六十一年前、チャップマン先生がわたしを見おろして言った。「ドナルド、あなたはこのクラスの編集者よ」キャリア計画というのは、まあ、そういうものだ。

四十七年前、歩兵としての戦闘から生還したのち、大学、最初の結婚を経て、気づいたときには歴史ある「ボストン・ヘラルド」紙のローカルニュース編集室にいた。そのときのわたしは、記事の執筆を学び、また詩を創作しようと心に決めていた。

七十歳になったいまは、朝が来るたびに見習いの身にもどり、机に向かって文筆の修行にいそしんでいる。

月曜日の午前中は、「ボストン・グローブ」紙のコラムを書く。火曜日から日曜日までは、文章術に関する別の本か、小説や詩を書いている。会社に雇われているわけではないので、週末や祝日を休みにしなくてよいのがありがたく、バカンスに耐える必要もない。ヌッラ・ディエス・シネ・リネア——一本の線も引かない日はない。これは、ホラティウス、大プリニウス、トロロープ、アップダイクのモットーだ。

かの詩人チョーサーは言った。「人生はかくも短く、技術は習得にかくも長くかかる」と。いまのわたしにはわかる。この発言は、愚痴ではなく、感謝の念からなされたものだ。

日本の画家、北斎はこんな意味のことを語っている。「わたしは六歳から物の形を写してきた。六十五歳より前に描いたものは、すべてとるに足りないものだ。七十三歳になって、獣、草、木、鳥、魚、虫の真の作りが理解できるようになった。九十歳になれば奥義をきわめ、百十歳になったら、すべてが——点や線のひとつひとつが——生きているように描けるだろう」〔『富嶽百景』跋文より〕

全身の骨がきしみ、日々飲む薬で生かされ、物の名前を忘れても、思うままにならない足を進めてパソコンの前にすわれば、チャップマン先生が部屋の隅に立って励ますようにうなずいているのが見える。

バプテスト派の信仰から脱落したわたしにとって、執筆生活が救いだったのはたしかだ。しかし、そう言いきれるのは、すべての作家に対してではなく、かなわぬ技を追い求める徒弟である自分に対してだけだ。

彫刻家のヘンリー・ムーアは言う。

「人生の秘訣は、仕事を持つことであり、人生をまるごと捧げられる何か、すべてを注げる何か、生涯の全時間を賭けられる何かを持つことだ。そして最も重要なことは――その何かは、自分にはけっして成しとげられないものでなくてはならない」

わたしは伝道する。あなたが失敗すればいいと思っている。つねに道半ばで、書くことを学びつづけているといいと思う。みずからの技巧を信じて疑わず、恐れも失敗もなく書いているなら、自分の技巧から自由になる術を知り、ひどい文を書いて、自分のことばとその言いぶりに驚くといい……。

わたしは意識して探し求めたりはせず、ひたすら待って、頭に浮かんでくる台詞やイメージを受け入れ、ときには頭のなかでメモをとり、ときには紙に走り書きをする。

意識を集中しつつ肩の力を抜いて黙考する、奇妙な喜びのなかで暮らしているが、それを説明するのはむずかしい。たとえるなら、戦場で弾丸と砲弾がぴたりとやみ、石塁の陰にしゃがんで休む一瞬に似ているだろうか。二週間ほど前に書いた詩に、こんな一節がある。「死せる者と死に瀕した者たちに囲まれ／かつてないほどわたしは生きている」

戦場での一瞬、わたしは生を祝い、靴跡からよみがえる草の葉を目に留め、ぬかるんだ水たまりに空が映るさまをながめ、春植えのために土を肥やすべく撒かれた馬糞の香を楽しみさえした――春が来ればの話だが……。

読者はわたしの原稿を読みながら、自分自身の原稿を作り、一族の歴史を読んでいる。記者や作家たちは――それどころか、すべての芸術家は――誕生と死、成功と失敗、愛と孤独、喜びと絶望のある場所で生業に励む。

新聞社のデスクから離れてからは、二重生活を送っている。モグラ、つまり潜入スパイとして、使い走り、雑用、友との会話、読書、テレビ鑑賞、食事を繰り返す平凡な生活を送る一方で――それと同時に――自分自身の生活を監視するスパイとして、真に重要なストーリーが隠れた平凡で特徴もなく決まりきった生活に、抜け目なく目を光らせつづけている。

退屈とはほど遠い。わたしはいま、何が語られて、何が語られていないかに耳を澄まし、皮肉と矛盾のなかに喜びを探して、疑問の余地のない答えと、答えのない疑問を楽しみ、どうあるのか、どうあるべきなのか、どうだったのか、どうなりそうかを心に刻んでいる。想像し、推測し、仮想し、思い出し、熟考する。予想できるものに対してはつねに裏切り、予期できないものをつねに歓迎する……。

わたしは気軽に書く。あえてそうしている。「完璧は善の敵である」という作家ジョン・ジェロームのことばを自分に言い聞かせ、「人は基準をさげるべきだ」という詩人ウィリアム・スタフォードのことばに従う。わたしが速く書くのは、検閲官を出し抜いて、よいライティングに欠かせない実りある失敗をするためだ。

わたしが書くのは、自分が何も知らないと伝えるためだ。それは恐怖であり、楽しみでもある。わたしはコラムを、ひとくだりのことばやひとつのイメージからはじめる。まるでまだ地図に載っていない、水平線の端に浮かぶ孤島のように。自分でも予想していなかったことが全体の四十や六十パーセントになるまで、コラムを書き終えない。何を語るべきかは、原稿が教えてくれる。ノンフィクションでも、フィクションでも、詩でも同じことだ。みずから進化していく原稿にわたしは従う……。

はるか昔、「ボストン・ヘラルド」紙のローカルニュース編集室にいたあの細身の――もう骨と皮だけではなかった――若者のことを思い返すと、いまなら計画的にとる行動を、当時はでたらめな直感に従ってこなしていたのだと気づく。

磨いた床を汚さないように、清掃作業員たちが新聞紙を敷いたとき、わたしはそこに載った自分のはじめての署名記事をみずから踏みつけ、それ以来、活字になった自分の文章に対して、健全なる無関心をいだくようになった。自分が何を語ったのかにも、どう語ったのかにも、義理を感じる必要はないと思ったのだ。

編集者の望みどおりの記事を書く方法を身につけたとき、その能力を手離して、ちがう方法で書けるかどうか試したいと冗談半分で考えた。仮定の話を考えたい、とわたしはずっと言いつづけた。そしていま、原稿はすべて実験だと思っている。リードを短くしたり長くしたり、記事をすべて対話方式で書いたり、まったく会話なしで書いたり、最後から書きはじめてもどったり、試したことのない声を使ったり、辞書にないことばを考え出したりもする。

助言者を求め、どうすればそんなにすばらしい記事が書けるのかと他部署の記者に尋ねてまわった。優秀な記者たちに、そちらが記事を書いているあいだ、わたしはひとりで同時進行してもかまわないかと訊いた。相手は驚いたのち承諾してくれたが、組合が聞きつけて、中断させられた。

手帳を見て、掲載予定のない記事を書いた。みずから特集記事を書いて、編集者が予想していない――望んでいないことも多かった――記事で驚かせた。

週刊の郊外紙向けに、結婚や流行に関する記事を寄稿し、書評欄や土曜のスポーツ欄向けにもときどき書いていたが、ボストン大学の大学院で作文コースを卒業したあと、どういう意味があるのか自分でもわからない実験的な記事を書いた。

ローカル記事編集部の敏腕編集者、エディー・デヴィンを深夜一時に車で家まで送り、五分の一ガロン瓶のウイスキーをキッチンテーブルに置いて、自分が書いた一週間ぶんの記事のコピーを手渡し、どこを直せばいいか教えてもらったこともあった……。

ほかの記者たちの様子を知るために、その記者たちの記事を読むことを自分に義務づけた。その習慣はいまもつづいている。「パリス・レビュー」誌のライターズ・アット・ワーク・シリーズなどの巧みな取材を研究し、自分の技術について気づいた教訓を書き留めた。その習慣もまだつづいている……。

けっして究められない仕事——しかし、生きているかぎり学びつづけることのできる仕事——が、みなさんにも見つかることを願っている。

Lesson

書き手はみな、あらゆる文章に共通する問題を解決しなくてはならない、とドナルド・マレーは述べている。答えはさまざまかもしれないが、難問なのは同じだ。つぎの執筆プロジェクトのために、プロセスのどこに自分が位置するのか、以下のチェックリストを使って確認しよう。

1　よいアイディアを見つける
世界をストーリーのためのアイディアの宝庫と見ることが、長期の目標である。

2　題材を集める
情報、引用、場面、詳細、データなどなどをノートに書き出す。小説家や詩人も、作品のための材料を集める。

3　話の焦点を決める
これが執筆の中心となる行為である。何についての作品なのかを知ること。導入、テーマ、論点、対話、タイトル、見出しのそれぞれで表現するアイディアや感情を見つける。

4　最適な内容を選ぶ

揺るぎない軸を見つけると、集めた材料から最適のものを選びやすくなる。

5　構成を組む

独創的な作品であれ、慣習に従った作品であれ、輪郭、青写真、構成が必要である。俳句にすら、初句、二句、結句がある。

6　原稿を書く

頭のなかで文章を書いてみる。いつからでもいいから書きはじめる。最初は基準をさげておく。

7　修正する

「修正する（revise）」とは、元来「もう一度見る」という意味を持つ。これは、自分の選んだことばにかぎった話ではない。プロセス全体を見なおす。

12 書きつづけよう。そうすれば、だんだんよくなる。

はじめの原稿に欠点があっても落胆してはならない。

アン・ラモット『ひとつずつ、ひとつずつ 「書く」ことで人は癒される』

完璧な単語を一度にひとつずつ重ねて、完璧な物語を書く作家はいない。執筆において、完璧は善の敵だ。欠点があって当然であり、またそのほうが望ましい。書きはじめた当初に問題があっても、けっして落胆してはいけない。「くそみたいな第一稿」――アン・ラモットの率直な言いまわしどおりだ――だと、くそみたいな作家になるというのは、ゆがんだ認識である。経験を積めば、はじめの原稿は彫像ではなくて粘土であって、そこからよりよい作品へ変わっていくことがわかるだろう。

書くことについて書いた一冊の本が、四半世紀にわたって好評を博して売れ行きを伸ばし、つねにベストセラーランキングの上位を維持して、文章に関するほかの本やエッセイやワークショップで引用される場合、それは大きな意味を持っている。世間に受けることは重要だ。ここで言っているのは、扇情的な小説がヒットするときの人気ではない。わたしのようなベビーブーム世代の親が、ベンジャミン・スポックの『スポック博士の育児書』を参考に子育てをしたときのような、実用性のある評判のことだ。文章の手引書で言えば、ウィリアム・ジンサー『うまく書くことについて』を百万部を超えるベストセラーに押しあげた評判のことであり、またE・B・ホワイトが恩師ウィリアム・ストランク・ジュニアの著作にみずからの見解を加えた結果、『英語文章ルールブック』が勝ちえた評判のことだ。

そんなふうに考えると、文章について書いたまた別の本、『ひとつずつ、ひとつずつ「書く」ことで人は癒される』にたどり着く。著者は、小説や回顧録の作者にして活動家でもあるアン・ラモット。一九九四年に刊行されて以来ずっと、文章について書いた本のなかで上位の売上を保っている。

書くことについて書いた本を評価するとき、つぎのふたつに分けることができる。ひとつはおもに文章術、すなわち書く方法に焦点をあてた本、もうひとつはアイデンティティ、すなわち物書きとしての生き方を語る本だ。わたしの本は前者に属していて、後者の要素がほんの少し甘みとして加わったものと言える。たとえば、わたしがT・S・エリオットの詩を解説するなら、エリオットが亡くなったのはわたしが高校生のときだったこと、その名にちなんだ「T・S・アンド・ジ・エリオッツ」というガレージバンドをロングアイランドで組んで、自分は電子ピアノを弾いていたことを書くだろう。『ひとつずつ、ひとつずつ』の特長は、作家の生き方を知るラモットが書き方についての知恵を披露している点だ。

アン・ラモットはおもに回顧録を書く作家であり、『恵みを伝える（Traveling Mercies）』や『プランB（Plan B）』といった著書で、信仰や祈りや教会をめぐる遍歴について描きつつ、気分の萎えや依存症など、人生のさまざまな問題に自身がどう立ち向かってきたかを語っている。ラモットほど魅力ある寛容な声でこうしたテーマを語る作家は、きわめて少ない。ラモットが書くのは、気づかいと励ましのカンフル剤が必要な友人に勧めたくなるたぐいの本だ。

『恵みを伝える』でわたしがマーキングしていた個所を引用する。七歳の息子をパラグライダーの旅に行かせてよいかどうかを決めようとしている場面だ。

その日の午後遅く、わたしは川のそばへ行って、ひとりですわっていた。天の声を聞いたかのように、日差しを浴びたハコヤナギの綿毛が群れを成して舞いあがるなか、子供たちが川沿いを駆け、小さな銀行家さながらに、さまざまな形の石や草の葉や木の枝を拾い集めている。わたしはどうすればいいか教えてくださいと祈り、答えに耳を澄ます自分の姿を脳裏に描きつづけたが、まるでひとりで卓球をするようなものだった。行かせようと決めたあと、やっぱり行かせないと決め、また行かせようと決意する。刻一刻と自分がおかしくなっていくのがわかった。それに、心を病んでいる者が、病んだ心で自分を治せるわけがないのだから、心を病んでいる別のだれかに相談すべきだというのもわかった。そこで、自分より賢明な友人全員に電話をかけた。

その半分は、サムを行かせてやるべきだと言い、残りの半分はそんなのはサムの誕生日にチェーンソーを買うに等しい行為だと言った。ただし、神を信じる友はみな、祈りなさいと言ったので、わたしはそのことばに従った。「助けてください、助けてください」と「ありがとうございます、ありがとうございます」というのが、わたしの知っているなかでいちばんよい祈りのことばだ。知人の女性は、朝の祈りが「知ったこっちゃないね」で、夕べの祈りが「ま、いいか」だと言うが、これは子供のいない人向けだと認めることにした。

言うまでもなく、どうすればいいのかは結局わからないままだった。

自分を卑下するかのような生々しい告白の声は、『ひとつずつ、ひとつずつ』にもはいりこみ——頻繁すぎる、という人もいる——おおむね好ましい効果をあげている。最もすぐれた教訓は、『ひとつずつ、ひとつずつ（Bird by Bird）』というタイトルにあると思う。

気に入っている本はたいてい——『郵便配達は二度ベルを鳴らす』などの例外はあるものの——タイトルがときにはそのフレーズそのままで本文のどこかに現れる。『ひとつずつ、ひとつずつ』でもそうだ。ラモットが描いたエピソードのなかに、兄が十歳のとき、学校で鳥について調べる宿題が出されて、それがちっとも進まなかったときの話がある。ラモットは当時の兄を「やらなくてはならない宿題の多さに圧倒されていた」と表現している。しかし、そこに救い(デウス・エクス・マキナ)の神が現れる。「父が兄の横にすわり、片手を兄の肩にまわしてこう言った。〝ひとつずつ、ひとつずつだ、相棒。とにかく一羽ずつ(バード・バイ・バード)片づければいい〟」あなたが読んでいるこの本も、「一冊ずつ(ブック・バイ・ブック)」というタイトルにすべきだったのかもしれない。

瑕(きず)のないダイヤモンドはないし、見当ちがいの記述がひとつもないライティング本も、わたしの知るかぎりない。『ひとつずつ、ひとつずつ』の最後のほうに、きわめて愉快だが、おそらくあまり役に立たないアドバイスが紹介されている。ラモットは実体験から登場人物を創作する方法を小説家に向けて説いている。この錬金術が最も効き目を表すのは、最新のベストセラーに登場させた自分の夫が、事実と異なるとして訴訟を起こした場合だ、とラモットは主張する。

> 自分の結婚生活を小説にするとして、配偶者が著名人——そう、政治家やセラピスト——で、本人についてひどく怒らせるようなこと、たとえばセックスのときにフランス風のメイド服を着るとか、ヘアクリームをおぞましいことに使うとかいうようなことを書く場合に、それがすべて事実であれば、あなたのもとに版元の出版社から送りこまれた弁護士が、ひどく不安そうで不機嫌な顔をしてやってくるだろう。名誉棄損だというあなたの配偶者の訴えを陪審員が認めた場合、出版社は何百万ドルもの損害賠償責任を負うことになる。最善の解決策は、配偶者の特徴を実物とは変えてできるだけ偽り、さらに何人かを混ぜた架空の人物を作ることだ。ついでに、極小ペニスの持ち主で、反ユダヤ主義的な人物にしておけば、訴えられずにすむはずだ。

むろん、小説の登場人物というのはたいがい、実在の人物の特徴を混ぜ合わせたうえに、創作を添えたものだ。死んだ人間は訴訟を起こせないということは、覚えておくといいだろう。なお、訴訟になったら、「極小ペニス」という表現は、現実的悪意を示す無視できない証拠になる可能性がある点も念頭に置くこと。

　つぎは、ラモットが物書きに宛てた最も実用的なアドバイスである。それは、申し分ないと言ってもいいくらいの納得できる作品を築くのに必要な土台として、「くそみたいな第一稿」に目をつぶれる度量を持て、というものだ。くそみたいな第一稿（むしろ「ゼロ稿」と呼びたい）について、ラモットはこう書いている。「すぐれた作家でも、だれもがそんな第一稿を書く。だからこそ、なかなかの二稿、すばらしい三稿に行き着くわけだ」。そして「裁判所の速記者並みの速さで長い文章をタイピングする」作家はごく稀であり（ラモットはその手の作家たちを毛ぎらいしている）、そんなものは「新米作家の妄想」にすぎないと述べている。

　ラモットの主張はさらに激しさを増す。「わたしにとっても、わたしの知る大半の作家たちにとっても、書くことは喜びではない。それどころか、何を書くにしても、ほんとうにひどい、くそみたいな第一稿が付き物だった」。ラモットにとって第一稿は「子供が書く原稿と同じで、だれにも見られないし、あとで直せるとわかっているから、あふれ出すままに、好き勝手に駆けまわらせればいい」。これにはある種の恥ずかしさがともなう――いわば、トイレのトレーニングと似たものかもしれない。それに対する何よりの防御策は、「だれにも見られない」ことだ。

　わたしはこう思う。「かまわないじゃないか。見せてくれたらいいのに。偉大な作家の失敗原稿はありがたい。学びを得られる宝の山だ」。とはいえ、その原稿はラモットのものであって、わたしのものではない。自分の作品について述べたラモットのことばは、苦悩に満ちている。ラモットは「パニック」に陥るという。偽物症候群の症状だ。「おしまい……もうだめ。一巻の終わり。行き止まり」

　ラモットは解毒剤を探し求める。頭のなかで響く弱気な声に対して、だまれと命じることができるようになる。そういう批判の声はいずれ必要になるが、それはまだあとのことだ。はじめの無駄な作業のなかにまぎれている金塊を探そうとラモットは心がける。アイディアやイメージが浮かぶまで、意識しなくてもできるタイピング、指で考える作業に集中する。そして「ひとつずつ、ひとつずつ」の手法を採り入れる。つまり、前にもこのトンネルを抜けた経験があるし、かならず日のあたるほうへ進んできたことを思い出すために、不安のない作業に身を委ねているわけだ。

こういうとき助けになる、こんなことばがある。

どんなすばらしい作品も、たいてい最初は苛酷な努力が要るものだ。どこからでも、まずははじめるしかない。どこからでもいいので、取りかかって、紙に書き記す。ある友人が、第一稿は下降気流(ダウン・ドラフト)——原稿(ドラフト)を書き留める(ゲット・ダウン)ことだ——と言った。そして、第二稿は上昇気流(アップ・ドラフト)——原稿(ドラフト)の手直し(フィクス・アップ)だ。つまり、書くべきことをより正確に書くことをめざす。第三稿は〝歯科原稿〟。歯を一本ずつ点検して、ぐらぐらしていないか、痛みはないか、虫歯になっていないかなどを調べる。どうかどこも悪くありませんように。

ラモットの心の回顧録には気持ちが癒されるので、『ひとつずつ、ひとつずつ』を再読していたところ、手法や信条を語ることばづかいが乱暴なのに驚いた（本書の著者譲りだというのは認める）。これは、作家が昔からよく使う誇張法と考えていいだろう。たとえば、アメリカのスポーツ作家レッド・スミスは、書くことの苦しみを静脈路の確保になぞらえている。ラモットは「飢えておかしくなった（不信の）犬を閉じこめる」と書いている。ほかにも、目をつぶって、敵意のある不快な声に耳を傾ける練習についても語っていて、そういう声はひとつひとつをネズミだと思え、そしてネズミの尻尾をつまんで、瓶に閉じこめろと言っている。「そうしたら瓶に蓋をして、ネズミ人間たちがガラスを引っ掻くさまを見守ればいい」と。

しかし、わたしはそこまでひどい目に遭わせる必要はないと思う。ネズミを野に放つか、チーズのかけらを与えて、自分の仕事を進めればいい。よい作品を生み出すために、悩みや自己不信は欠かせないというのは言いすぎだ。生産性——それに満足感、とあえて言おう——を求めるなら、めざすべきはひどい原稿を憎むことでなく、原稿も自分自身も愛するようになることだ。

もうずいぶん昔、マークという五年生が、はじめのプロセスの「ずさんな原稿」は大切なものだ、と偉大な教師メアリー・オズボーンから教わったそうだ。見なおしは文章の改善につながるという。わたしと会ったとき、マークは学校の文集に載るだろうと言って、完成した物語を自慢したが、それ以上に自慢したのは、ゴールラインを越えるのに役立った（いっしょに添えられていた）第十一稿のことだった。

Lesson

1　はじめの成果が不十分だとしても、目をつぶろう。それを障害ではなく、充実した原稿を生み出すのに欠かせない段階と見ること。だめな原稿だから、だめな作家になるわけではない。

2　自分の決めたプロセスを信用しよう。ただただプロセスを守れば、作品がよくなっていくと信じるべきだ。テキサス州出身の有名プロボウラー、ビリー・ウェルのモットーを忘れずに。ビリーはテレビの実況放送中、レーンの端に転がせばボールがフックしてポケットにあたり、ストライクを狙えると述べ、さらにこう言った。「信頼が肝心だ。そうじゃなきゃ、ゲームに勝てない」

3　「ゼロ稿」を書いてみよう。まず探りを入れる作業なので、完全な文章でなくていい。ゼロ稿は、自分が何をつかんでいるか、何を知らなければいけないかを教えてくれる。

4

原稿の質を自分では判断できない地点にいずれ達するだろう。そのときには助けを求めよう。ただし、慎重におこなわなくてはならない。励ましてくれる人か、批判してくれる人か、知識のある人に助けを請うように。必要なときに必要な人を選ぶべきだ。

13

言いたいことを見つけるために、自由に書こう。

第一稿へ進むために「ゼロ稿」を用いるとよい。

ピーター・エルボー『教師がいなくても学べる文章術(Writing Without Teachers)』
『力のある文章　執筆プロセスの技術(Writing with Power: Techniques for Mastering the Writing Process)』

自分には無理だと思う速さで書くことで、作家は自分を救う。第一稿の前に「ゼロ稿」を書いてみよう。最初の走り書きだから、文の形でなくていい。フリーライティング――自己検閲なしで速く書く手法――は、解放へのもうひとつの道である。こんなに早い段階で書くときの目標はコミュニケーションではない。蓄積し、記憶し、認識するために書こう。「すでにわかっていることは?」「まだわかっていないことは?」と自問自答しよう。

すばらしい書き手をふたり紹介する。クリストファー・スキャンランとデイヴィッド・フィンケルだ。わたしはふたりを友人だと思っているし、ジャーナリスト、作家、教師としていっしょに仕事をしたこともある。ふたりを観察して――インタビューをおこない――文章術へのふたつの異なるアプローチを明らかにした。わたしが見るところ、ふたりは執筆に関する同じ問題を別々の方法で解決するが、それぞれが取り組んでいる材料を調べても、それはわからないだろう。

チップという愛称で知られるスキャンランはフリーライターで、できるかぎり速く原稿を書く。十分から二十分で書くこともあれば、もう少し時間をかけることもある。言うまでもなく、概略からではなく、思いついたところから取りかかる。フリーライティングでは、とりあえず大ざっぱな仮原稿を作成する。そうすると、かならずとまでは言えないが、特別なものを掘り起こすことが多い。たとえば、砂に埋もれていた小さな金貨が見つかり、それがまた新たなエピソードを生むが、こんどは前より少しだけ話の焦点が絞られる。延々と書いていくうちに、おぼろげだった輪郭が鮮明に浮かびあがり、よりしっかりした第一稿が形になってきて、修正をはじめられる。

聞いたところによると、チップの知り合いのデイヴィッド・フィンケルが、そんなフリーライティングのプロセスはありえないと疑ったらしい。チップが高速で作業をするのに対して、デイヴィッドはじっくり考え、チップが手を使ってこなす作業を頭のなかで進めていくという。いざ書きはじめると、これでいいと自分が思うところまで文を仕上げて、それをつぎつぎと繰り返すため、最後までたどり着いたときにはかなり整った原稿ができている。こういう進め方だと、終わるまで何時間も椅子に張りついている必要がない。快適なニュース編集室で、デイヴィッドがぐるぐる歩きまわっている姿をよく見かける。冷水機からふらっと休憩室へ移動し、またパソコンの前にもどるあいだ、ずっと問題を解いているのだ。

ふたりの書き手のエピソードを見ると、互いに別の方法を用いながら、決められた時間内に近い品質の作品を仕上げることが可能だとわかる。しかし、だからと言って、それぞれ方法が異なっているのだから作家は異なるプロセスをたどるべきだ、とは考えないでもらいたい。ほぼすべての書き手が、同じ問題をときには異なる方法で解決しようとする、というドナルド・マレーの金言をわたしは支持している。チップもデイヴィッドも執筆の題材を見つける必要があり、両者ともたくさんの材料を集め、両者とも話の軸を決め、両者とも最適な内容を選ぼうとし、両者とも構成を組み（満たし）――速く書くか、時間をかけて書くかといううちがいこそあれ――両者とも推敲しなくてはならない。

自分に合う合わないはさておき、フリーライティングの各要素には通じているべきであり、それには、文章指導の歴史で重要な二冊の本を見るとよいだろう。一冊目は、『教師がいなくても学べる文章術』、もう一冊が『力のある文章』で、いずれもピーター・エルボーの著書だ。わたしはふたつの会議でエルボーと同席する栄誉に浴した。エルボー以上に学生の文章術に柔軟な影響を与えてきた作家や教師は少ない。その理論や手法は、いくつもの大学で長年にわたって執筆プログラムを指導してきた経験から培ったもので、グループセラピー的な性質を具えている――学生たちは、速く書いて、速く書きなおし、互いに敬意をもってほかの書き手に作品を見せなくてはならない。そのアプローチは、エルボーの尊敬するデイヴィッド・バーソロメイの方針より民主的だ。バーソロメイは大学生は作家の身分を獲得する必要があると信じるが、エルボーは創作を学ぶ学生は最初から作家であるはずだと述べている。

『力のある文章』で、エルボーは執筆のプロセスを、「創作」と「批判的思考」の二段階に分けた。そして、創作行為のあいだは――物語のアイディアをひねり出そうとしているときなどは――批判の声をだまらせておくのが重要だと主張する。批判の声が聞こえて推敲を促してくれないのは困るが、あまりに早くから声が聞こえると、その声が創作の流れを堰き止める血栓になってしまう。その後はエルボーが気に入っているらしい方法にもどる。これについて『教師がいなくても学べる文章術』ではじめて明らかにされている。

フリーライティングはことばを書き留める最も簡単な方法であり、わたしが知るかぎり最も総合的な執筆の練習法である。フリーライティングを実践するには、十分間、手を止めずに書くことを自分に課すだけでいい。よい文章が書けることもあるが、それはゴールではない。駄文ができあがることもあるが、やはりそれもゴールではない。ひとつの話題にとどまってもいいし、つぎつぎに話題を移すことを繰り返してもいい。どちらでもかまわない。ときに意識の流れをうまく写した記録ができるときもあるが、流れに遅れる場合も多い。プロセスのおかげで書く速度があがる場合もあるが、スピードがゴールではない。書くことを何も思いつかないなら、どう感じているかを書くか、または「書くことが何もない」「ナンセンス」「だめだ」と繰り返して書く。文や考えの途中で行きづまったら、何か浮かぶまで、最後の単語かフレーズをひたすら繰り返す。大切なのはただひとつ、書きつづけることだ。

エルボーによると、ゴールは、よい文を書くことでも悪い文を書くことでもなく、プロセスを始動させることだ。「フリーライティングのゴールは、進行中であることであり、成果ではない」

フリーライティングは、習慣的というよりむしろ戦略的に使う方法のひとつである。わたしの場合は、飛行機に乗っているときに最適だ。ミステリー小説を読んだりビデオゲームに興じたりするより、螺旋綴じのノートを使って、考えや夢をことばにするほうがいい。デンマークへの行き帰りのさなかに書き散らした材料が、その後『書き手が困ったときは（Help! For Writers）』という本になった。また別の長旅では、小説を十五章書いた。（現時点ではまだ出版されていないが）『トラッシュ・ベイビー（Trash Baby）』というタイトルで、少年が外の大型ごみ容器のそばに捨てられていた赤ん坊を見つける話だ。

フリーライティングすらきついと感じる日もある。たぶん、十分間も何かを速く書きつづける気になれないのだ。そういうときは、ゼロ稿というプロセスのほうがいい。そちらのほうがエルボーの提唱する手順より柔軟性があって便利な気もする。とはいえ、このすぐれた教授の話は傾聴に値する。自分が若いころに感じていた執筆にまつわる問題を、創作と批評と共有についての現実的な理論に変えたのだ。たとえエルボーの戦略を採り入れないと決めたとしても、必要になった場合にそれが手もと……いや、肘（エルボー）もとにあると心強いものだ。

ゼロ稿を書く

エルボーが提唱するフリーライティングの方法論を知ってから数年後、わたしはゼロ稿という考え方と出会った。わたしが考案した用語ではないが、「ゼロ以下稿」と呼ばれるその戦略を大きく採りあげた功はあっただろう。「ゼロ稿（zero draft）」とグーグルで検索すると、作家や創作講師たちによる興味深くて役に立つリンクがいくつもヒットするはずだ。ジョアン・ボルカーはロイス・ブシャールからその用語を教わったと書いているが、だれも自分が考案者だとは名乗っていない。作家のカルヴィン・トリリンが原稿を「吐き出す」のと比べると、ゼロ稿はずいぶん手ぬるく感じられる。作文の方法論を提唱しているピーター・エルボーらは、先延ばしやスランプにつながる抑圧から逃れて、はじめのうちにひたすら速く書くことを説いている。（わたしは担当編集者から、ゼロ稿とフリーライティングのちがいを教えてくれと言われた。たしかに、ちがいがわからない書き手もいるかもしれない。わたしに言わせると、ゼロ稿のほうがはるかに制限がゆるくて寛容だ。フリーライティングでは文を使って書くが、ゼロ稿では単語やフレーズを並べればいい。フリーライティングはパソコンで書くが、ゼロ稿は封筒の裏を使ってもいい）。

要するに、ゼロ稿というのは、第一稿と呼ぶものの前に書いたもの——おそらく走り書きしたものと言っていいだろう。たとえば、わたしがこの文を書いているときは、本書の何章ぶんかについて二十五ほどのゼロ稿を書き、もう二、三回書いてからようやく読みなおして、第一稿に値するかどうかを見きわめた。稿を重ねるごとに、基準がだんだん高くなって、やがて単語ひとつひとつを吟味するようになる。

ゼロ稿の前に思いつくことばもあるかもしれない。ならば「ゼロ以下稿」もありうるのではないか。そのアイディアの一部はジェフ・ダイヤーが述べたもので、ダイヤーはロラン・バルト『明るい部屋』のまえがきで、ポストモダンの学者である著者についてつぎのように記している。

　バルトは「はじまりを書く」のが好きだったので、いくつもの断片から成る本を書くことで、はじまりを繰り返して、楽しみを増やした。またバルトは、はじまり以前、つまり「序文と草案」が好きだった。それは、言い換えれば計画中の本、今後書くつもりの本に盛りこむアイディアのことだ。

「はじまり以前」のゼロ以下稿について考えてみよう。それはストーリーではなく、ストーリーの塵であり、不ぞろいな思考やアイディアやイメージがことばに転じる最初の一瞬に発生する。消えてしまう前にその塵をとどめおく白いカンバスは、わたしの場合、ありふれた紙ナプキンだ。

　バニヤン・コーヒーショップで、わたしは比較や対照を表した図、自分が読みたい本や人にあげたい本のタイトルなど、創作にまつわるリストを紙ナプキンに書き留める。こういう状況では、内容は重要ではない。肝心なのは、エッセイに盛りこめそうな要素や、答えを出すべき重要な疑問をすばやく形にし、証拠の確認や評価や整理へつなげることである。

　紙ナプキン――さらには、すばやく書きつけるためのその他の空白――にはとっておきの歴史がある。レイン・マーサーはブルーライン社のブログで、有名な作品を書きはじめるときに紙切れを使った作家を列挙している。

・歌手のリチャード・ベリーは「ルイ・ルイ」の歌詞をトイレットペーパーの切れ端に書いた。
・スティーヴン・キングは『ミザリー』の構想を飛行機のなかでカクテルナプキンに書き留めた。
・科学者のポール・ラウターバーは夕食にハンバーガーを食べながら、磁気共鳴画像（ＭＲＩ）の構想を紙ナプキンにスケッチした。ありがとう、ポール！

　音楽、小説、科学――そして、どこにでもある紙ナプキンにも、取材中のジャーナリストたちを助けた歴史がある。ジャーナリズムを描いた映画『大統領の陰謀』についてレビューを書いたナンディニ・バリアルは、ダスティン・ホフマン演じる記者カール・バーンスタインがジェーン・アレクサンダー演じる簿記係を取材して、渋る相手を説き伏せようとする場面を絶賛して、こう述べている。「時間をかけてゆっくりと質問を繰り出し、紙マッチ、紙ナプキン、ティッシュペーパーにメモをとっている。長々とつづくその場面は『大統領の陰謀』の名シーンのひとつで、ヘッドライトに照らされて身動きできなくなったシカを道路の外へ徐々に誘導していくかのようだ」

ジニー・チェンが執筆した「有名作家が書きつけた十の驚くべき表面」という記事には、はじめに浮かんだアイディアを思いも寄らない場所に書き留めた例がまとめられている。こういうときの定番と言ってもいい紙ナプキンはもちろん、索引カードや段ボール（ゲイ・タリーズのお気に入りだ）、メモ用紙、巻き紙、本の余白、肉の包み紙、壁、レシートや買い物メモの裏、飛行機のエチケット袋にまで書かれている。

そこに手のひらも加えるべきだと思う。魅力的な女がひとりの男に出会い、男の手のひらに自分の電話番号を書く映画のシーンが好きだ。むろん、もし現実にそんなことがあっても、手のひらの番号が残っているのはトイレに行くまでのことで、抗菌石鹸を使ってきれいさっぱり撲滅するつもりだが。

最後はジャーナリズムの話だ。偉大なるドン・マレーは「ボストン・グローブ」紙で文章指導をしていたとき、細心の注意を払って記者たちを観察していた。ひとりの記者が、ボストン港に入港してくる大型帆船の記事を書くよう指示された。その記者が編集長に「時間はあとどのくらいありますか」と尋ね、「三十分ほど」と返されて「よかった。夕食がとれる」と言ったのをマレーは聞いていた。

マレーはその生意気な記者のあとをつけてカフェテリアまで行くと、その記者がベーグルを食べてコーヒーを飲みながら、紙ナプキンにいくつか走り書きをするのを見守った。それは四、五の項目に分かれた短い計画書で、記者はデスクにもどるや、ぎりぎりで締切に間に合わせたという。

Lesson

1　一度に一文ずつ、ひとつひとつが高い基準を満たすように書いてからつぎの文に進みたいという人は、そのやり方をそのままつづければいい――それで締切に間に合って、しかも師や編集者の期待に応えていられるのなら。

2　締切に間に合わないか、周囲の期待に応えられないのであれば、フリーライティングに代えることを検討するといい。最初のうちは基準を低くしておいて、準備用の原稿に最適な題材を見つけたら、修正をおこなって基準をあげていく。

3　思考がことばに変わる段階がある。そのための方法は以下のとおり。
a　はじまり以前、すなわちゼロ以下稿――付箋にリスト、要点、フレーズなどを走り書きする。
b　ゼロ稿――自分のためだけに、アイディアをつかむべくさっと書く。
c　フリーライティング――話の焦点を見つけるために、時間の制限を設けてとにかく速く書く。
d　第一稿――椅子に尻を載せ、頭と手を使って正しいことばを探りながら、慣習に則った文を書く。

4　書く習慣は必要だが、避難口も忘れずに。パソコンで書けないなら、メモ用箋に鉛筆で書く。机で書けないなら、ノートパソコンをカフェへ持っていく。周囲の騒音があと押ししてくれるかもしれない。

14 「わたしは作家だ」と声に出して言おう。

作家としての自分を認めること。自信を失っているときは特に。

ドロシア・ブランド『作家になる（Becoming a Writer）』

ブレンダ・ウェランド『本当の自分を見つける文章術』

あらゆる専門技術を習得する際のゴールは、自分を専門家と認められるようになることだ。仕事と役割、「なること」と「である」こと、技能と使命感と目的、いきさつと理由のちがいを考えよう。多くの人がゴルフや音楽を楽しむが、プロゴルファーや音楽家だと思っているわけではない。タイガー・ウッズでも、ジミ・ヘンドリックスでもないからだ。文章を書いていれば、いつか自分は作家だと思う日が来るかもしれない。あなたはカカシではない。だから、脳みそがあることを証明する必要はない。あなたの書いたものが証明になる。それが見つかれば、どこでも自分を励ませるようになる。

わたしの父も母も、一九三〇年代の大恐慌の時期に成人を迎えた。父のテッド・クラークはニュージャージーで八年生のときに優等生だったが、家が貧しくて高校へ行けなかった。父と祖父は仕事があればどこへでも出向いて、側溝を掘り、電気工事をした。母のシャーリー・マリーノは、イタリア系大家族の第一世代で（いとこが三十五人もいる！）、ニューヨーク市のロウワー・イーストサイドに暮らしていた。高校を卒業したあと、一九四二年にジョージア州フォート・ベニングで父と結婚するまでは、簿記の仕事をして、給料のほとんどを親に渡していた。

現代のアメリカ人が困難な時期をいかに生き延びるかについて語るときは、過去を振り返りがちだ。両大戦のはざまに社会は混乱に陥り、アメリカの文化と民主主義の骨組が――ひいては世界が――脅かされた。それまでのアメリカを作りあげてきた官民の機関は――多数の銀行も含めて――無残に破綻した。ロシア革命の余波に加え、アメリカ資本主義が崩壊したように見えたため、国民は共産主義が国内に蔓延して大変動が起こるのではないかと憂慮した。

ニューヨーク大学の学者ジョアン・スカッツは「ネイション」誌で、これらの社会的、政治的、経済的な要因がいかに大きな反動を引き起こしたかについて述べている。そうした動きのなかには、有害なものや危険なものがあり、その危険な動きのひとつが――いまなお醜悪な示威行為が見受けられるが――ファシズムと呼ばれるものだった。スカッツの記事のタイトルは「ファシズムへの共感　ドロシア・ブランドをめぐって」。ドロシア・ブランドは文章に関して意義深い本を書いた人物だ。これをどうとらえるべきだろう。

ヒトラーが政権を握る前、アメリカ文化には、第三帝国にふさわしい土壌を見いだすさまざまな思想――優生学や過激な個人主義など――が存在していた。ファシズムは共産主義と対立するものであり、ユダヤ人が牛耳っていると考えられていた経済体制とも対立した。そこで過激な反ユダヤ主義が、いわゆるホロコーストへと邁進していったわけだ。

スカッツによれば、一九三〇年代の文化がもたらした興味深い副作用のひとつが、いまで言う「自助」の動きである。政府はおろか銀行にさえ頼れないなら、頼れるのは自分自身だけだ、という考え方だ。社会を改善するために何もできないなら、自分を改善するしかない。問題や抑圧はみずからが課しているという考え、それはたとえば、頭のなかで小さな声が、いまどきの言い方をするなら「あたし、最低！」と語りかけてくるようなものだ。それに対する解決策は、「物質より精神」と考えることである。当時のそういう傾向は大衆文化にも見られた。大恐慌時代の音楽は、「明るい表通りで（On the Sunny Side of the Street）」歩こうと人々を促し、雨の日は「黄金の雨（Pennies from Heaven）」を期待して、「人生でいちばん大切なものはお金では手にはいらない（The Best Things in Life Are Free）」ことを思い出そうと勧めた。

その当時、自助について書いた本で特に有名だったのが、ドロシア・ブランドの著書である。一九三六年に刊行された手引書『目覚めよ！　生きよ！』はミリオンセラーとなり、ブロードウェイで同名のミュージカルが制作された。この本についてスカッツはこう書いている。「過激な個人主義の形での自己改善を唱える、短くシンプルな大衆心理学の本。自分自身の成功を何より優先させることと、失敗への恐れに打ち勝てるよう心を鍛えることを読者に勧めている」。この本が何より強く訴えるのは、「失敗するわけがないという気持ちで臨む」ことである。言い換えれば、成功とは意志の勝利だということだ。

ブランドの著作でいちばん長く売れたのは、人気を博した『目覚めよ！　生きよ！』ではない。ロングセールを記録し、執筆に関する本として二十世紀を代表する作品になったのは、一九三四年に刊行された『作家になる』だった。いっそ『目覚めよ！　書け！』というタイトルをつけてもいいくらいだろう。『作家になる』はわたしも大好きなすばらしい本で、三つの版を手もとに置いている。最近になってはじめて、古い版にしか著者略歴が掲載されていないことに気づいた。「著者はどういう人なんだろう」。創作術について非常に力強い文章を書く女性に興味が湧いて、思わず声が出た。正しく評価されていないフェミニズムの立役者のひとりと言っていいだろう。スカッツは『作家になる』について「文筆を成功に導く軽快で実用的な入門書」と讃えている。

ここで厄介な真実がある。ドロシア・ブランドは自身の文壇での成功で知られているが、また別の文学の権威、スアード・コリンズの配偶者としても知られている。スカッツの記述によれば、コリンズは「アメリカでファシズムを推進した中心人物のひとり」だ。映画にできそうな人生を送ってきたコリンズは、プリンストン大学を卒業した富豪にして、官能小説の収集家であり、作家のドロシー・パーカーと不適切な関係を持ったこともあり、保守系の政治雑誌「アメリカン・レビュー」の創刊者でもあり、当時の文壇の有力者たちとも交流があった。極右の動きが近年また活発になっている現状に鑑みると、アメリカのファシスト——そのころアメリカの英雄だった飛行家のチャールズ・リンドバーグの名もやはりあげずにはいられない——は、当時の政治風土の周縁にいたのではなく、それなりの勢力を占めていたことを忘れてはならない。ミシガンのカトリック教会の司祭、チャールズ・カフリンは、ラジオで説教をおこない、どこかヒトラーを思わせる口調で移民排斥主義を声高に訴えて、何百万もの聴衆を魅了した。

二十世紀のはじめになんらかの形でユダヤ人ぎらいを表明した作家を文学者名簿から排除することになったら、イギリスでもアメリカでも、脱退者の長い列ができるだろう。だが、ブランドとその夫コリンズは、ヒトラーとムッソリーニへの心酔を公言し、その度合いは危険なレベルに達していた。ブランドはユダヤ人の作家を「否定しようがない」ほど「愚かである」という理由でひとくくりに批判した。一九三六年に親共産主義の定期刊行物に掲載されたインタビューに、コリンズのこんなことばが引用されている。「わたしはファシストだ。ヒトラーとムッソリーニを崇拝している。彼らは祖国のために偉大なことを成しとげた」。ヒトラーのユダヤ人迫害について質問され、コリンズはこう返している。「迫害ではない。ユダヤ人は面倒を引き起こす。だから隔離する必要があるのだ」

もうひとつ、夫妻にまつわる逸話がある。「物質より精神（マインド・オーバー・マター）」という方針が高じて、ふたりはスピリチュアルやオカルトに傾倒していった。では、官能小説の収集は？　ふたりが憂慮（マインド）しなければ、大事（マター）ではないのだろう。

困ったものだ。スカッツが『目覚めよ！　生きよ！』に見いだした危険な含意を、わたしは『作家になる』に見いだせるだろうか。執筆について書いたブランドの本が作家志望者向けの自己啓発本だという考え方には、それなりの意味がある。一九三〇年代にはフロイトの精神分析が世に広まりはじめていて、ブランドが意識と無意識についてのフロイトの学説から影響を受けていた証拠が、作中に多々見受けられる。ブランドは「心理主義者」の雰囲気を強く漂わせつつ、一種の自己催眠を用いた訓練を提唱している。

きっとこう訊きたい人がいるはずだ。ブランドについて何を知っているかはわかったが、ブランドの本にファシズムや宗教的な不寛容は感じられるのか。答えは「ノー」だ。全世代の作家の卵に『作家になる』をこれからも勧めるつもりなのか。答えは「イエス」だ。倫理面で問題のある芸術家が作った映画、音楽、本を、わたしたちは楽しむことができるのだろうか。悪人が良書を書くことはありうるのか。検証してみよう。

ブレンダ・ウェランドについて考える

ドロシア・ブランドの『作家になる』の長所と短所を理解するために、同時代に書かれたブレンダ・ウェランドの『本当の自分を見つける文章術』と比べてみる。わたしの大好きな二冊の本が、一九三〇年代にふたりのアメリカ人女性によって書かれた。イリノイ出身のドロシア・ブランドと、ミネソタ出身のブレンダ・ウェランド。興味深いことに、この二冊はウィリアム・ストランク・ジュニアの『英語文章ルールブック』などの本、つまり文章を書く際の基準や文法、従うべき創作様式についてページを割いた本に拮抗しうる存在感を持っている。

書くことについて書いた本が二種類あることについては、すでに説明してきた。「書き方」についての本と、「作家であるための方法」についての本だ。一九三四年のドロシア・ブランドの関心事は、『作家になる』

という書名にそのまま表れている。「である」と「になる」のちがいは、古くからある哲学上の区分だ。わたしの優秀な教え子のひとり、ジャッキー・ジョンソンの説に従えば、人はみずからを作家だと認めたとき、「である」と「になる」のあいまいな境界を越えるのだろう。

わたしの場合も、たしかにそれにあてはまる。一九七七年までわたしは若い学者であり、熱心な文学ファンであり、作文の教師だと自認していた。三十歳になるまでに、三百ページの博士論文を含めて、何千ものレポートや物語を書いていたが、それでも物書きや作家を名乗るつもりはなかった。その後、一九七九年には「セント・ピーターズバーグ・タイムズ」紙に、署名入りで二百五十本以上の物語、記事、エッセイ、批評を書いた。「そうか。もう物書きと言ってもいいのかもしれないな」と、ある日思ったのを覚えている。

こんな区別にほとんど意味はないし、自分を滅ぼすだけだ、といまならわかる。話をする人は話し手だ。ゴルフをする人はゴルファー。物を書く人は物書き。自分が何者かを決めつけることで、「よりよい作家になる」ことに縛られてしまう。つまり、気づかないうちに、「である」と「になる」が混じりはじめるのを見る羽目になる。あなたが物書きなのは、あなたがいま物書きであり、これからも飽くことなく上達しようとするからだ。

文章上達のための手段は無数にあるが、最も一般的なふたつはこれだ。

1　文章講座を受ける。

2　文章術の手引書を読む。

ブランドもウェランドもこの手法の効果に疑問を呈し、文章講座に出ても、わかりきったアドバイスばかりを与えられ、粗探しの好きな連中に束になって批判されるだけだと主張した。また、文章術の本の作者自身は優秀な書き手ではない場合が非常に多く、またそういう人々は独創的に書くよりむしろ慣習に従うよう勧めがちだという。

その点についてふたりの意見は一致しているが、重要なのは相違点だ。『作家になる』の版元は、ブランドの経歴の後ろ暗い部分を隠して、評価を装おうとしている（ファシズムが経歴にプラスになるはずがない）。一方、ウェランドの生涯は、だれが見ても清廉潔白なものだ。わたしの持っている『本当の自分を見つける文章術』には、著者であるウェランドの写真がふたつ載っている。ひとつは一九三八年、つまりウェランドがこの本を書いた年のもので、もう一枚は一九八三年、ウェランドが亡くなる二年前、九十一歳のときのものだ。その写真では、縞模様の派手な上着に男物の黒いネクタイを合わせた乱れ髪のウェランドが、まっすぐカメラを見据えている。

本人が記しているところによると、ウェランドは「（自動車が登場する前の）いまより幸せな時代に、カルフーン湖の近くで生まれた。広々とした白い家（数えきれないほどの部屋と、浴室がひとつ）。巨大な木の風車が夏の日にきしんだ音を響かせるなか、馬とポニーと牛、それに幸せそうなニワトリがふかふかの芝生を自由に歩きまわっていた」という。

父親は法律家で判事をつとめ、母親は参政権運動のリーダーだった。ウェランドの作家人生については、つぎのように紹介されている。

> ブレンダ・ウェランドは長年ニューヨークで暮らし、ジョン・リード、ルイーズ・ブライアント、ユージン・オニールなどグリニッジ・ヴィレッジのボヘミアンの一員だった。ミネソタへもどってからは、作家、編集者、創作の教師として生計を立て、一九八五年に九十三歳で亡くなるまで、意欲と活力に満ちた人生を送った。

本人が語るところによると、カール・サンドバーグと親交があり、サンドバーグは『本当の自分を見つける文章術』を「書くことについて書かれた本のうちで最高のもの」であると断言したという。張り合いを感じることばだったにちがいない。励ましを求めているときにはなおさらだ。

また、裏表紙にはこう記載されている。「ブレンダ・ウェランドは二冊の著作のほか、多くの記事と短編小説の執筆者であり、創作の講師を長年つとめた。九十三年の人生で、六百万語の文章を出版し、ノルウェー国王からナイト爵を授けられ、(八十歳以上の部門で)水泳の世界記録を樹立した。ウェランドは自分がかならず従うルールがふたつあると言う。ひとつは真実を話すこと、もうひとつは、なんであれ、自分がしたくないことはしないということである」

『本当の自分を見つける文章術』に作家志望者――特に女性――が見いだすのはただひとつ、励ましだ。ウェランドはこんなふうに書いている。「このふたつだけは忘れないで。あなたには才能がある、それにあなたは独創的。そのことに自信を持って」

しかし、わたしはミズ・ウェランドにこう尋ねたい。才能があるなら、どうしてわたしはいつまでもぐずぐずしているのか。

だからあなたは何も書かず、何か月、何十年と先延ばしにしているわけだ。書いてみて、それが多少なりともうまくいきそうなら、解放感を感じるはず――自由になって、不安は消える。あなたにとっていい教師とは、あなたを愛してくれる友人、あなたのことを興味深い人、とても重要な人、すばらしく愉快な人だと考える友人だけだ。

だが、ミズ・ウェランドよ。わたしにはそこまで愛してくれる友がひとりもいないのだ。だったら、そういう人を「想像のなかで作り出そう」。

ウェランドは各章に、手離しで褒め讃えたくなるほどの印象深い見出しをつけている(デジタル時代にもじゅうぶん使えるほどうまい）。

・だれにも才能と独創性があって、語るべき重要なことがある
・細かいことにかまわず大胆に！　書くときはライオンになれ、海賊になれ
・掲載拒絶通知が来ても、どうすればくじけず、へこたれずにいられるか
・家事に忙殺される女性たちは、なぜ書くために手を抜くべきなのか

つぎに、ドロシア・ブランドその人にふれるのではなく、ブランドの『作家になる』を受けて、四年後にブレンダ・ウェランドの『本当の自分を見つける文章術』が書かれたことについて考えよう。

ブランドの『作家になる』はニーチェの影響を受けた作品で、全編にわたって意志の勝利について述べられ、「意志」という語が大文字ではっきりと浮かびあがっているかのように感じられる。実用的なアドバイス――タイプライターが二台必要な理由や、執筆中に飲むものは何がいいか決める方法――を紹介し、役に立つ習慣を厳格な規律に変えるよう勧めてもいる。たとえば、機会ができたらいつでも、「即その場で」、つべこべ言わずに書けるようにしようと提案している。

ブランドはコーチから鬼監督に変貌する。成功するか、さもなければ書くのをやめるか、二者択一を迫るのだ。

本書で読者のみなさんに忠告するのに、できるだけきびしい言い方をすべきだと思っている。何度もこれ［即座に書くこと］に挫折するようなら、作家になるのはあきらめるべきだ。書きたい欲求より、書きたくないと抗う気持ちのほうが大きいとわかった以上、いまからでもすぐ、力のはけ口をほかに見つけるほうがいい。

これでは励ましというより、軍の命令だ。「これらふたつの奇特で自主的な行動は――早朝に書くことと、事前の計画に従って書くことは――意志に従って流暢に書けるようになるまでつづけるべきだ」（ここにもまた「意志」という語が使われている）

これを受けて書かれたウェランドの『本当の自分を見つける文章術』には、以下のように書かれている。

だからわたしは、この本のどこにも「語る義務がある……書く義務がある」と書かなくてよかったと思っている。すでにだれにとっても、過剰な責任や恐怖が重圧となってのしかかり――持って生まれた才能に比して義務が多すぎるため、自由に楽しく輝くことができなくなっている。

書くな、と忠告しているのではない。わたしは読者を励ましたいだけだ。休みなく意志に従って神経をとがらせ、実態のない行動に及んでも不毛であること、無意味なことを早く達成すればするほど人は生気を失っていくことを伝えたいのだ。

ウェランドは「意志（willing）」という語を強調し、注をつけてこう説明している。「〝意志〟に従う人々は、並はずれたことをする。だが、それはあらゆる悪事に手を染める兵士や守銭奴のためのことばだ。創造力と愛があれば、それらの悪事は恐ろしくて意味がないとわかるものなのに」

ブランドをふたたび試合にもどそう。当時、反ユダヤ主義を支持していたにもかかわらず、ブランドはユダヤ系オーストリア人の医師フロイトの説を採り入れた。ブランドの『作家になる』で述べられている最善のアドバイス、おそらくどんな作家にとっても何よりためになるアドバイスは、執筆の途中であまりに早く、あまりにきびしく作品を判断しないというものだろう。すべての文を完璧に書こうとしないことだ。執筆を進めるためには、頭のなかで響く批判の声をだまらせなくてはならない――その声はいわば「門番」であり、その否定の声が自信の喪失や落胆につながる。内なる声が人々の口を介して外から接近してくると思うなら、はじめは音量を絞っておいて――いっそ消音でもかまわない――原稿が進むにつれて徐々に音量をあげるようにする。最終稿では、その声が独裁者（すまない、ドロシア）となっておのずと語り、aにするかtheにするかの決断を迫るだろう。

「光を放たぬ顔を持つ者は、けっして星にはならぬ」。ウェランドは最終章をウィリアム・ブレイクの詩の引用からはじめている。

しかし、もし（わたしが望むとおりに）、だれもが書き、敬意を払い、書くことを愛するなら、わたしたちの国には、知性と熱意と情熱を持った読者があふれるだろう。それは寛容で好感を持てる読者であり、ただ批判するばかりで「よろしい。さあ、わたしを楽しませてくれ」とでも言いたげに悠然と腰をおろして、人が書いているのを傍観する者たちではない。よい読者が増えたら、それぞれの書いたものについて、だれもが興奮して興味津々に話せるはずだ。自由な人間として、兄弟として、楽園の人々であるかのように語り合える。そんな人々について、ドストエフスキーは小説のなかでこう書いていた。「歌のなかだけではなく、その人生においても、彼らはひたすら互いを賞賛し合っているようだった」。その結果が、とてつもなく偉大な国民文学だった。

そのあと、ウェランドは「要約」として一覧を加えている。わたしはそのことばを、幸福な著作術のための誓いとしたい。そのリストには以下のアドバイスが含まれている。

・自分には才能があり、独創性があって、語るべき重要なことがあると心得よう。
・最初は自由に、大胆に書こう。

・自分が書いたものについて悩んだり、恥じたりしてはいけない……人は自分の過去の言動を簡単に批判するものだ。
・自分の書いたものに満足できないとしたら、それはよい兆候だ。それは理想がはるかに遠く、手が届きにくいということだから。
・つねに自分を評価したり、ほかの作家よりいいか悪いかを考えつづけたりするのは禁物。

最後に、ドロシア・ブランドにもう少しふれよう。わたしは古くからの友人アーサー・カプランにメッセージを送った。カプランはアメリカで有数の生命・医療倫理の専門家だ。第三帝国時代のドイツがおこなった医学研究について、カプランも論争に加わっていたことを覚えていたので、わたしはこう尋ねた。ナチスによる医学研究は、多少とも人類の利益になるなんらかの知識を生み出したと言えるのだろうか、と。

カプランの返答は以下のとおりだった。

いつの世も変わらず、邪悪で有害な唾棄すべき犯罪者たちが、美しくすばらしいものを作り、霊感さえ与えているものだ。問うべきことは、その恐ろしい行動が、どれほど重要で独創的で有望な成果をもたらしたかだ。どんな時代にもわれわれは、科学、医学、芸術、人文科学、メディアの分野で倫理的に疑わしい作品を作ることができ、それらは実際に「活用」されていると思う。だがわれわれは、その「作家」たちの欠陥や悪事をはっきりと認め、善を利用するがために悪を取りつくろってはならない。だから、わたしはコロンブスやリー将軍やスターリンの像を片っ端から引き倒すようなことはしないが、それでも、彼らがどういう人物であり、何をしたか、なぜその像がいまも重要な意味を持つかを語っていくつもりだ。

だから、わたしもドロシア・ブランドの像を壊すつもりはない——仮に像があったとしての話だが。それならむしろ、ブレンダ・ウェランドの像を立てることに力を注ぎたい。

Lesson

1 原稿の掲載拒絶通知がつづけて届くと、作家がすっかり自信を失い、自己嫌悪にさえ陥ることはよく知られている。そういうときのための解毒剤が必要だ。まず、書くときに頭のなかで響く批判の声、いわば想像力と創造性を抑える門番をだまらせる。その声は、おまえは最低だ、作家を名乗る資格なんてない、とささやく。そういう負の感情と創造性を戦わせてこそ、作家と言える。

2 ウェランドの主張する作家の姿は励みになる。自分を作家だと認めよう。作家であることを証明するには、ページや画面上のことばさえあればいい。書くことで作家になろう。

3 書き手への励ましは、ほかの人たちからもたらされる。評価を示してくれる読者、声に出して認めてくれる師や編集者、無条件の愛情を注いでくれる友人や愛する人たち。そういう反応は、頻繁であるに越したことはない。応援してくれる読者や作家の集まり、たとえば講座、ワークショップ、ブッククラブ、オンラインでのサポートグループなど、創作する者を歓迎してくれる集団に所属しよう。

4 ドロシア・ブランドとブレンダ・ウェランドの著作を読んで、両者を比較・対照することは、批判的な思考を養うよい訓練になるだろう。わたしはアーサー・カプランの見解を支持しているので、悪人であっても、周囲の者を救って影響を与える作品を生み出せると思う。闇に対しても虚心坦懐に臨むかぎり、一瞬きざした光をとらえることができるはずだ。あなたが悪人でも、よい文章を書くことで善人に変われることを祈っている。

15 — 書く習慣を身につけよう。

信頼できて気が散らない作業スペースを見つけ、一日あたりの生産目標を達成する。

スティーヴン・キング『書くことについて』

スティーヴン・キングは、何を書いてはいけないかを学ぶために出来の悪い作品を読むべきだという、一風変わった助言をしている。より実用的なのは執筆量の多さをみずから体現していることで、まさしく驚嘆すべき量だと言える。キングはひとつの季節に一冊の小説が書けると公言している。一年間で四冊書けるということだ。このペースは、書く行為を習慣づけるさまざまな要素によってもたらされている。信頼できて快適な執筆空間、必要な設備と用具、気を散らすテレビやデジタルメディアからの隔離、そして、みずからに課した一日二千語という目標。キングの水準に達する者がいるとは思えないし、わたし自身も無理だ。とはいえ、悲観することはない。自分に見合う量と責任が持てる範囲にとどめればいい。書きつづける習慣を持つことまで否定してはいけない。

書き方についての本やエッセイを書いた書き手は多い。例のごとく、わたしの頭にはジョージ・オーウェルが浮かぶ。有名な作家（オーサー）や人気作家であれば、内容の信頼性（オーソリティー）も増す。それに、金にもなる。ウィリアム・ストランク・ジュニアによる『英語文章ルールブック』は、学界ではカルト的な人気を呼んだが、ストランクの教え子で著名作家のE・B・ホワイトが手を加えた結果、ご存じのとおり一千万部売れたのだった。

一九七九年、わたしはある若手作家にインタビューした。恐怖小説を書く作家で、名前はスティーヴン・キング。キングの最初の三作はすでに読んでいた。『キャリー』、『呪われた町』、『シャイニング』のどれもすでに映画化されていた。キングは『デッド・ゾーン』という本の宣伝活動中だった。そのころが作家人生のほんのはじまりだったことが、わたしの最後の質問を見ればわかる。「あなたはまだ百万長者ではないのですか」と尋ねたのだ。それに対するキングの返答は「まだですが、来年またその質問をしてください」というものだった。キングはアメリカのホラー界の王(キング)になる道を邁進していた。いまや六十作の巧みで恐ろしい小説を全世界で三億部以上売りあげ、その勢いが衰える気配はない。

『シャイニング』を読めば、キングが執筆のプロセスと作家の苦悩に関心を持っていることがよくわかる。映画化されたキング作品のなかで、おそらく最も人々の記憶に残っているのは、ジャック・ニコルソン演じるジャック・トランスが悩める小説家から斧を振りまわす異常者へ変貌していく個所だろう。何かに取り憑かれた古いホテルで、雪に閉ざされて情緒不安定になった作家は、執筆を進めているようだったが、あるとき妻が、ページというページでただひとつの文が繰り返されていることを発見する。「仕事ばかりで遊ばないと、ジャックはだめになる」。やがてジャックは鋭い斧を振りまわす。

キングは、書くことについて書いた存命中の最も有名な作家だろうか。わたしはそうだと思う。その本は役に立つだろうか。答えはまちがいなくイエスだ。では、キングにとって、書くことについて書くのは簡単だったのだろうか。本人の談によると、ノーだ。九十日で一作の小説を書きあげる男が、『書くことについて』を書いたときは悪戦苦闘し、何か月も何か月もデスクの抽斗(ひきだし)に眠らせておいたのだから。この本は運が悪かったとも、呪われていたとも言える。あるいは不運についてキングが用いる比喩をなんでもあてはめるとよい。一九九九年、キングがメイン州の車道沿いをただ歩いていたとき、ワゴン車が衝突してきた。技術的な問題ではなく、運転手が後部座席に放されていた犬に気をとられたことが原因だった。複数個所に及んだ怪我は重症で、ヘリコプターによる移送と緊急治療を要するほどだった。回復するまでに長い時間と痛みを要したが、キングは『書くことについて』の執筆にどうにかもどり、命も助かったので、わたしたちはいま、多くの小説や独創的なテレビ作品、映画作品をまだまだ楽しめる。

キングの回復力と人気と生産力が、『書くことについて』を二十一世紀のライティング本のベストセラーに押しあげた。達人とされるジャンル以外でキングが発表した本のなかで、最も成功した一冊にちがいない。執筆の秘訣を胸にしまいこむ人気作家は多い（わたしはそんな作家を許容できない）。中には私生活を口外したがらない者もいる。そんな流れに抗して書き、人生と作品をさらけ出すことによって、キングはみずからが寛大な作家であることを証明している。まったくちがうタイプの作家の本だが、アン・ラモットの『ひとつずつ、ひとつずつ』も、執筆についての助言がちりばめられた回顧録なので、『書くことについて』と並んで本棚に置くといい。

キングの個人的な話は、書くことについての実践的な教訓で締めくくられる。つぎに引用するのは、読むことと書くこととの関係について記した一節である。

作家になりたいのなら、絶対にしなければならないことがふたつある。たくさん読み、たくさん書くことだ。わたしの知るかぎり、そのかわりになるものはないし、近道もない。（田村義進訳、小学館、以下同）

本人は読むスピードが遅いと言っているものの、キングは年に六十冊から七十冊読むという。そのほとんどがフィクション作品だ。みずからに課した一日二千語という執筆スケジュールを厳守しているとしたら、いったいどこから時間を見つけてくるのだろう。

キングはちょっとしたエピソードとして、若いころにＳＦ大衆小説作家のマレイ・ラインスターに傾倒していたことを記している。雑誌に掲載された物語に熱中したという。薄っぺらな登場人物、お粗末なプロット、そしてキング自身が避けてきたという形容詞「zestful（趣深い）」の山が満ちあふれているというのに。楽しいし、興味を引きもするが、それがどうしたというのか。キングにとっては、あらゆる読書が作家を育てるワークショップである。『怒りの葡萄』のような傑作を読めば刺激を受けるが、萎縮するかもしれない。それより、出来の悪いフィクションを読むほうが実用にかなう可能性もある。していけないことを教えてくれるからだ。キングはつぎのように書いている。

『小惑星の鉱夫たち』はわたしの読書体験のなかで重要な役割を担った一冊である。ひとはみな初体験のことを覚えている。たいていの作家は、〝自分ならもっとうまく書ける〟とか〝これなら自分が書いているもののほうがいい〟と思いながら読みおえた最初の本のことを覚えている。小説家になるために悪戦苦闘している者にとって、すでに世に出た作家の作品よりいいものが書けるという確信以上に励みになるものがあるだろうか。

個人的な話から文章術に関する体系立った考察へ移るにつれて、キングは作家たち――とりわけストーリーテラー――に向けて、戦術だけでなく役立つ習慣についてのヒントも提供している。わたしが気に入っているものをつぎにまとめる。

▼生産力について

一次稿は速ければひとつの季節、およそ三か月で仕上げよう。これはキングにとって、一日十ページ、約二千語書くということである。新人作家に対しては、週に一日の休息をとったうえで、一日千語でいいとキングは提案している。快適な執筆場所を定めて、テクノロジーによる妨害を制限しよう――テレビも携帯電話もなしだ。

▼小説の戦略的要素について

ストーリーを進めていく語り、別の時間と場所に読者を没入させる描写、登場人物に生命を吹きこみ、動機となるものを解き明かす会話が必要である。

▼ストーリー、テーマ、プロットについて

ストーリーはプロットより重要である。ストーリーからテーマに達することはできるが、逆は無理だ。このアクションをあと押しするのが、「もし～としたら」の仮定法形式の質問である。「もし『呪われた町』のように、ヴァンパイアがニューイングランドの小さな町にやってきたとしたら？」

▼描写について

「描写は作者のイマジネーションから始まり、読者のイマジネーションで終わるべきものである」。キングは登場人物を事細かに描写しなくてもいいと考えている。「選びぬかれた少数のディテール」がいくつかあればじゅうぶんで、あとは読者が埋めてくれる。

▼テンポについて

「テンポのことを考えるとき、わたしはいつもエルモア・レナードの〝退屈なところを削るだけでいい〟という言葉を思いだす。テンポをよくするには、刈りこまなければならない。それは最終的にだれもがしなければならないことである「愛しきものを殺せ。たとえ物書きとしての自尊心が傷ついたとしても、だめなものはだめだ」」。キン

グのような執筆習慣を持つ者なら、より陰惨なものを求めて、独創的な殺しさえもするかもしれない。愛しきものを惨殺せよ。

この星で最も立場が危うい作家の部類にはいるのは、文法やライティング、そして本の執筆について書いている作家である。幸いなことに、わたしはリトル・ブラウン社から出版することができた。本書は、かつてエミリー・ディキンソンやJ・D・サリンジャーに文芸人生をもたらした出版社から刊行される、わたしにとって六冊目の本である。わたしが綱渡り状態で動きだせば、編集者のほか、観察眼の鋭いキャサリン・ロジャースのような校閲者、校正者、事実関係を確認する担当者、デザイン担当者などの支援軍が、網を張って待ち受けてくれている。文法ミスや綴りのまちがい、または事実関係の誤りなど、これまで印刷工程でただのひとつも発見されたことはない、と報告したいところだが、そんなことはありえない。

現在も実行しているように（rclark@poynter.org）、わたしは本書で発見した誤りについて注意を促すよう読者に呼びかけている。誤りは最小限に抑えようと努力しているつもりだが、どの本でも、三つか四つの誤りが網をすり抜けてしまったことがあとでわかる。たとえば、等位接続詞とするところを相関接続詞としたり、ドイツ語のウェルズリー（Wellesley）の綴りを誤って、ウィリアムズ（Williams）大学としてしまったり。自分自身の許しを請うために、作家仲間の誤りも認めてやりたくなる。

スティーヴン・キングは評判がよくて影響力のある「書き方本」を書いたが、そのなかで「受動時制を避けて」書くようにと助言している。狂犬病に冒された犬や悪鬼のようなピエロが出てくる不気味な小説のなかには、大量の能動態の動詞が使われているので、キングの意図は明らかに「受動時制」ではなく「受動態」を避けて書くようにというものだ。時制と態は、ふたつの異なる動詞の性質で、混同しないことが大切だ。親しみやすく有益な本にまぎれこんだ、些細な誤りである。

Lesson

1 生産力の高い作家になるためには、日々の習慣が何より物を言う。一日一ページ書けば、一年で一冊書きあがることを覚えておこう。キングは一日二千語を目標としている。だが、一日二百語書いて、六十五日を休日にしたとしても、年間で六万語になる。

2 健康上の効果を最大限に得るために、毎日運動する必要はない。それと同じように考えて、みずからに課した執筆スケジュールを破ったとしても、落胆しなくてもよい。手に負えない生産ペースと張り合わなくてもいい。ピート・シーガーの気のきいたひとことを引用しよう――簡単なことからはじめて、やりつづけろ。

3 よい執筆習慣は、快適な執筆空間によって支えられる。私的な空間（家の奥の寝室）でも、公の空間（コーヒーショップの窓際の席）でもよい。気が散ったり誘惑に駆られたりするもの、特に新旧メディアから流れこんでくる情報を最小限に抑える。音楽を消す。テレビを消す。テレビゲームはぜったいに消す。ｉＰｈｏｎｅの電源を切る。ソーシャルメディアをオフラインにする。どれも文化や情報の重要な表現を提供してくれるものだから、調査に利用するとよい。だが、どれも眠り――あるいは執筆――の妨げになる。

4 たくさん読み、たくさん書こう。よい作品ばかり読んではいけない。萎縮するかもしれないので。もっとうまく書けることを自覚しつつ、出来の悪いものも読もう。

第4部

ストーリーテリングと登場人物

ストーリーは何を意味するのか、またどんなふうに意味を持つのか。わたしはこれまでの人生の大半をかけて、満足のゆく実用的な答えを見つけ出そうとしてきた。ニュージーランドの学者ブライアン・ボイドの説は助けになった。ボイドは、ダーウィンから借用したと思われる問いを投げかけている。それは、わたしたちが生き抜くためにストーリーはどのように役立つのかというものだ。その答えはどれも銀河系のように広大無辺だが、靴ひも並みに実用的だ。

人類が事実だけでなく、虚構のストーリーを語るように進化してきたことに、ボイドは驚いている。批評家のジェームズ・ウッドはボイドからバトンを受け継いで、『フィクションの仕組み（How Fiction Works）』で説明している。ウッドは、信頼できる語りと信頼できない語りという従来の区分けを拒み、「自由間接話法」の語りというアプローチを推奨している。この戦略は、より身近な現実として文学を体験することを狙ったものだ。

カナダの学者ノースロップ・フライは、物語を体験するときの感覚を明確に説明している。はじめてストーリーを読むとき、わたしたちはシーンからシーンへと、物語を連続したものとしてとらえる。記憶から思い起こすときは、特定のシーンが突出するものだが、直線的によみがえりはしない。局面や変化といった要素は、長期間持ちこたえ、やがて「テーマ」や「神話」といったことばで言い表すのがふさわしくなる。

フライと、劇作家であり講師でもあるラヨシュ・エグリの会話を聞いてみたいものだと思う。エグリはテーマを――狙い定めた簡潔な惹句という形式で――劇中のアクションを要約して生成するエンジンへと変化させる。

イギリス人作家E・M・フォースターは、小説を数作執筆したあと、書かなくなった。フォースターは小説以外にも一読に値する作品を残している。特に、『小説の諸相』は、イギリス全土の学校で創作の教授法を変えた教科書である。何よりも重宝したのは、平面的人物と立体的人物の対比と、ストーリーではその両方に役割があるという説明だ。

ジャーナリストがストーリーを書くのは当然だが、わたしたちが思っているほどではない。ジャーナリストがよく書くのはレポートだ。レポートは、読む者に場所を指し示す。ストーリーは、読む者をその場所へいざなう。ゲイ・タリーズやトム・ウルフなどのジャーナリストによる文学運動が一九六〇年代に起こった。そこでは、内容を薄めるためではなく、より濃密なレポートを提供したい場合には、ノンフィクション作家でも小説家の戦術を借用できるということが明らかにされた。

16 ストーリーテリングの価値を理解しよう。

避けるべき危険と手を差し伸べてくれる人々を特定できるよう、読者を導くこと。

ブライアン・ボイド『ストーリーの起源　進化、認知、フィクション』

レポートは情報を伝達する。ストーリーは体験を拡張する。人間の脳は言語を操るにじゅうぶんな大きさがあり、この能力によって――ノンフィクションであれフィクションであれ――ストーリーを語ることができる。確固とした目的のある作家は、ストーリーテリングがもたらす重要な恩恵からエネルギーを引き出すことができる。それはつぎのふたつだ。

・病気、無法者、湾岸に吹き荒れる嵐など、生命を脅かす危険を特定できる。
・目標達成や問題解決に向かって力を合わせて働く方法をみずから体得できる。

このふたつを忘れずにいれば、自分の作品を上位の目的と結びつけていく足がかりにできるだろう。

この章に取りかかろうとしたとき（ある月曜日のことだ）、タイの少年八人が水没した洞窟から救出された。救出活動はまだ継続中で、さらに四人の少年と、洞窟探検を引率した、少年たちのサッカークラブのコーチが救助を待っていた。現在では、このムーパ・サッカーチームの十二人――そのうちひとりはまだ十一歳――が豪雨によって閉じこめられたことを、世界じゅうが知っている。少年たちは、以前にもその洞窟に行ったことがあり、危ない目には遭わなかった。少年たちを救出するために、技師、作業員、ダイバーから成る多国籍チームが結成された。救出は困難をきわめ、携わった経験豊富なダイバーひとりが命を落とすほどだった。残る全員が生還できる――そして健康を取りもどせる――可能性が大いに高まったところで、このストーリーの性質とあらゆるストーリーが持つ力について、大きな問いかけをおこなう頃合が訪れた気がする。

ある出来事を報道するに値するに仕立てるのはどんなことか。報道するかしないかの判断が記者の仕事を明確に決める。だからこそ、死の危機に瀕した子供たち全員のストーリーを語ることは控えられる。わたしたちは選んで伝える必要がある。いまこの瞬間、全米や世界各地に、健康や生命の危機に瀕している子供がどのくらいいるか、少しのあいだ考えてみるとよい。シカゴの銃暴力やシリアの内戦の犠牲者かもしれないし、国境で親から引き離された子、オピオイド中毒によって親を失った子、鉛中毒に苦しんでいる子供がいるかもしれない。あるいは、異常気象や何かの天災がもとで、危険に直面した諸島や領域に住んでいるかもしれない。根拠を示すデータがあるわけではないが、そうした危機が何百万もの子供たちを苦しめているのはまちがいない。

ではなぜ、地球を半周した国の洞窟に閉じこめられた少年十二人とサッカーコーチが人々の注目を集めたのか。なぜ少年たちのストーリーは、これまでに考案されたあらゆるメディアで時々刻々と採りあげられたのか。この問いに対し、二冊の本とつぎの三つを考慮して、ストーリー分析と報道価値について考えてみよう。

・影響力のあるジャーナリズムの教授によって選定された、報道に値する出来事の有名なリスト
・少年たちのストーリーをなじみある物語の原型と照合する試み
・そのようなストーリーが――あらゆるストーリーが――人間が生き抜くためになぜ欠かせないかという文学の専門家の説明

メンチャーによる報道価値の諸要素

メルヴィン・メンチャーがコロンビア大学ジャーナリズム大学院の最も影響力ある教師であることに、異論はないだろう。要求のきびしい指導者であり、レポートのプロセスについての警句が有名だ（「オフィスの椅子からレポートしてはいけない」）。また、二十世紀に大学で使われたジャーナリズムの最も重要な教科書『ニュースレポーティング&ライティング（News Reporting and Writing）』の著者でもある。その本の第十版に、報道価値を生み出す七つの要素があげられている。それらが、洞窟に閉じこめられたタイの少年たちのストーリーとどのくらい合致するかをつぎに示す。

▼**適時性**

ニュースがタイミングよく、矢継ぎ早に発信された。少年たちが行方不明になったこと、生きて発見されたこと、救出計画が進行中であること、まず一部の少年が安全に救出されたこと……。

▼**影響**

少年たちや親しい人々にとって、生死にかかわる影響があり、当然ながら、タイの国民にとっても感情面の影響がある。しかし、危険に直面した若者ということで言えば、アメリカの移民危機やシリアからの難民

家族の問題と比べて、はるかに規模が小さい。

▼**知名度**

サッカーチームの選手とコーチは有名人ではなく、目立つ団体に属しているわけでもない。実業家のイーロン・マスクがかかわって、今回の救出劇にまつわる記事の見出しを何度か飾ったが、おおむねこのカテゴリーにはあてはまらない。

▼**近接**

このニュースははるか遠方から寄せられたものだ。このカテゴリーにはあてはまらない。

▼**対立・葛藤**

このストーリーには、武力による戦争、政治や政策の論争、警官と犯罪者といった、通常の報道に見られる対立・葛藤は含まれていないが、時間と自然の力に立ち向かう人々の苦闘がある。

▼**特異性**

メンチャーはこのカテゴリーを、初期の版では「異常性」としていたが、「特異性」のほうが負の意味合いが薄まるので適している。タイからのニュースはすべてのカテゴリーのなかで、ここに最もよくあてはまる。

▼**進展**

ストーリーに適時性があり、それが時間が経つにつれて勢いを増していく場合がある。ウォーターゲート事件やO・J・シンプソン裁判などが好例だ。今回のストーリーの場合、全員が救出され、健康を回復して自宅へもどり、救出されたことを祝福されるまで、報道されつづけると考えられる。

メンチャーの考えた要素に基づいて考えると、四つのカテゴリー、すなわち「適時性」「対立・葛藤」「特異性」「進展」が該当するとわかった。これは有効だが、タイの少年たちに起こった出来事やストーリーの力をじゅうぶんに説明してはいない。洞窟に閉じこめられた十二人の少年のストーリーが持つ力は、ジャーナリズムの範疇を超え、文学のさまざまな先例が持つ力に由来しているのではないだろうか。それは物語の宿す原初的、原型的エネルギーで、人々に恐怖と期待の双方を与えるものだ。

ロイ・ピーター・クラークが考えるこのストーリーの原型

・コーチと救助隊を除けば、このストーリーは成人男性ではなく、少年について語られたものである。わたしたちはかつてチリの鉱山作業員たちが救出されることを望んだ。この少年たちについては、そのとき以上に強く救出を願っている。両親や兄弟姉妹のもとに返してやりたい。

・十二という数は、何かしらの意味があると感じられる。イエスは十二人の使徒を率いた。クリスマスは十二日間、一フィートは十二インチ、卵一パックは十二個入りだ。パン屋は商品をダース単位で販売する(英語には「十二個」を表す特別なことばがある!)。百万人の子供は大宇宙を形成する。十二人の子供は小宇宙を形成する。あらゆるものが含まれている小さな世界だ。

・同僚のウェンディ・ウォーレスは、このストーリーが人間の持つ原初的恐怖を多く引き起こすことに注目している。閉所恐怖症、暗闇、溺死、窒息、飢餓、親から引き離された子供、といったことだ。ヘンゼルとグレーテルの話にも似ているが、こちらは暗い洞窟のなかだ。

・作家のトーマス・フレンチは、すぐれた物語にはエンジンがあると論じている。エンジンとは、読者や視聴者に対してそのストーリーだけが答えを提供できる問いかけのことだ。有罪か無罪か。生か死か。犯人はだれか。このストーリーには、いくつものエンジンがある。少年たちは救出されるのだろうか。どうやって救出されるのか。洞窟から出てくるとき、少年たちはどのような状態か。雨季がはじまる前に救出されるのか。

・これらの問いには一度で答えが出ないので——遅延や、時間の経過や、やむなく待たされる事情があるので——サスペンスが生まれる。このストーリーでは、途中でいくつもの小さな危機（クリフハンガー）（この場合、崖（クリフ）ではなく洞窟（ケイブ）ハンガーと呼ぶべきか）がある。救助隊員がひとり死亡し、雨が降りだし、体力のある子供が先に救出され、洞窟内の空気が尽きていく。

・地下世界への降下。わたしのデスクのそばに、ダンテの「地獄篇」がある。『神曲』は、暗い森で迷ったダンテが案内人である詩人のウェルギリウスと出会うところからはじまり、ウェルギリウスに従って地獄の圏（たに）をくだっていく。それは煉獄を通って天国へ至るために必要な旅だ。このストーリーの根幹はギリシャ・ローマの古典とキリスト教の両方に由来する。吟遊詩人オルフェウスは妻を救うべく冥界へおりていき、イエスは磔刑ののち、失われた魂を救済するために陰府（よみ）にくだる。タイの少年たちにとって、洞窟へおりていくことは、比喩でも寓意でもなく、現実そのものである。

・復活。降下は、暗いトンネルを抜けて明るい地上への帰還が果たせるのであれば、物語の要素として最も効果を発揮する。タイで起こった出来事を過剰に解釈すると以下のようになる（作家はそうやって話を進展させていく）。地球は母。洞窟は子宮。そのなかで、子供たちは湿った闇に包まれて身を寄せ合う。この世にふたたび生まれ出るためには、苦闘と危険と、ときには死さえともなうせまい道を通り抜けなくてはならない。今回の救出計画の解説図を見ると、救助隊の力に加えて、光と呼吸と新たな生へ連れもどすへその緒さながらの命綱が欠かせないことがわかり、長くて入り組んだ産道を思い起こさずにはいられない。

ボイドによるストーリー論と人類の存続

メンチャーが報道価値を決める諸要素を紹介し、古来の原型がストーリーをひとつ上の段階へ引きあげるとしても、ニュージーランド人学者ブライアン・ボイドによる文芸理論にとっては、ただの序章にすぎない。ボイドの本を手にしたのは、ある読書フェスティバルでのことだった。タイトルに惹かれたのだが、最初はそれがダーウィンの引喩だと気づかなかった。その本は『ストーリーの起源　進化、認知、フィクション』である。

ボイドは経験に富み、深い見識を持つ多才な批評家で、進化生物学にくわしいナボコフ専門家でもあり、「ゼウスからスースまで」を紹介してくれる読書家でもある。「ゼウスからスースまで」は、ただのしゃれた惹句ではなく、『ストーリーの起源』のかなりのページが、ホメロスの『オデュッセイア』と、ドクター・スースの『ぞうのホートンひとだすけ』に割かれている。

わたしは文学を長いあいだ真剣に研究してきたが（五十年以上に及ぶ）、文学を専攻する者たち（正確にはわたしの師の世代）は、複雑な芸術作品に科学的解釈を加えて矮小化することに警戒心をいだいている。「遺伝子が書かせた作品」などという言い草は聞きたくもない。だがボイドは文学を矮小化していない。ダーウィン科学に踏み入って、無傷だったばかりか、言語と文学の両方を理解するのに役立つ強力な枠組みを携えてもどってきたのだ。

ボイドの見地に立つと、神またはダーウィン（わたしの偏見からすれば、神とダーウィンのどちらも）が人類に脳を与えた。より正確に言うと、人類は何百万年かかけて、ある大きさの脳を持つように進化した。その脳はわたしたちに言語を与えた。そして、その言語能力がわたしたちにストーリーを語る能力を与えた。その力には多くの利点がある。

森のはずれでオオカミがわたしを襲おうとしていたら、もしくはスリル・ヒルの反対側でパトカーがわたしのスピード違反を取り締まろうと待ちかまえていたら、わたしは自分に何が起こったかを話すことができる。その結果、話を聞いた人の経験がひろがることになる。森まで出向くことも、丘を越えて車を走らせることもなく、そこにひそむ危険を察知できるわけだ。そこを避ける選択をしてもいい。

いや、それだけではない。わたしは実生活でオオカミを見たことはないし、森のはずれに立ったことさえあるかどうか定かではない（はずれに立っている場合じゃない！）。だが、スピードを出してスリル・ヒルを走り、向こう側で待っていた警官に違反切符を切られたことはある。実際に起こった出来事をもとに、わたしは真実のストーリーを話すことができる。あるいは、話を作って、フィクションに分類されるストーリーを話すこともできる。いえ、森のはずれにいたのはオオカミじゃなくて、そこにいたのは、ユニコーンだったんです。ケンタウロスだったんです。土星から来たドラゴンだったんです。

ストーリーは、人間の経験を豊かにするだけでなく、一種の仮想現実でもある。ロミオとジュリエットが悲劇の死を迎えると、観客は涙を流す——その死が演技にすぎないとしても。進化の観点から見ると、ストーリーを語り、そこから学ぶというすぐれた能力は、種としてのヒトが生き抜く可能性を増大させたと言える。つぎのような言い方もできる。人類の存続にストーリーが役立たないのなら、わたしたちはストーリーを語る能力を得ていたはずがない。

だが、この魔法はどうやって始動するのだろうか。ボイドはふたつの道を提示している。ひとつは、ストーリーは共存の術を教えてくれるというものだ。人間はひとりでは生き残れない。外界には危険がひそみ、身を守ったり子を産んだりするためには、協力して作業する必要がある。もうひとつは、殺人者や暴君、台風や疫病など、さまざまな形で安全と平和を脅かす、暴力、動乱、自然災害、強欲、不寛容といった危険の源を、ストーリーが特定するということだ。

このパターンが効率よく出現しているのが、テレビシリーズ『ロー&オーダー』で長きにわたって語られているストーリーである。どの回も、社会秩序を著しく乱す前ぶれとして、一般的なニューヨーク市民が死体を発見することからはじまる。三十分で警察が殺人事件を捜査して犯人を逮捕する。後半の三十分で検察が告発し、陪審団が評決をくだす。秩序はおおむね回復する。

タイの洞窟に閉じこめられた少年十二人のストーリーには、これといった悪役は登場しない——ユダも、イアーゴも、クルエラ・ド・ヴィルもいない。コーチは救助がはじまって以来、みずからの非を詫びつづけ、許されてもいる。しかし少年たちは、別種の危険にさらされている。最大限の思いやりをもって例をあげるなら、経験不足、愚行、幼さ、準備不足、予期不能な自然の力の過小評価だと言える。このストーリーからわたしは、洞窟にはいるときはもっと注意深くなるべきだと学ぶだろう。一方、わたしの十三歳になる孫の心には、このストーリーを通じて、世界各地へ駆けつけて、みずからの危険を顧みず人々を助けるような、専門的な訓練を受けたダイバーになりたいという思いが芽生えるかもしれない。そして、協力することを学ぶだろう。

それこそがこのすばらしいストーリーの究極の価値であり、長年にわたって記憶されるに値するものだ。昔々、十二人の少年とコーチが、暗くて深い洞窟に閉じこめられました。世界じゅうの人々が何日も何日も少年たちのことを気にかけ、祈りを捧げ、少年たちを救出しようと、だれよりも腕の立つ、だれよりも勇敢な人たちを送りこんだのです。なぜかと言うと、少年たちが無事にもどってきて、成長し、子をもうけ、その子へと、その子からそのまた子へと、嘘のようでほんとうの、まさしく驚くべきストーリーを語り継げるようにするためにね。

結局、少年たちとコーチ全員が救出され、救助隊もみな——ひとりを除いて——無事に洞窟から脱出した。ストーリーの観点からは、これはみごとな大団円を迎えたことになる。ボイドの大局的な見方を裏づけたとも言えるだろう。

地球上で六億年にわたって知性が進化してきたほとんどの期間、「この場、この瞬間」を超えて継続的に考える能力は、いかなる種も手に入れることができなかった。しかし、人類はこの能力を具えているばかりか、「この場、この瞬間」とも現実のどんな過去とも関係のないストーリーを語りたい、聞きたいという抑えがたい欲望も具えている。ストーリーテリングは、「この場、この瞬間」を超えて考える能力を伸ばすことで、われわれを現状より優位に立たせるのではなく、現状に制限されず、より柔軟に、より自分らしい流儀で立ち向かう手助けをしている。

何を書こうが、またどんな読者や観客が対象であろうが、ボイドが論じるストーリーテリングのふたつのすばらしい恩恵を活用すれば、インスピレーションと戦略的なエネルギーが見いだせる。

事実に基づこうと虚構だろうと、ストーリーは規範を強めて伝え、多くの人の心に残る協力の例を提供する。それらはわれわれのさまざまな社会的感情を刺激する。つまり、（ドクター・スースのホートンのような）利他主義者とつながりを持ちたいという願望や、（『オデュッセイア』でオデュッセウスが打ち負かす求婚者たちのような）腹黒く無責任な者たちを拒絶したいという願望を掻き立てるわけだ。

ボイドは文学とダーウィンの双方を熟知しているが、人類のストーリーを語る能力に対して驚きを隠さない。わたしは、そういうボイドの感性の鋭さから多くの刺激を受けている。そして、ストーリーを授受するわたしたちが人類の生存までも左右し、そこに喜びの経験がともなうことを思うと、感動を覚えるのだ。

Lesson

1 ストーリーを、おさまりきらないほど多くの真実が詰まった小さな世界、小宇宙と考えよう。調査の際には、テーマや中核のアイディアを表したりドラマに仕立てたりする小さな例を探そう。

2 ほとんどのストーリーは、わかりやすいパターンを示している。地下世界への降下など、人類の歴史や神話に深く根ざしたストーリーもある。文化に基づいた真実を扱う場合、書き手はそれらの原型へことさらに注意を向けなくてよい。すべての洞窟が子宮や墓穴とはかぎらない。

3 ストーリーテリングのふたつの目的を、人類生存の立場を意識して、ときどき思い出そう。つまり、献身的にふるまう者と同化し、社会の秩序を脅かす者を拒絶するということだ。

4 執筆プロセスのどこかの段階で、作家にとって最も有意義な問いかけをおのれにぶつけよう――。「なぜ自分はこれを書いているのか」と。

17
複雑な人間を語り手としよう。

全知の語り手やまったく信頼できない語り手以外を選ぶ手もある。

ジェームズ・ウッド『フィクションの仕組み（How Fiction Works）』

ストーリーを書くとき、だれが語り手なのかを決めよう。このストーリーを語るのはだれか。その人は何を知っているのか。目標や生い立ちはどのようなものか。知識の限界はどのあたりか。かつては、二通りの手立てがあった。信頼できる語り手と、信頼できない語り手である。三つ目の手立ては「自由間接話法」と呼ばれる。習熟するのはたやすくないが、試みる意味はある。全知の神のかわりに、ある程度の不たしかさや、現実の人間が世界を知覚する際の不安定さを用いて、語りに信頼性をもたせる手法だ。

わたしはかつて、フィクションには——おそらくノンフィクションにも——二種類の語り手がいると教わった。第一は全知の三人称の語り手であり、すべての人と事物の何もかもを把握し、不安定さがなくて権威を具え、そして何より、信頼できる。

わたしはあまりフィクションを書かないが、一九九九年に「ニューヨーク・タイムズ」紙系列の新聞に連載小説を寄稿することになった。二〇〇〇年に至るまでの一か月間、『まだ終わりじゃない（Ain't Done

Yet)』は、南部の二十四紙に掲載された。来たる千年紀に起こる世界の破滅をテーマにしたその冒険物語は、故郷のフロリダ州セント・ピーターズバーグを舞台にしていた。冒頭はつぎのようなものだ。

　サンシャイン・スカイウェイ・ブリッジを渡るとき、マックス・ティムリンはかならず憂鬱になった。デジタル加工を施したかのように青々とした空をカッショクペリカンの隊列が飛んでいく、完璧な朝だというのに。

「自然なんか大きらいだ！」マックスはフロントガラスに向かって叫び、手のひらをハンドルに痛いほど強く叩きつけた。乗っているのは夢の車、一九六五年式マスタング・コンバーチブルだ。車体は黒で内装はクリーム色、二度目の離婚後に心を慰めようと購入したものだ。幌をおろしてあり、名高い特大サイズの二八九エンジンを吹かすと、さわやかな風が暴風へと一変して、かつて髪が生えていた荒れ地に吹きつけた。「自然なんか大きらいだ、まったく」こんどは静かに言い、ラジオをつけた。

　マックスはこの話の主人公で、終末思想に毒されたカルト集団を調査するために雇われた、ベテランのレポーターである。わたしはフィクションを書く経験が不足していたので、最も単純であいまいさが少ない物語の構造を選んだ。つまり、単一で直線的なプロットで（サブプロットはない）、すべてのシーンに主人公が登場し、一日一章で全二十九章となるそれぞれの終わりに小さなクリフハンガーを盛りこみ、三人称の全知の語り手を使った。語り手はあらゆることを知っている。出来事の起こる場所、空の色、橋の名前、主人公の名前、運転している車、主人公の台詞、結婚歴、風を受けて髪がどうなるか、などなどだ。

　二番目に考えられる語り手の種類は、もちろん、一人称の視点からストーリーを語るものだ。内面から物を見ているので、この語り手は客観的になれない。定義から考えて、この種のストーリーテラーは利害に直結する内輪の人間で、新たな知識を採り入れつづけている。この語り手には神の視点が欠けている。この語り手の例は『グレート・ギャツビー』のニック・キャラウェイだ。物事をみずから理解しようとしている人物で、主観的な要素が忍び入るため、完全に信頼することはできないが、それは嘘をついているからではなく、まさしく人間だからだ。

「眩暈がするような蒸し暑い夏」と、シルヴィア・プラスは半自伝小説『ベル・ジャー』で書いている。「ローゼンバーグ夫妻が電気椅子にかけられた夏だった。わたしは、一体ニューヨークで何をしているのか、自分でも分からなかった」（青柳祐美子訳、河出書房新社）。そのとおりだ。何をしていたのだろう――頭がおかしくなりはじめる以外に。

さらに、信頼できないことにかけては、不平を並べ立てるホールデン・コールフィールドの上を行く者はいない。

　こうして話を始めるとなると、君はまず最初に、僕がどこで生まれたとか、どんなみっともない子ども時代を送ったかとか、僕が生まれる前に両親が何をしていたとか、その手のデイヴィッド・カッパフィールド的なしょうもないあれこれを知りたがるかもしれない。でもはっきり言ってね、その手の話をする気になれないんだよ。（J・D・サリンジャー『キャッチャー・イン・ザ・ライ』村上春樹訳、白水社）

わたしはこれまでずっと、信頼できる語り手、あるいは信頼できない語り手のどちらかを選択してきた。そしてある日、著作家であり批評家でもあるジェームズ・ウッドの『フィクションの仕組み』というタイトルの本を開いた。長いまわり道のすえに、ようやくたどり着いたのだ。わたしには、自分の視野をひろげてくれる考えを持つ作家や文学の研究者から徹底的に吸いつくす傾向がある。その最初はおそらくT・S・エリオットで、わたしの高校時代に死去した。つぎに、アメリカ文学に関して驚くべき神話的・同性愛的な解釈を提示したレスリー・フィードラー。ハロルド・ブルームとは長いこと蜜月を重ねていたが、やがて袂を分かち、カミール・パーリアへ走った。そして、ハーヴァードで教えて「ニューヨーカー」誌で執筆するジェームズ・ウッドに、『フィクションの仕組み』で心を鷲づかみにされ、わたしはウッドの初期の文芸批評集『壊れた階級（The Broken Estate）』までさかのぼって読んだ。

この半世紀にめぐり会った何人もの批評家について考えると、何かしらの共通項があるように感じる（明白なちがいもあるのだが）。思うに、彼らは実用的な批評家だ。内容や知識を伝授してくれるだけでなく、読み書きの実践を上達させてくれる。

ウッドのつぎのことばは励みになる。

> 本書では、フィクションの技巧において不可欠な問いをいくつか投げかけている。リアリズムは現実的なものなのか。成功する比喩はどうやって定義するか。キャラクターとは何か。フィクションでディテールがみごとに用いられるのはどんなときか。視点とはどういうもので、どのように作用するのか。想像力を掻き立てる共感とはどんなものか。フィクションはなぜわたしたちの心を動かすのか。どれも昔ながらの問いであり、最近の学術的評論や文芸理論によって生き返ったものもある。だが、これらの問いに学術的評論や文芸理論がうまく返答しているかどうかはわからない。だからこそ本書は、理論的な問いを投げかけながらも、実用的な答えを返すものでありたい――言い換えれば、批評家の質問をして、作家の答えを提供するというわけだ。

批評家の問いに、作家の返答。そうだ。

『フィクションの仕組み』を開いたわたしは、これまで「信頼できる／信頼できない」語り手という両極端な性質に引っ張られて、より複雑で豊かな文学の――そして人生の――体験がいかに見えなくなっていたかを思い知らされた。わたしは別の方法を学ぶ必要があった。それは、自由間接話法として知られる複雑な語りの形式だ。このときわたしは、語り手の役割を定義する旧来の拘束からかろうじて逃れはじめていたものの、自由間接話法の技術を習得するためには――また、そのいくつかの長所を享受するためには――この本を何度か読み返す必要があった。それに労力を費やしたのは、ウッドに敬意を表するわたしなりの手立てであり、ウッドの文章が明確さに欠けると言っているのではない。得がたいもののなかには、時間をかけても取り組む価値を持つものがある。自由間接話法もそのひとつだ。

ウッドは従来の定義のまやかしを暴き、「実のところ、一人称の語りは、〝信頼できない〟場合より〝信頼できる〟場合のほうが多いのがふつうだ」と書いている。「それに、三人称の〝全知〟の語りは、〝全知〟というより〝部分的〟であるのがふつうだ」。ウッドは単純な例を用いて、従来の三人称の語りと一般に見なされているものを示している。

彼は妻のほうを見た。「とても悲しそうだ」彼は思った。「病人のようだな」彼は何を言うべきか迷った。

ウッドはこの語りをつぎのものと比較している。

彼は妻を見た。そう、うんざりするくらい、またもや悲しそうで、病人のようだ。何を言ってやればいいのか。

これを自由間接話法としているものとは何か。「夫の内なる声や考えが、作者の示す合図に束縛されていない。〝と心で思った〟や〝と彼は考えた〟がない」。ウッドは柔軟性が増すことを高く評価している。「物語がまるで、作者の手から離れて登場人物のものとなり、その人物が自分のことばを〝所有〟したかのように見える」

わたしはこの特質に興味を引かれた。この章のはじめに紹介した、わたしが書いた小説の断片が脳裏に浮かんだ。単純な三人称の語りだと思っていたものに、自由間接話法の種が含まれていないだろうか。思い出してみよう。「サンシャイン・スカイウェイ・ブリッジを渡るとき、マックス・ティムリンはかならず憂鬱になった。デジタル加工を施したかのように青々とした空をカッショクペリカンの隊列が飛んでいく、完璧な朝だというのに」

いま読むと、思考とことばは作者のわたしではなく、マックス寄りに感じられる。ここでは、自然は人間の気分と同調するという感傷的な思いこみを覆している。わたしは悲しくて泣いている、だから当然、外では物憂い雨が降っている、というのがふつうだが、この個所はちがう。マックスはふだんより気分が沈んでいるのを自覚しているが、それはまさしく、晴れ渡った空と美しい光景がたいていの人を幸せな気分にするからだ。わたしは徐々に納得しはじめていた。ウッドの本を読みこめば、きっと理解できるはずだ。

ウッドは、複雑な語り手が持つ力の鑑定証人として、ドイツの小説家W・G・ゼーバルトの例をあげている。ゼーバルトは、全知全能の語り手よりも自由間接話法を好んだ作家で、つぎのように述べている。

　語り手自身の不確実性を認めないフィクションは一種の詐欺であり、わたしにはきわめて受け入れがたい。語り手がストーリーの舞台係や監督や判事や執行人になるような、著者の思考を反映した形の作品は、どうにも苦手だ。その種の本を読むのは耐えられない（中略）そこまで確然としたものは歴史の流れのなかで消えつつあるし、こうしたことに対して人が無知で不完全であることを認め、それに従って書くべきだと思う。

わたしはゼーバルトの小説『土星の環』と『移民たち』の二冊を読み、説得力はあるものの、自分にはハードルの高い作品だと思った。というのも、フィクション作品としてじゅうぶんに心を打つものではなかったからだ。その二作品は、架空の人物が実在する場所で現実の人々と出会う、紀行文の趣がある作品だ。説明文なしの写真がその効果を際立たせている。ゼーバルトの作品を理解できず、何が事実の報告で何が作り話なのか判別できないことを、わたしは懸念するべきだろうか。

ウッドは、『壊れた階級』の「W・G・ゼーバルトの不確実性」の章で、ゼーバルトの手法を考察している。わたしは細心の注意を払って読んだ。ゼーバルトのように書きたいからではなく、ストーリーに信頼性や現実味を持たせるにはどうすればよいかという、より大きな疑問を解決したいと、つねづね考えていたからだ。わたしの注意のほとんどは、場面をでっちあげたり、登場人物を合成したりといった、フィクション要素をノンフィクションと称するもののなかに埋めこむ非倫理的行為（とわたしが考えるもの）に向けられた。けれども、架空の出来事から成り立つとされる小説において、九十八パーセントが真実だとしたら？その場合はどう判断すればよいのか。それが解決できれば、わたしの作業台には新たな戦略が並ぶはずだ。作家として物事をまっすぐに見るには、ウッドの批評眼が必要だ。

『移民たち』はフィクションとして読める――というより、実際にフィクションである。ゼーバルトの語りには配慮とパターンが見られ、苦悩に満ちた内面が描かれ、確たる事実と不安定な創作が混ざり合っている。そのせいで、ふたつのカテゴリーが融合し、立証を超越した真実、つまりフィクション上の真実が生み出されている。

フィクション上の真実について、もっと知りたい。

ゼーバルトにとって（中略）事実は解読できないものであり、ゆえに悲劇的である。（中略）ゼーバルトの哀調に満ちた作品は、現実世界の燃え残りから作られたものではあるが、事実を語りの形式に深く結びつけて架空に仕立てあげたせいで、それらの事実が現実世界に属していなかったかのように、ゼーバルトの文章にのみ本来の居場所を見いだしたかのように感じられる。当然ながらそれは、あらゆるすぐれたフィクションを動かすものであり、どれほど現実に近いかは関係ない。フィクションのなかの現実世界は、現実には存在しない凝縮された類型化を施されるため、より苛酷で強力なものになる。ゼーバルトの作品のなかでは、事実が単に架空のように見えるのではなく、真実であり現実のことであったとしても、架空のものと化す。真実でなくなったり、歪曲されたりするのではなく、事実は現実世界に寄生しながらも拮抗し、新たな現実という意味において架空になる。

シカゴを〝世界のための豚殺し〟と名づけたサンドバーグの詩のように、事実が詩句に用いられて詩的な要素を帯びるのであれば理解しやすい。凝縮されたパターンのなかで、事実が形を変え、強い感情のオーラを帯びるような使い方を、わたしは習得しつづけるつもりだ。このようにして、わたしはウッドのような最高の文芸批評家から学ぶ。作家は文章を書き、向上心のある作家（わたしのことだ）は文章を読む。批評家は文章を評価し、向上心のある作家はその批評家が書いたものを読む。そして、新たな手段を学び、自身の作品に応用しようと試みるのだ。

Lesson

1　小説を書きたいという思いがあろうとなかろうと、語り手の文体によく注意しながら、作家のようにフィクションを読もう。やはり、それをつづけることに尽きる。確固たる信頼度メーターを作ろう。つまるところ、その語り手を信じるかどうか。なぜ信じるのか、または信じないのか。

2　従来の批評は、信頼できる語り手、信頼できない語り手だけを評価してきたが、ウッドは〝自由間接話法〟で語るストーリーテラーを好む。この形式を、語り手が語っている以上のことを読者が理解しているという、一種の逆転現象として考えよう。

3　ウッドはこの形式のひとつの表現を、「作家の声と登場人物の声のあいだの隔たりが崩壊し、登場人物の声が反逆して語り手を襲ったかのように感じられるとき」と説明している。ウッドはチェーホフの冒頭の一節を引用している。「ちっぽけな町で、村にもひけをとるくらいだった。住んでいるのも年寄りばかり、しかもなかなか死なないので、いまいましいくらいだ」（「ロスチャイルドのバイオリン」『新訳チェーホフ短篇集』所収、沼野充義訳、集英社）。この語りには従来の中立性が見られず、ストーリーに彩りを添える自由間接話法の兆候が示されていると、ウッドは指摘する。

4　フィクションの一部やちょっとしたエピソード、または場面をひとつだけでも書いてみよう。語りの形式を三度変えて三度書く。つまり、三人称（全知、信頼できる）、一人称（一部だけ知る、信頼できない）、自由間接（三人称だが、登場人物の視点を感じさせる）の三つだ。

18 まず場面のために書き、それからテーマのために書こう。

読者はつぎに何が起こるかを、そしてどんな意味があるのかを知りたがる。

ノースロップ・フライ『同一性の寓話　詩的神話学の研究』

ストーリーが存在してきた長きにわたって、作家は時間と戯れてきたし、それはこれからも同様である。人生は時の流れに合わせて経験していくものだが、夢や記憶はそうともかぎらない。ストーリーには、日常生活の気を晴らし、物語の時間に浸れる力がある。読むたびに異なった時間軸を体験できる。初回はふつう、つぎに起こることを知りたい衝動に駆られて、順番どおり読み進める。ある時点で記憶が幅をきかせる。「つぎはどうなるか」よりも「これはどういう意味か」が強まる。それらの疑問が作家に二重の責任を課すことになる。何が起こるのか、どんな意味があるのか、その両方の面倒を見なくてはならない。場面での動きから、テーマや神話や原型へと興味が移っていく。

カナダの学者ノースロップ・フライによるこの本が、一九六三年に刊行され、わたしの手もとに届き、言ってみればわたしの作品のなかにしっかり組みこまれるまでに、なんと長い道のりをたどったことだろう。わたしが求めていた一連の批評的な考えを、まさに必要な折に提供してくれた本である。わたしは大学院生のときにフライの学術的な著作に親しむようになった。特に、一九五七年に刊行された『批評の解剖』は、意欲的で体系立てられていて、ポストモダニストがその牙城を切り崩すまで、文芸批評の最高峰に数えられる一冊だった。

すでにおわかりだろうが、わたしは読み書きに関するよい助言ならば、どこで出くわそうと受け入れる。そんな姿勢がセント・ピーターズバーグの古書店「321ブックス」へ足を運ばせ、わたしは三ドル払ってフライの『同一性の寓話』を購入するに至った。そのとき入手した本は大学図書館からの放出品で、それも一校ではなく、二校を経由してきたものだった。アメリカ議会図書館管理番号PR503・F7とともに、一九七三年四月二十日にサウス・ダコタ州のヤンクトン・カレッジの図書館で受け入れられたことを示す判が押してあった。ヤンクトンは寒すぎたらしく、この本はのちに南方へ向かい、フロリダ州のクリアウォーター・クリスチャン・カレッジの蔵書となった。著作権について記載されているページに押された判には、大文字でつぎのように記されている。「クリアウォーター・クリスチャン・カレッジは、本刊行物に書かれている考えにかならずしも賛同しない」。この注意書きを見て、わたしはうれしくなった。クリアウォーターはわが家から二十マイルほど離れた街で、そこにはたくさんのサイエントロジストが住んでいる。キリスト教系の小さなカレッジが学生たちのために、評価が定まっていない難解な文芸論を蔵書に加えたことに励まされたのだ。本というのは、必要なときは向こうから自分を見つけてくれる。

『同一性の寓話』の大部分は、主流作家たちの文学エッセイから構成されている。ミルトン、トウェイン、シェイクスピア、ブレイク、バイロン、ディキンソン、イェイツ、スティーヴンス、ジョイスと多岐にわたるが、どれも姓のみで判別できる顔ぶれだ。わたしの目を引いたのは、神話、フィクション、原型に関する序説である。

以下に引用する。

音楽のように時間のなかを進む芸術もあれば、絵画のように空間に表現される芸術もある。いずれの場合でも構成的原理は反復である。これは時間的な場合はリズムと呼び、空間的な場合はパターンと呼ぶ。このように音楽のリズムや絵画のパターンについて話を進めるにしても、徐々にその精通ぶりを誇示するため絵画のリズムや音楽のパターンに話が及ぶことがある。換言すると、あらゆる芸術というものは、時間的にも空間的にも考えられるということである。楽譜を（空間的にみて）一瞬によみとることもできるし、絵を（時間的にみて）複雑なダンスの軌跡とみることもできる。文学は音楽と絵画との中間に位置するように思われる。文学の言葉は、一方の境位では音楽的な音の連続に近いリズムを形成し、他方の境位では象徴的、絵画的イメージに近いパターンを形成する。できうる限りこの境位に近づこうとする試みは、いわゆる実験的作品の中核を成している。文学のリズムを語りと呼び、言葉の構造と意味を同時にしかも心理的に把握することをパターンと呼ぶ。そして語りを聞いたり、語りに聴き入ったりするが、作家の全体のパターンを把握する時に作家の言わんとするところが「見え」てくる。

（駒沢大学N・フライ研究会訳、法政大学出版局、一部改変、以下同）

半世紀にわたって文学評論を読んできて、これ以上に興奮を覚えた文章はほとんどない。わたしの感動は、文学を音楽と絵画のあいだに位置づけるという、きわめて図式的な発想から生じている。その点だけでもじゅうぶんに興味深いが、この本はまた別の、読者と作者の両方にとって可能性が無限にひろがる知見を与えてくれる。

この点について、フライはつぎのように述べている。

1　わたしたちはある方法で音楽を体験する。

2　また別の方法で絵画を体験する。

3　文学はその両方で体験できる。

物語の場合（「ストーリー」や「プロット」と置き換えてもいい）、その体験は連続的、すなわち、シーンにつぐシーンである。大衆向けのフィクションでは、まず尋常ではないことが起こり（死、失踪、逮捕）、それを契機にして、ストーリーだけが答えうる疑問が生じる（殺したのはだれか、行方知れずの子を探し出せるのか、勾留された人物は有罪か無罪か）。フライによると、作品の出来がよければ（よくない場合でも）、わたしたちはストーリーを追いかけ、たいがい終わりごろで明かされる結果を〝認知〟する瞬間までページをめくりつづける（〝エリザベスとダーシーはきっと結婚する——ほら、思ったとおりだ！〟）。これは音楽としての文学である。

しかし、落ち着いたときや、議論しているときになど、あとになってその作品を思い返すと、記憶に残っているのはクライマックスや見せ場（フライの用語では〝金貨〟）であり、時系列どおりには思い出さない。そういうときは全体として、作品のテーマ、意味、雰囲気、重要度、関連性などを表すことばを用いて思い起こすものだ。イアン・フレミングの『ゴールドフィンガー』の映画版について、わたしが覚えていることを並べてみよう。ボンドがゴルフでいかさまをしているゴールドフィンガーを見つける。ゴールドフィンガーがボンドをとらえ、鉄板に押さえつけて、両脚のあいだをレーザー光線で狙う。ボンドは美女と親密になり、のちに全身を金色に塗られたその女の死体を発見する。韓国人ボディーガードのオッドジョブは、フリスビーのように山高帽を投げ、彫像の頭部を切り落とす。ボンドはプッシー・ガロアを誘惑して関係を結ぶ。ボンドが技師に救出される終わり近くのシーンで、フォート・ノックス陸軍基地の中心部に仕掛けられた核爆弾を止めたとき、007で停止した文字盤を、わたしははっきり覚えている。そんなわけで、ストーリー全体のおおよその流れは覚えているし、何が先に来て何があとに来るかも記憶しているが、大部分は重要なことではない。大事なのは、当時十五歳だったわたしの感想——「ものすごくかっこいい！」である。

わたしは作品のテーマを過剰に強調してしまう一派に属している。作品はしばしば多くのことについて書かれるため、「いくつかのテーマ」と言うほうがいいかもしれない。作品が大がかりであればあるほど、テーマも変化に富むと言える。だから、テーマはふつう、古典的な統一性ではなく、芸術的な一貫性を求めてまとまっていく。パズルのピースが全体図に少しずつはまっていくような感覚だ。

「新しいフィクション作品を読むとき、わたしたちは次々と筋を追わせる力からある種の統一性を感じる」とフライは述べている。フィクションであれノンフィクションであれ、どんなに出来の悪いプロットも、独立したシーンを一貫性ある全体に結びつけるものだ。作品が身近になるにつれて、この意識は希薄となり、異種の統一性に注意を向けるようになると、フライは論じ、この統一性を「テーマ」と呼んでいる。

フライは、神話や原型としてのストーリーの「構成全体」を、神々同士や人間との遭遇など、数千にのぼるストーリーから受け継がれる広範なパターンに分類している。たとえば、精神分析医のアルフレッド・アドラーの孫だった故マーゴット・アドラーは、NPRの記者だったころ、現代の物語と古代の神話とのつながりを意識して書いていた。警官とともにニューヨークの地下鉄の穴におりていったときに、ホームレスや根無し草たちが住まう一種の地底都市を発見したアドラーは、これを、オルフェウスやキリストやダンテなどの古いストーリーによく見られる、地下世界への降下と見なした。

フライからさらに引用する。

神話批評における主題、すなわちフィクションの構成全体を検討する場合には、フィクションの伝統的な、しかも他の同じ範疇に属する作品にことごとく共通の一面を取り出さねばならない。たとえば、『高慢と偏見』を取り上げると、わたしたちは即座に、このような特殊な雰囲気や調子をもつ物語が、悲劇、メロドラマ、辛辣な皮肉、ロマンスなどに終わることはないと感じる。この作品が「喜劇」の範疇に属することは明白であるから、わたしたちはそのなかに次のような喜劇の伝統的な特徴を発見しても驚くことはない。多少財産があり親のひとりに励まされている愚かな恋人、仮面をはがれた偽善者、最後に解ける主要人物同士の誤解、たがいに相応しい者同士による幸福な結婚がそれである。

要約して言えば、新しい小説を読むときに「その連続性もしくは時間的進展力といったものに気づく」とフライは論じている。批評家がストーリーテラーの作品を研究するときには、その作家の「実生活の精密な再現」を生み出す能力を評価する。それは叙述の連続から生じる。だが、叙述の連続におさまらない作品には、ある種の統一性がある。フライはそれを、「作品を統合する形相因」、真の「構成における統一」と呼んでいる。

論題、テーマ、ロゴス、核心、きっかけ、要点、傾向など、作品を書く際に高次の意味を持つさまざまなことばを「焦点」という一語で表したらどうなるだろうか。たとえば、詩に焦点があるという考えには違和感が生じない。イェイツの詩「再臨」は、「中央が支えきれない」戦争と反乱とが見られる混沌とした世界という考えを中心に据えている。シャーリー・ジャクスンのホラー短編「くじ」の焦点は、伝統的なルールへの無批判な執着が、主流から追いやられた弱者を当然のごとく生贄にすることだ。焦点のある作品では、物語の鍵となる要素がすべて、何かを指し示す証拠として使用される。

ストーリーに焦点がある場合、つぎのような意味がある。

・最も高次のレベルでは、それはひとつのことである。
・あらゆる証拠がそれを裏づけている。
・目立つものではない――作家がそう意図しないかぎり。
・主要なアイディアを表現するには、いくつかの方法がある。題名、副題、写真と説明文、論題、核心、導入文、前置き、抑揚など。

・そのストーリーを生み出すチームの全員が、そのことを理解し、それに基づいて行動を起こすことができる。
・作者は何を書き入れ、何を削除するかを理解している。

「テーマ」「原型」「中心となるアイディア」のような用語を使ってもよい。それより適したことばを探しているなら、「焦点」はどうだろうか。

Lesson

1 ひとつの話を連続して体験する場合と、記憶をよみがえらせて追体験する場合のちがいを考えよう。
2 ストーリーを組み立てているときに、読者のことを考えよう。真相が判明したあと、平静な気持ちになった読者は、そのストーリーをどのように思い起こすだろうか。
3 執筆作業中にこう自問しよう。焦点は明確だろうか。意図した焦点を読みとらせ、興味を持たせつづけるために、読者にじゅうぶんな材料を与えているだろうか。
4 序文、テーマ、論題、導入文など、焦点を表現するために使用できるあらゆる形を検討しよう。どれが最も役立ちそうで、それはなぜだろうか。

19　ストーリーを短い一文でまとめよう。

惹句などの手立てを使って、何について書いた作品なのかを明確にする。

ラヨシュ・エグリ『劇作の技法　人間の動機を独創的に解釈する根本原理（The Art of Dramatic Writing: Its Basis in the Creative Interpretation of Human Motives）』

文章に見られるある特徴をわたしは「高み」と呼んでいる。それはストーリーが出来事から意味合いへ〝飛び立つ〟瞬間を説明したものだ。前章で紹介したカナダの学者ノースロップ・フライは、この動きを学術的に説明している。劇作家のラヨシュ・エグリは、より実用的な方法で説いている。エグリは作品を要約した短文――〝惹句〟――を書くことを信条としていた。「偉大な愛は死にすらまさる」は、ロミオとジュリエットの話のいわば惹句である。自分の抽斗(ひきだし)には惹句という手立てがないという書き手もいるかもしれないが、これと似たものは必要だ。要約する能力は、さまざまな文筆分野で異なる名前で呼ばれる。テーマ、核心、要点、観点、抜粋、主題文、そしてフーハ〔驚きを表現する古いイディッシュ語。ここでは、作品が何について書かれているのか読者が理解した瞬間を表現する俗語〕などなど。それを短文で述べるわけだ。

長く第一線で活躍した劇作家ラヨシュ・エグリは、最初はニューヨークで、それからロサンゼルスで創作クラスを指導していた。多くのすぐれた劇作家や脚本家がかつてエグリのコースにかよい、著書の『劇作の技法』から学んだ。この本は、人々が長く楽しめる映画や演劇が生まれる契機となった教師や作品に感謝を捧げたものである。

エグリは、二十世紀の初頭にアメリカにたどり着いた何百万ものヨーロッパ移民のひとりだった。一八八八年に生まれ、一九〇六年にハンガリーからニューヨークへ移り住んで、服の仕立てやアイロンがけなどの工場で働いた。生きていくためにひたすら働いたが、十歳のころからの夢は劇作家になることだった。一九二七年に『ラピッド・トランジット（Rapid Transit）』を発表し、人生の大きな転機となった。これは、工業化時代のすさまじいエネルギーを圧縮して二十四時間の枠におさめた、創意あふれる舞台劇である。一九六七年に死去するまで、劇作家と教師の両方として活躍した。

エグリは技巧に関する本を研究し、どれにも不満を覚えた。よくあることだが、そこでみずから執筆を思い立ち、古典劇を例として解説した指南書を書いた。その本は時代を超えて生きつづけることになる。

アリストテレスは『詩学』で、演劇を創作するうえでの推進力は――登場人物ではなく――行動であると論じている。ある男が期せずして父親を殺害し、母親と結婚する。その行動が、オイディプスの人物像を定義づける（そして、ゆくゆくはフロイトに「オイディプス・コンプレックス」で大金をもたらす！）という。エグリはアリストテレスが入れたスイッチを注意深く切り替え、劇を押し進めるのは登場人物であって、行動ではないと論じる。たとえば、マクベスのような男（勇敢で野心を持ち、暗示を受けやすく、残忍な妻に影響されやすい）の例をあげ、そうした人物の特性こそが、魔女たちの誘惑や王の殺害を生み出すのだと示している。

その主張は説得力のあるものだが、このあと見ていくように、本質的な欠陥が見られる。エグリは、効果的なストーリーテリングにはある創作行為が欠かせないと見なし、それを説明しつつ事例を組み立てている。その行為とは「惹句」を案出することだ。行動の前に人物があり、人物の前に惹句がある、とエグリは言う。エグリの考えでは、惹句とはストーリーの真髄をとらえた簡潔な表明文である。何より大切なのは簡潔さだ。瞬時に口にすることができる短文でなければならない。エグリは古典作品を例に、それぞれを要約した惹句を提示している。

ロミオとジュリエット――「偉大な愛は死にすらまさる」
リア王――「見境のない信頼が破滅をもたらす」
マクベス――「非情な野心が自滅を招く」
オセロ――「嫉妬が自分自身と愛する者を滅ぼす」

エグリはこう述べている。「すぐれた戯曲には、どれもうまく言い表された惹句がある。惹句を表す手立てはひとつだけではないだろうが、どのように表現されても、もとにある考えは同じでなくてはならない」惹句は盗作できない、とエグリは言う。惹句は奥行きのあるストーリーパターンであり、ステレオタイプでも原型でもないので、無数の戯曲を生み出す力がある。だから、劇作家を志す者ならだれもが『ロミオとジュリエット』の惹句を採り入れ、偉大な愛は死にすらまさることを示す登場人物と行動を作り出せる。「すぐれた惹句は作品の寸描である」とエグリは言い、自身が気に入っているものをいくつかあげている。

・苦しみが偽りの陽気を招く
・愚かな寛大さが貧困をもたらす
・正直さが不誠実に打ち勝つ
・不注意が友情を破壊する
・短気が孤独を招く

・物質主義が神秘主義を打破する

これらは、民話や動物寓話の最後に出てくる「この話の教訓」を思い起こさせる。エグリがあげている例の多くに「招く」や「もたらす」など、「結果を生じさせる」という意味の動詞が使われている。

惹句の力は、作品全体の縮図の役割を果たせることにある。エグリが好んだジャンルは三幕劇で、これにはテーゼ、アンチテーゼ、ジンテーゼの弁証法に通じるものがある。くわしく言うと、第一幕では、ある要素、たとえば浪費が、登場人物のなかにドラマ化や具体化される。第二幕では、その設定の欠陥から生じる行動が示される。最終幕では、そこから帰着するあらゆるものが明かされる。

劇作に大きな関心を持つわたしにとって、これは納得できる。この数年、わたしは『第二の羊飼いの劇(The Second Shepherds' Play)』という中世の英語の戯曲を現代風に仕立てなおそうと試みている。これは十五世紀に、ウェイクフィールド・マスターとして知られる氏名不詳の聖職者によって作られたものだ。宗教祝祭日に演じられた舞台劇の一部であり、(マリアとヨセフ以外に)人間としてはじめて幼子イエスの存在に出くわした三人の慎ましい羊飼いの話が語られている。私見だが、これはシェイクスピア以前で最もすぐれたイギリス戯曲だ。また、陽気な一面もあり、それが最後の幕の敬虔さと相反しているようにも感じられる。

ストーリーはつぎのようなものだ。寒くて雨風が吹き荒れる夜、三人の羊飼いがひとりずつ登場する。それぞれが観客に向かって、独白形式で自分の運命について文句を並べる。ひとりはひどい天気について不平をこぼす。ひとりは自分を抑えつける裕福な貴族について。ひとりは怒りっぽい妻について。こうした不平は人々の心に染み入り、おもしろくて万人に共通するものだ。やがて羊飼いたちは出会い、挨拶を交わし、歌を歌い、羊を盗む輩に注意しろと警告し合う。それから大悪党のマックが登場する。マックは少し魔法が使える。マックは魔法を唱えて羊飼いたちを眠らせると、いちばん上等の羊を盗み、ごちそうを作ってもらおうと、妻のジルが待つ家へ持ち帰る。何かにつけていつも文句を言うジルは、子供を産んだばかりで、ゆりかごの赤ん坊と並んで寝ている。ジルは、羊が盗まれたことで、羊飼いたちが襲いにきて自分たちを殺すのではないかと気を揉んでいる。

羊飼いたちが目覚めて、羊を盗まれたことに気づき、復讐を心に固く決めてマックの家へ向かう。だが、ジルには考えがある。ベッド脇のゆりかごに羊を隠し、生まれたばかりの赤ん坊と信じこませるつもりだ（「神の子羊」の滑稽な予兆がすでに表れている）。羊飼いたちが着くと、羊はどこにも見あたらず、家族の団欒を邪魔した罪悪感がこみあげる。羊飼いたちはいったん去るが、赤ん坊に贈り物を携えてもどる。ゆりかごをのぞきこむと、この世に生まれるはずがないほど醜い赤ん坊がいた。盗人は殺してかまわないのが掟だが、羊飼いたちはこぶしを引っこめ、マックを毛布にくるんで何度も地面に叩きつける。そこから立ち去った羊飼いたちのもとに、美しい天使がすばらしい歌とともに訪れる。羊飼いたちは真似て歌いだす。天使はベツレヘムの空に輝く星を指し示す。羊飼いたちはベツレヘムで聖家族に挨拶して、赤ん坊にささやかな贈り物を渡し、神の栄光や希望と贖罪に満ちた人生について歌いながら進んでいく。

わたしの夢は、いつの日かこの劇の現代版を制作して、イギリス古典劇の高みにもどすことである。だが、ウェイクフィールド・マスターがこの『第二の羊飼いの劇』を書いたとき、惹句から取りかかっただろうか。そうかもしれないし、聖書の「自分を低くする者は高くされるであろう」〔マタイによる福音書第二十三章十二節〕から考え出したのかもしれない。わたしが考えるとしたら、「よき心とともに、慎ましさは栄光を招く」といったところだろうか。

「惹句は登場人物にまさる」「人物が行動を生み出す」という、エグリの原則論に立ち返ると、その主張は矛盾をはらんでいると言わざるをえない。わたしの読み方が正しければ、惹句は人物造形の源ではあるが、おもに行動を表明したものだ。「招く」「もたらす」などの動詞を含んだ例文を思い出してほしい。あるいは、エグリが気に入っている惹句のひとつ、「狡猾さが墓穴を掘る」はどうだろう。それをもとに、行動のみから狡猾さが識別できる登場人物に関する戯曲が書けるはずだ。エグリもおおむね認めている。「〝過度の倹約が浪費を招く〟について考えよう。この惹句の最初は、人物――けちん坊――を暗示している。〝招く〟は途中の葛藤を、〝浪費〟は戯曲の結末を暗示している」

すぐれた惹句が出来の悪い戯曲に終わることも、すぐれた戯曲が力強い惹句の恩恵を得ずにできあがることもあると、エグリは認めている。また、「惹句」とは異なることばで同じ戦略を言い表す書き手たちの例も紹介している。「そのほかにも、とりわけ劇作家たちは、同じことを表す異なることばを持っている。テーマ、論題、根幹のアイディア、中核のアイディア、ゴール、狙い、原動力、主題、目的、計画、プロット、基本的感情などがそれである」。ポインター・インスティテュートでは四十年以上にわたって、書き手たちに「そのストーリーには、ほんとうは何が書いてあるのか」「それを短い一文で言えるか」「一語で言えるか」と尋ね、説明させる。だから、そう、ぜひとも惹句を書いてもらいたい。結果はお楽しみだ。

Lesson

1 惹句は、作中において行動の源となる簡潔な表明文である。試しに、自分の書いた作品を読み返そう。その作品をごく短い一文で説明できるだろうか。

2 いま頭にある作品のアイディアについて考えよう。それを試案として、惹句に簡約できるだろうか。わたしの場合はつぎのようなものだ。「合法的な堕胎の反対者と擁護者が、目に見えぬ基盤を共有する」、あるいは「特権階級の親たちが制度の抜け道を利用して、わが子を一流大学へ入学させる」。どちらも短い一文だ。自分の作品でも試そう。

3 エグリが選んだ昔ながらの惹句を見なおそう。同じ惹句に合うような、新たなストーリーを一から考え出せるだろうか。「よき心とともに、自分を低くする者は高くされるであろう」を試すとよい。

4 エグリは三幕構成の劇を好んだ。理由のひとつはおそらく、開始、中盤、結末の構造から組み立てられているからだろう。試しに、自分が書いた作品を三幕構成の劇として考えてみよう。どこからはじまってどこで結末を迎えるのか、識別できるだろうか。

20

登場人物にさまざまな特徴を与えよう。

平面的なら便利で、立体的ならより人間らしい。

小説家のE・M・フォースターは、「平面的」キャラクターと「立体的」キャラクターの相違を示したことで、文学の専門家のあいだで有名になった。より複雑で、より突飛な人間性が感じられると、登場人物はさらに立体的になる。平面的人物はすぐに見分けがつく。それらは類型的——最悪な場合は紋切型——であるが、うまく使用されると、ひとつの特性のわかりやすい具体例となる。ファストフードが好きなシェフ、ポルノグラフィーに夢中なフェミニスト、銃を所有する平和主義者など、矛盾やあいまいさが加わった人物の特性からは、書き手も読者も奥深さを感じとることができる。

E・M・フォースター『小説の諸相』

書くことに関する本で、いくつかの小さな教訓に交じって、ひとつでも大きな教訓が提供されているなら、その本は購入する価値がある。一九二七年に刊行された『小説の諸相』は、E・M・フォースターによる一連の大学講義録をまとめたもので、この本にはたくさんの教訓が見つかるだろう。仲間内ではミドルネームのモーガンとして知られたフォースターは、二十年間（一九〇五年から一九二四年）を費やして、重要な小説をいくつか書いた。アメリカ人は、『眺めのいい部屋』や『インドへの道』などのストーリーを映画化作品で知っているかもしれない。奇妙なことだが、フォースターは一九七〇年に死去するまで、ケンブリッジで文学に囲まれ、大学で豊かな市民生活を送っていたにもかかわらず、小説を書くことはほとんどやめてしまった。

簡単な経歴にも、その性格の複雑さが表れている。一歳のときに父親が死去し、フォースターは母親とおばたちに溺愛された。中等学校での経験は愉快なものではなかった（イギリスの子供ならだれもがそうかもしれない。ホグワーツ魔法学校にかよったとしても同じだ）。ケンブリッジ大学在学中に著作が天職であると気づき、ケンブリッジ使徒会の名で知られる、イギリス最高の知性が集まる議論グループの会員になった。ギリシャ、イタリア、ドイツを旅でまわり、そのときの経験が小説に生かされている。インドへも旅行し、そこでイギリスの帝国主義を嫌悪するようになった。同性愛の男を描いた名作『モーリス』の作者でもあるが、イギリスでは一九六七年まで同性愛が犯罪だったため、この小説はフォースターの死後に発表された。第一次世界大戦中には英国赤十字社で働いた。

小説全集の序文で、この高名な作家が小説を書かなくなったあとの年月について、ニール・フェルシュマンが説明している。

E・M・フォースターはその後の四十年余り、文学や政治に関する講義をおこない、エッセイや評論を執筆していた。国際的な作家組織PEN（国際ペンクラブ）で活動するようになると、作家の表現のさらなる自由を求めて人々に働きかけ、レズビアンを題材にしたラドクリフ・ホールの小説『さびしさの泉』や、D・H・ローレンスの『チャタレイ夫人の恋人』の発禁処分を痛烈に非難した。

裕福な大おばが遺した財産がフォースターを支えた。フェルシュマンが興味深いことを述べている。「フォースターは一九四九年にナイトの爵位を拒絶したが、二十年後の九十歳の誕生日には、非政治分野で最高の栄誉であるメリット勲章を拒まず、エリザベス二世から授与された」

文芸にかけては、フォースターは自分の嗜好を理解していた。『小説の諸相』を読むと、フォースターがジェーン・オースティンを愛していたことは明確だ。チャールズ・ディケンズはどうかと言うと、それほどでもない。なぜか。それは、フォースターが理解し、描写し、世間に広めた文芸上の重要な論点と関係がある。すなわち、平面的人物と立体的人物の相違である。この論点は明確で、意義深く、目的意識に満ちたものだったため、世界じゅうの創作ライティングの講師がこの論点を題材として採り入れたほどだった。著名な批評家のF・R・リーヴィスが、おそらく嫉妬混じりのいたずら心からだろうが、イギリス全土の全女学校で英語を教える女性教師全員がその論点に飛びついたと記している（だれもが絶賛したわけではなく、ジェームズ・ウッドは『フィクションの仕組み』で、フォースターの論点と嗜好に異議を述べている）。

わたしがフィクションを書こうとするとき、頭のなかにはフォースターの論点がある。わたしが生み出した登場人物は平面的だろうか。立体的だろうか。どちらも必要だろうか。なぜ重要なのか。フォースター自身はと言えば、どう見ても生まれながらの立体的人物だ——その生涯は人間味にあふれている。ではなぜ、わたしたちは平面的人物に関心を持つのだろうか。「平面的」という言い方からは、どうも否定的な意味合いが感じられる。フォースターは『小説の諸相』でつぎのように答えている。

> 平面的人物は、十七世紀にはいくつかの「気質」に分類されていたが、いまはときに類型的、ときに戯画的と呼ばれる〔中世の道徳劇では、善と悪の戦いの描写で、登場人物の名前がそのまま美徳や悪徳を表す。「自尊心」「謙虚」「情欲」「純潔」など〕。最も純粋な形では、平面的人物はひとつの観念または性質から成り立つ。ふたつ以上の要素があると、立体的人物へふくらんでいく兆しが感じとれる。（中略）
>
> 平面的人物の第一の長所は、いつ登場してもすぐ判別できることだ。単に同じ固有名詞が繰り返され

たから視覚的にわかるのではなく、読者の心の目がそれを感じとる。（中略）

第二の長所は、読者があとで思い出しやすいことだ。平面的人物は環境によって変化しないから、不変の存在として読者の心に残る。そのまま各場面に登場するので、あとで思い出すときに安心感があり、もとの小説が消え去っても、彼らだけはしっかりと記憶にとどまる。

フォースターは、平面的人物で最も成功をせしめた作家はチャールズ・ディケンズだと論じている。認めるべき点——平面的人物を生み出す才能が傑出していること——は認めているものの、ディケンズをジェーン・オースティンより劣る作家と位置づけている。オースティンの登場人物たちは、分別、多感、高慢、偏見など、具体的な人格の特性を表している。だが、ディケンズの登場人物は、プロットや会話などで動きはじめると、互いに相容れない特徴をあらわにし、じゅうぶんに立体的な人間性を見せてくれる。

フォースターは言及していないが、おそらく英語文学史上最も成功した短編小説『クリスマス・キャロル』から適切な例をあげることができる。亡霊たちはさておくとして——マーリーはクリスマスの精霊よりはやや立体的だろうが——三人のおもな登場人物に焦点をあてよう。まずはエベニーザ・スクルージ。スクルージが変わっていくのは、人間的な手段ではなく、超自然的な回心による。スクルージはまさしく類型的人物だ。気むずかし屋。守銭奴。しみったれ。要するに……スクルージ的である。わたしたちはスクルージについてただひとつのことを覚えている——そのいかがわしさ、スクルージらしさを。

つぎはボブ・クラチット。クラチットはスクルージと対照を成す。勤勉な父親であるクラチットは善良な心の持ち主であり、卑しい魂の主人の健康を祝して乾杯さえする。なぜかと言えば、そう、クリスマスだから。クラチットは一家を支えるために全力で働き、体の不自由な末息子タイニー・ティムの健康をとりわけ気にかけている。だが、健康体ではないことと善良な魂の持ち主という以外に、わたしたちはティムの何を知っているだろうか。ティムはひとつの音だけを奏でる。憐れみを受ける身として存在し、その後は心を入れ替えたスクルージの過分の祝儀の受取人になるために存在する。平面的、実に平面的だ。しかし、それでもすばらしい、実にすばらしい。

最近の例も引用できる。この章を見なおしていた二〇一九年三月に鑑賞した、リン＝マニュエル・ミランダによるミュージカル『ハミルトン』だ。フォースターのことが頭にあったので、平面的人物について自然に気づいたしだいだ。たとえば、ふたりのジョージ。ジョージ・ワシントンは単純明快で、勇敢、高貴、リーダーシップの中心である。一方、ジョージ国王は物々しく飾り立て、その寸劇は近代シェイクスピア風悲劇のなかで楽しい息抜きとなる。こうした平面的人物が、立体的人物——アレクサンダー・ハミルトン、アーロン・バー、アンジェリカ・スカイラー——を引き立てて、人間らしい複雑さへと突き進ませる。フォースターはつぎのように述べている。

多少とも複雑な小説なら、立体的人物だけでなく平面的人物も必要とすることが多く、両者のぶつかり合いが人生をより正確に反映する。（中略）ディケンズの小説に登場するのはほとんどが平面的人物だ。（中略）だれもが一文で要約できるが、それにもかかわらず、驚くほど人間としての深みが感じられる。おそらく、ディケンズの並みはずれた活力が登場人物をかすかに揺り動かし、彼らはその活力を借りて、みずから動いているかのように見えるのだろう。魔術そのものだ。

立体的人物については、つぎのように語っている。

立体的人物か否かは、説得力をもって読者を驚かせることができるかどうかで決まる。驚かせられなければ、それは平面的人物だ。そして、説得力がなければ、それは立体的人物を装った平面的人物だ。立体的人物は、人生——作品のなかの人生——の測りがたさを内包している。

フォースターが引用した立体的なキャラクターのなかで、突出しているのが、フローベールの生み出したボヴァリー夫人である。ボヴァリー夫人を一文で言い表すなら、パリに憧れる夢見がちな若い女が、結婚に縛られ、田舎の暮らしに嫌気が差す、といったところだろうか。「夢見がちな」と「田舎の」ということばは、このストーリーを説明するときによく用いられるが、実際に動いている物語を抜きにしてエマ・ボヴァリーは語りきれない。ハムレットさながらに複雑で、多面的で、傷つきやすく、変化に飢えているので、この上なく立体的な人物である。

新人かベテランかを問わず、すべてのフィクション作家に大きな問いを投げかけよう。あなたが創作した人物は平面的、つまり、ひと目ですぐそれとわかるような類型的人物だろうか。たとえば、けっして笑顔を見せない気むずかし屋の警部補が、部屋じゅうに響き渡る大声を出しているので、不機嫌だとだれもがわかる、といった場合だ。この警部補は平面的であり、そうである必要があるかもしれない。

あるいは、こんな登場人物はどうか。癌に冒されて死期が迫った高校の化学教師が、自分が死んだあとも家族が困らないように、結晶メタンフェタミンを売って金を工面することを思いつく。癌の症状は一時落ち着いたものの、覚醒剤の精製と金儲けとカルテルとの争いは止められない。チップス先生より、ドラッグビジネスの親玉でいるほうが性に合うからだ。そう、テレビシリーズの『ブレイキング・バッド』を観たことがあれば、平面的人物が何人かいたとしても、立体的人物の力を思い知ったことだろう。

Lesson

1　書くのがフィクションであれノンフィクションであれ、登場人物は平面的にも立体的にもなりうる。ただひとつの美徳や態度、特に、これまで見たことがあるような類型を表現したければ、平面的人物を使おう。

2　平面的人物にはなじみがあるので、読者を楽しませることはできるだろうが、人生の複雑さを反映はできない。

3　テレビを観ているときに、平面的人物と立体的人物のちがいに注意を向けよう。ジャンルによっては——連続ホームコメディがまず頭に浮かぶが——さほど立体的人物が必要でないことに気づくだろう。『となりのサインフェルド』では、ジェリー、ジョージ、エレイン、クレイマーが、それぞれ九〇年代ニューヨークを象徴する神経症を大げさに表現しているように思える。脇役——スープ・ナチ、図書調査官——はありふれた型には属さないかもしれないが、それでも一面的である。

4　登場人物を立体的にするために作家が用いる戦略のひとつは、「リンゴにできた瑕（きず）」を識別することだ。編集者のマイク・ウィルソンはこの言いまわしを使って、作家たちが登場人物の好ましいところばかりを描写する誘惑に駆られないようにした。人間らしくするマイナスの特性が、かならずあるのだから、と。悪役も立体的な造形から恩恵を受ける。認知症の親の介護をする脱税者などなど。物語の複雑さは立体的人物から生まれる。ボヴァリー夫人、ハムレット、そしておそらくスパイダーマンもそうだ。

21 ストーリーのためのレポートを作ろう。

ノンフィクションを小説のように読ませるために、必要なものを集める。

ゲイ・タリーズ『フランク・シナトラ、風邪をひく　そのほかのエッセイ（Frank Sinatra Has a Cold: And Other Essays）』

トム・ウルフ、E・W・ジョンソン編『ニュー・ジャーナリズム（The New Journalism）』

言語という天分に恵まれたわたしたちは、存在しない人物による起こっていない出来事を描写してストーリーを作りあげる。ほとんどの人は、ストーリー、物語、話、寓話といったことばから、作り事を連想するものだ。ノンフィクション作家は日常の物事から選び出し、小説として味わえるものを作りあげる。「フィクションのように読める」効果を生み出す最も効果的な——そして職業倫理にかなった——方法は、徹底的に調査し、レポートを作ることだ。墓を掘る人と一日過ごそう。詳細な人物像、場面、対話、視点を収集しよう。それらすべてが合わさって、「ストーリー」と呼ばれるものが生まれる。

二〇〇五年刊行の傑作短編選集『ディス・イズ・マイ・ベスト（This Is My Best）』に作品の提供を依頼さ

れたとき、ゲイ・タリーズは一九九六年に「エスクァイア」誌に掲載された「フランク・シナトラ、風邪をひく」を選んだ。タリーズのノンフィクションを知る者たちにとっては、そのことは意外でもなんでもなかった。シナトラにまつわるこのストーリーは「エスクァイア」誌の記念版に掲載され、編集者たちは同誌に掲載されたエッセイの最高傑作だと断言していたからだ。「エスクァイア」誌はタリーズの詳細な解説を裏づける数々の貴重な写真を添えて、この作品を再発行した。

妙なことに、タリーズはボール紙にあれこれ書きこむのを好んだ。クリーニング店から持ち帰るシャツによくはさんである、あの手の大きさのものだ。ポケットに入れやすいように、折りたたんで使うこともできる。何週間もかけたレポートが完成すると、別のボール紙でストーリーボードを作り、ストーリーの概略を場面ごとに書いていく。

その概略から草稿を書き、それをページごとにオフィスの壁にピンで留める。部屋の奥に立てば、ストーリー全体の構造を見渡すことができ、それから双眼鏡を使って、細かい文字をひとつずつ読んでいく。

（この「ストーリーウォール」を撮った写真がわたし自身の執筆プロセスにどれほど影響を与えたかに、ちょうど気づいたところだ。いま、これを書いているときでも、コンピューターの先へ目をやると、掲示板が見える。左上には本書の仮題〝Murder Your Darlings〟と書いてある。八インチ×四インチの掲示板全体に、現時点では四十一枚の索引カードが貼られていて、それぞれがこの本の章になりうるものだ。カードの色は黄、紫、ピンク、緑。色にはなんの意味もないが、壁が彩られるので日常が明るくなる。カードには一から四十一まで番号が振られている。これはカードを書いた順番を示すもので、本に登場する順番ではない——登場すればの話だが。そして、〝ゼロ稿〟をまず仕上げ、それから本格的な第一稿を書き終えると、タリーズ流に少しさがって立ち、作品全体の構造を——より大きな主題のカテゴリーや、章と章との結びつき、大ざっぱな流れを——見渡す。いずれはあのカードをはずしてじっくり検討し、裏にメモを書き入れ、おそらく快適なテーブルか、場合によっては犬が寝そべっている小ぎれいな敷物の上に並べて、タイルの寄せ集めを作ることになる）

タリーズのストーリーから得る教訓は、どれも幅広く深みがある。冒頭の段落を少しながめるだけでも、それがわかる。

フランク・シナトラが片手にバーボンのグラスを、片手に煙草を持ってバーの隅の暗がりに立ち、両脇には魅力的だが色褪せたブロンドがふたり腰かけて、シナトラが何か言うのを待っていた。

これはよく引用されるストーリーの導入部で、研究や賞賛や批判の的となっている。タリーズはアメリカの性に関する有名な本を著し、その後、作家の集まる会合で、影響を受けた女性ノンフィクション作家の名前をあげられず、物議を醸した。「魅力的だが色褪せたブロンドがふたり」というくだりは、初期の広告マンが使いがちな性差別的表現を思わせるもので、当時は男性を間柄によって（「相棒」「腐れ縁」など）、女性を髪の色によって区分けすることがよくあった。

先ほどの文をじっくり読んで、わたしが導き出した教訓はつぎのとおりだ。

・ノンフィクションにおいて、何より大事なのは「接近」することだ。
・最高の接近法は「壁にとまった蝿」と呼ばれる。
・徹底的な調査とレポートを通すことで、場面を観察して再構築できる。
・人物のくわしい特徴は重要だが、くわしすぎてもうまく役割を果たせない。
・ブランド名は、トム・ウルフの言う「ステータスを象徴する細部」として用いることができ、タリーズもよくその技巧を使ったが、ここでは「バーボン」と「煙草」でじゅうぶんだ。もし「メーカーズ・マーク」や「マールボロ」と書かれていたら、焦点が中核のテーマからそれてしまっただろう。
・作家はイメージを使って、直接だが潜在的でもあるメッセージを送る。ここでは、あらゆるものが緊張感と対比を伝える。隅の暗がりにブロンドの女がいて、会話は沈黙で閉ざされ、アルコールとニコチンが鎮静と興奮を同時にもたらす。

「フランク・シナトラ、風邪をひく」は最後の文の終わりまで子細に研究する価値があるものだが、そのころ「エスクァイア」誌のために執筆していたタリーズには、最近の多くの作家が持ち合わせていない成功の要素が身近に具わっていたことを忘れてはいけない。タリーズには、仕事に必要なだけシナトラを追いかける時間があり、取材活動を支える経費もあった。

タリーズは、この「フランク・シナトラ、風邪をひく」をそのままタイトルにしたエッセイ集に、一九九七年に書いた「あるノンフィクション作家の原点（Origins of a Nonfiction Writer）」を加えている。タリーズのストーリーは一九三二年にはじまる。イタリア系アメリカ人の家庭に生まれ、父親は仕立て職人、母親は家族で営む服屋を切り盛りしていた。その店の息子として、タリーズは人の話を聞くことと、口をはさまずにしっかり耳を傾けることを学んだという。その技術は、プロの観察者兼聞き手になったときに重宝した。タリーズはこう書いている。

店は一種のトークショーで、愛想のよいふるまいと、絶妙なタイミングで質問を投げかける母を中心にまわっていた。カウンターほどの背丈しかない子供のわたしは、その奥でじっと耳をそばだてていた。そのときに学んだことが、後年になって記事や本のために人々にインタビューしはじめたときに大いに役立った。

このつぎの段落は、大衆向けの書き手をめざす人にはぜひ読んでもらいたい。自分の文体を見せつけるだけでなく、機会をもらえれば何か発言したいと思っている世間の人たちの力強い声を引き出すためにも、これは必読だ。

わたしは辛抱強く、注意深く聞くようになった。相手が説明にひどく苦労しているときでも、けっしてさえぎってはならない。説明が途切れがちではっきりしないときこそ（中略）人は自身をさらけ出していることが多いからだ。話すのをためらうことが多くを物語る。ためらい、はぐらかし、話題を突然変えるといった行為は、気恥ずかしく思うこと、苛立つこと、あるいは、その時点で他人に打ち明けるのが個人的で軽率すぎると感じることがある証拠だと言える。

タリーズはフランク・シナトラより前に、かつてのボクシングのヘビー級チャンピオン、ジョー・ルイスについて書いている。ノンフィクションの〝新たな〟形式を探っているわけではないとタリーズは主張するが、自分の作品を同僚のトム・ウルフが「ニュー・ジャーナリズム」という文学運動の一環と見なしたことについては詳述している。一九七三年に刊行された、その名のとおり『ニュー・ジャーナリズム』と題されたアンソロジーには、ウルフとE・W・ジョンソンが編纂した二十三のエッセイがおさめられている。これはすぐれたアンソロジーで、今日でもノンフィクションの書き方の研究や議論のおもな対象となる作家が選ばれている。タリーズとウルフに加えて、ジョーン・ディディオン、ノーマン・メイラー、トルーマン・カポーティ、ハンター・S・トンプソン、ジョー・マクギニス、ロバート・クリストガウ、ゲリー・ウィルズのような作家の文章も読める。

これは入門編として申し分ない顔ぶれだ。ただ、この本の第二部には何人ものエッセイがおさめられているが、第一部のウルフのエッセイはそれらをはるかにしのぐ内容のものである。タリーズによれば、文学運動を引き起こすつもりなら、具体例をいくつか示すだけでなく、明確な宣言が必要だ。ニュー・ジャーナリズムの何がそこまで新しいのか。オールド・ジャーナリズムとどう異なるのか。ひと昔前の馴れ合い記者のように、適当に記事をでっちあげているだけではないのか。それならむしろ、ニュー・フィクションと呼んだらどうか。いや、ちがう、とタリーズは言う。めざすのは「リアリティの文学」だと。

しかし、それをどうやって達成するのだろうか。ウルフには秘策があり、それを二〇一八年に没するまで伝えつづけた。『ニュー・ジャーナリズム』のまえがきで、ウルフは自分の使命と目的を説明している。

さらに言えば、ニュー・ジャーナリズムが長短編小説と同じくらい、ときにはそれ以上の「吸引力」や「訴求力」を持つために、正確には——技術の点から見て——何が必要なのか。結局のところ、そこからふたつの発見に至ったのだが、それは書くことに関心を持つ者ならだれにとっても重要なことだと思う。ひとつ目は、具体的な仕掛けが四つあることであり、それらはどれも現実的で、フィクションかノンフィクションかを問わず、最も強力な文章が持つ訴求力や吸引力の基礎となるものだ。ふたつ目は、リアリズムは単なるもうひとつの文学的なアプローチや心構えではないということだ。十八世紀にイギリス文学で芽生えた克明なリアリズムは、機械技術に導入された電気のようなものだった。それは最先端の水準をまったく新しい次元へ引きあげた。そして、フィクションであれノンフィクションであれ、社会を描くリアリズムを放棄して文章技巧だけを向上させようとする者は、電気を放棄して機械技術を向上させようとする技師のようなものだ。

だが、四つの仕掛けとは何か。わたしはそれを自分なりに理解し、著作や講座で紹介している。ここではそれに基づいて説明しよう。

1　ストーリーには登場人物が必要であり、登場人物には特徴がある。こんどコーヒーショップへ行ったときに、まわりを観察するとよい。あなたは壁にとまった蠅だ。人々の外見や、身につけているもの、Tシャツにプリントされているスローガンなどに注目しよう。タトゥーを見る。ピアスの数を数える。バリスタのひとりに集中する。細かいことやしぐさや癖を書き出しておけば、その人の個性や特徴、あるいはウルフの言う「ステータス」を理解するのに役立つ。

2　あらゆるジャンルで表現されるストーリーには、いくつかのシーンのまとまりが必要である。シーンは物語の構成要素だ。人は幼児のときからシーンの流れというものを体験している。幼いころのわたしは歩くのがこわかったが、母が手を握ってくれれば歩けた。ニューヨークのロウアー・イースト・サイド沿いにあった寝室ひとつのアパートメントで、母は「はい、はい、はい」と声をかけてくれた。母が手を離すと、わたしは母を見あげ、おむつを着けた小さな尻で尻もちをついた。ある日、母が古めかしい木の洗濯ばさみを手渡してくれた。わたしがその端を持つ。母がもう一方の端を持つ。母が手を離したが、わたしは歩きつづけ……やがて顔をあげて、母がもう一方を持っていないとわかると、わたしは転んだ。これがひとつのシーンだ。

3　従来のジャーナリストは、だれかについてや、その日起こった何かについて口にされたさまざまなことを引用して使う。ストーリーテラーは引用を使う場合もあるが、それよりも強力な作戦は会話を集めることだ。ゲイ・タリーズが、母が切り盛りする店で客の話に耳を傾けていたことを思い出すとよい。おそらく客たちは、タリーズがその場にいたことさえ気づいていなかっただろう。タリーズはひたすら聞き耳を立てていた。成人して物書きになり、人々をインタビューして、いま何を考えていますかなどと尋ねたかもしれないが、タリーズはただ聞いているのではなく、聞き耳を立てていた。壁にとまった蠅には耳もついているわけだ。物語の会話文では、ふたりが話をする必要はない。ひとりがただ聞いているだけでも、主要登場人物が騒がしいカウンターの向こうへ叫んでいるだけでもいい。

4　第四のテクニックは、よく視点と呼ばれるものだ。ストーリーテラーは自身が見ているものだけでなく、登場人物たちがそれぞれの立場で感じたことも示す。わたしがまだ若い記者だったころ、ある経験がその後のわたしを形成することになった。フロリダ州セント・ピーターズバーグのダウンタウンでおこなわれた、ニューヨーク出身のパンクロックバンド、ラモーンズのコンサートに出向いたときのことだ。場所はジャナス・ランディングという屋外会場で、ステージ前にはパンクロックのファンたちが詰め寄っていた。会場は老人ホームの真正面にあった。踊っているファンたちに交じって見あげたら、驚き顔の老女たちが目にはいったことだろう。中には青い髪の老女もいたが、激しく体をぶつけて踊る集団へ目を向けながら、さらに青い髪やモヒカン刈りの頭をじっと見つめていた。

これまで耳にしたニュー・ジャーナリズムについてのおもな批評は、一部の作家は――たとえばトルーマン・カポーティは――実は話をでっちあげているというものだ。ジョン・ハーシーは「レジェンド・オン・ザ・ライセンス」という有名なエッセイのなかで、ノンフィクションはひとつの学問分野であり、引き算による歪曲は許容できるが、足し算による歪曲は許容できないと主張している。だがウルフもタリーズも、標準よりも少ないどころか、さらに厳密な調査レポートや検討が必要だと明言している。市役所を報道する記者は、引用元や数字、そして当日の会議でだれが何を発言したかを収集する。タリーズの言う「リアリティの文学」を実践する者は、さらに多くのものを収集しなくてはならない。人物の特徴、観察したシーン、会話、視点。それはきわめてむずかしいことだが、最高難度で実践すれば、驚きに目を瞠るような、芸術の域に達したストーリーが生み出せる。

Lesson

1　ノンフィクションを書くときは、出来事に近づいた目撃者を探そう。壁にとまった蝿になろう。天井でもいい。場合によっては、窓台やトイレのタンクでもかまわない。

2　ほとんどのストーリーは直接目撃されていない。その場面に居合わせた人々から集めた情報を再構築したものだ。すぐれた記者は複数の情報源を探し、同じ出来事を異なる視点で見たと思われる人々から情報を得ようとする。多様性を弱点ではなく、利点と考えよう。

3　ストーリーのためにインタビューをする方法を学ぼう。物語のきっかけとなるような質問を練習しよう。そこで何が起こりましたか。それはどんなふうに見えましたか。何を見て、聞き、どんなにおいがしましたか。その人はあなたになんと言いましたか。つぎのようなことも尋ねるとよい。あなたはどんな服装をしていましたか。飼い犬が嵐のなかを逃げていったのですか。その犬の名前はなんですか。写真はありますか。

4　ノンフィクションの物語を書くときは、自分の基準を高く設定しよう。編集者や教師からの質問を予想しておくとよい。「どうやって知ったのか」に対する模範解答は、「この目で見ました」というものだ。または「発生してから一時間後に到着して、牧師が教会のなかに入れてくれました」、または「警察の捜査報告書（または法廷の記録）から入手しました」、または「このビデオで見られます」だ。

第5部　レトリックと観客・読者

「修辞」という意味を持つ「rhetoric（レトリック）」という語には、「説得するための話術」という意味もある。多くの作家が自分自身の喜びのために書くと言っているが、「説得」ということばには、相手という存在、つまり観客や読者（オーディエンス）がいるという考えが内包されている。オーディエンスということばは、「オーディオ」を考えればわかるとおり、本来は聞き手の集団、つまりメッセージによって動かされる人々を表す。わたしはついさっき、「persuade（説得する）」のラテン語の語源に「sweet（甘い）」が含まれていることを知った。「酢より蜜のほうが蝿を多く引き寄せる」ということわざはこれと一脈通じ、演説者が群衆に「甘言」を弄する場合もある。古代ローマの弁論家で教師でもあったクインティリアヌスは、すべての書き手や話し手のための施設を設立し、公益のために観客や読者の心を動かす方法について戦略的な助言をおこなった。

　クインティリアヌスからおよそ二千年のあいだに、読み手が文章にどのように反応するかに関して、ルイーズ・ローゼンブラットほど熱意を注いだ学者はほとんどいない。ローゼンブラットは読む体験を大胆にもふたつのカテゴリーに区分けした。読み手が重要で実用的な情報を持ち去ろうとする「導出的」と、読み手が文章の芸術性を賛美して去りがたくなる「審美的」である。レポートはストーリーとは明らかに異なるものなので、書き手は執筆の前に、実用性と美しさのどちらかを選べる。

　一九四〇年代から現在まで、実践を重んじる学者や教師たちが、文章の読みやすさを計測する方法を探し求めてきた。だれにとっても明快であることをめざした、こうした運動の主唱者であるルドルフ・フレッシュとロバート・ガニングは、それぞれに、単語や文の長さなどで読みやすさを判断する指標を考案した。

一般的なものから文学的なものまで、ストーリーや演劇はそれぞれの時代の読者や観客にどんな影響を及ぼしたのか。それを理解するために考えられた理論には、長い歴史がある。劇場で観客が悲劇的な死を目のあたりにすると、何が起こるのだろうか。観客はカタルシス、つまり悲劇による感情浄化を体験している、とアリストテレスは論じている。

観客や読者が何を期待すべきかに関しては、ヴィヴィアン・ゴーニックとメアリー・カー──どちらも回顧録の専門家──は異なった意見を持っている。事実とフィクションのあいだの線引きはどこにあるのだろうか。手法の透明性や詩における逸脱について、読者と作者のあいだには暗黙の契約があるのか。また、より深い真実を探求するという名目で、回顧録作家は起こらなかった出来事を捏造してもよいのだろうか。

22 読者の求めるものを予想しよう。

喫緊の情報や説得力のある物語を届ける。

ルイーズ・M・ローゼンブラット『探求としての文学（Literature as Exploration）』『読者、文章、詩　文学作品の交流理論（The Reader, the Text, the Poem: The Transactional Theory of the Literary Work）』

すぐれた作家は読者の求めるものを予想する。緊急時には、読者は「ただ事実のみ」を求めるだろう。別の読者は、知識と喜びを同時に与えてくれる精巧な物語から恩恵を得るかもしれない。読者が喫緊の情報から注意をそらさないように、作家は背景にとどまることも多い。技巧に注意を向けさせるために、前へ進み出ることもある。読者が何を求めているのかを自問しよう。ただ情報を得たいのか、あるいは美的に豊かなものを体験したいのか。それぞれに異なる道具がいくつか必要だ。

実際に会うことはなかったが、ルイーズ・ローゼンブラットはわたしにとって憧れの文学者のひとりである。その著作にはじめて出会ったとき、ローゼンブラットは九十九歳で、知性の働きの研究にまだ現役で携わっていることを知った。ローゼンブラットは二〇〇五年、百歳と六か月で亡くなった。

自身の文芸理論を強化する一世紀に及ぶ人生の全容を知ったのは、この章を準備しはじめてからのことだった。ローゼンブラットは一九〇四年、ニュージャージー州アトランティック・シティで生まれた。両親はユダヤ系移民だった。コロンビア大学内に併設されている女子大学、バーナード・カレッジに入学し、ルームメイトはカレッジが発行する新聞の編集長をつとめるマーガレット・ミードという若い女性だった。そう、あのマーガレット・ミードである。ミードは年下の友ローゼンブラットに人類学を研究するよう勧め、サモアへいっしょに来ないかと誘った。けれどもローゼンブラットは学校新聞の編集長を引き継いだのち、南洋諸島ではなくフランスへ向かった。その地で、現地の作家や、アメリカを離れたロスト・ジェネレーションの作家たちと行動をともにするようになる。

フランスのいくつかの大学で文学を学んだあと、一九三一年に最初の著書を書き終えた。アメリカへもどって、母校のバーナード・カレッジで教え、その後、ブルックリン・カレッジとニューヨーク大学でも教えた。民主主義を提唱した哲学者、ジョン・デューイに心酔し、生涯を通じて政治的、社会的活動に熱心だった。第二次世界大戦時には、フランス語の能力を生かして、戦争情報局がナチス統制下のフランスの情報を分析する手助けをした。全米有色人種地位向上協会（NAACP）を支援し、晩年は、落ちこぼれゼロ法（NCLB法）として知られる教育政策改革の強力な推進者として生涯を終えた。なんという人生だろう。

ローゼンブラットは幅広い人生経験のどこかの段階で、生涯を費やして答えようとした質問をみずからに投げかけた。自分がニューヨーク市の高校の国語教師だとする。ほかの教師と同様に、ローゼンブラットも『ロミオとジュリエット』を課題に指定して、生徒たちにウィリアム・シェイクスピアを紹介する。悲運な恋人ふたりが命を落とすこの戯曲を読んで、ある生徒は涙を流し、別の生徒は笑いだし、また別の生徒は死ぬほど退屈な思いをする。それはなぜだろうか。

研究者が文学に対する読者の反応を重視しはじめるはるか以前から、ローゼンブラットは、読書は「交流」であるという考えを追求していた。文章を生み出すのは作家だが、最終的にことばを詩へ転じさせるのは読者である。作者と文章は——いくつかの例外を除いて——不変の存在のままだ。しかし、詩はそれぞれの読者によって受け止め方が異なる。なぜだろうか。それぞれの生徒が自身の経験——自叙伝——のフィルターをかけて作品の意味を読みとろうとするからだ。

この理論は作家に重要な示唆を与えてくれる。つまりこれは、たとえば、作家は読者のどんな反応も——たとえば、泣くことを——かならず引き起こすわけにはいかないが、影響を及ぼすことは確実にできるということだ。読者の反応——恐怖、憤り、欲求、満足——にさらに大きな影響を与える文章の書き方はあるのか。作家が使うべき信頼できる道具はあるのか。これはまた別の問題、すべての読者の反応は同じように生じるのかという疑問を引き起こすものだ。ジョーが『尺には尺を』を悲劇だと思い、ジョアンは喜劇だと思う場合、どちらも正しいということがあるのだろうか。これは、すべての読み方が平等というわけではないと論じるローゼンブラットにとって、きびしい問いかけとなった。それを真剣に受け止めてもらうためには、読者に作品のあらゆる面に注意を向けてもらう必要がある。

こうした思考の産物によって、ローゼンブラットは実践的で造詣の深い文学者の域に達し、わたし自身の研究もきわめて大きな影響を受けた。ローゼンブラットはそれまでの研究と教職の経験から、異なる目的で書かれたふたつの文章によって、それぞれに特徴的なふたつの読書体験が生まれると考えた。その区別はどちらか一方だけという性質のものではなく、同じ領域に存在するものだ。ローゼンブラットは一方のタイプの読み方を「導出的」、もう一方を「審美的」と呼んでいる。

「efferent（導出的）」は「持ち去る」という意味のラテン語の動詞に由来する。たいていの読書は実用面を重視したものだ。シリアルの箱に書かれた説明を読んで、ひと皿あたりのカロリーを理解する。テレビの番組表を見て、ヤンキース対レッド・ソックス戦が何時に開始かを確認する。ウィキペディアなどのネット上の情報源にアクセスして、ルイーズ・ローゼンブラットが死去したのは百歳か百一歳だったのかをパソコンやスマートフォンで調べる。目的は、探していた知識と意外な情報を「持ち去る」ことだ。そうした知識を混乱やあいまいさや遅延がない形で提供することが、実用的文章の書き手の目的だ。「導出」型の文章を読むときに、わたしが最も期待しないものは比喩である。

ローゼンブラットが示したおもな例は、あまり使われないがきわめて重要な、警告ラベルとして知られる種類のものだ。バーボンではなく毒物がはいった小瓶の中身を誤って飲んでしまった場合、命を救う情報が必要になる。そして、切実な疑問が生じるだろう。喉に指を突っこむべきか。牛乳を飲むべきか。中毒事故管理センターに電話するべきか。答えが必要だ。それもいますぐに。

ところが、ラベルを見て、薬屋から毒物を買うロミオのこの場面が書いてあったとしたら、どうだろう。

さ、この金をとれ——これこそ人の心の毒薬、
忌まわしいこの世にあってはるかに多くの人間を殺すのだ、
お前が売るのを禁じられているこの毒薬など高が知れている。
俺がお前に毒薬を売ったのだ、お前は何も売りはせぬ。
御機嫌よう、食物を買い、肉を附けるがよい。
さあ、毒薬ならぬ気つけ薬、早く俺を
ジュリエットの墓場へ連れて行け、どうしてもお前の力を借りねばならぬのだ。
（『ロミオとジュリエット』『シェイクスピアⅡ』所収、福田恆存訳、中央公論社、以下同）

毒を飲んで死にそうだというのに、導出的な文章を切らしてしまったから、せめて審美的な文章でも読んでいろということだろうか。

スウェーデン化学物質庁から入手したこの文章が、待ち焦がれた読書体験を提供してくれるはずだ。

薬品の使用と保管についての一般的注意

・薬品はもとの容器に入れたままにする。レモネードの瓶やマグカップなどに移さないこと。
・危険を表す記号がないかを調べ、書かれている情報を読む。ラベルに記された指示に従う。
・肌との接触を避け、目に入れず、吸引しないようにする。
・子供の手が届かないところに保管する。
・中毒事故が起こった場合、（中略）中毒事故管理センターに連絡する。（中略）さらにくわしい情報は、スウェーデン毒物情報センターのウェブサイトを参照すること。
・余った薬品や空いた容器を廃棄するときは環境に配慮する。

比喩はひとつも見あたらない。比喩に出会うためには、「導出的」の対極にある「審美的」まで移動しなくてはならないだろう。そちら側では、実用や手段など、持ち去れる情報の彼方を見据えることになる。作者の躍動を見守ったり、文体の綾に浸ったり、さまざまな形で啓発されたり驚かされたりすることで、審美的な文章から喜びが得られる。

導出的な文章は、一度読めばじゅうぶんだ。審美的な文章は、読者が何度も繰り返して読みたくなったとき、そのたびに新たな知恵や喜びをもたらすことで、そのすばらしさが証明される。

ロミオの演説にもどろう。

さ、この金をとれ――これこそ人の心の毒薬、
忌まわしいこの世にあってはるかに多くの人間を殺すのだ、
お前が売るのを禁じられているこの毒薬など高が知れている。
俺がお前に毒薬を売ったのだ、お前は何も売りはせぬ。

なぜこの四行は審美的なのだろうか。これは観客や読者がたまたま見聞きした会話の一部分である。これはある場所を指し示すだけではなく、その場へわたしたちをいざなうものである。これはストーリーの形を持つ、まぎれもない物語である。登場人物の薬屋は病気を治すのに役立つ薬を売るが、害をもたらす禁じられた薬も扱う。売るかどうかは金しだいだ。ロミオは、人間にとってほんとうの「毒」はこの薬ではなく、薬の代金という形をとった人間の欲であると断じる。何が価値を持っているのか。ジュリエットの墓へ持っていく毒か、その対価として払う金という毒か。金のほうがよほど汚れているとロミオは言う。

そんなふうに要約したが、この場面から体得できるものはそれよりはるかに多い。それこそがローゼンブラットの主張だ。シェイクスピアからある種の毒の危険性について拾い出しても、実際に役立つことはほとんどない。ここで重要なのは、わたしたちを人間性の謎の理解へ近づける文学体験だ。

ローゼンブラットによる区別に触発されたことが自信となり、わたしはジャーナリストなどの一般向け文章の書き手に向けて、自分なりの実用的な区分けをおこなった。そうした書き手にとって、ローゼンブラットの用語は難解すぎるかもしれない。わたしは作家の道具箱にあることばをそのまま使った。一方の端にはレポートというジャンルがあり、反対の端にはストーリーがある。たとえば、「ニューヨーク・タイムズ」紙や「タンパベイ・タイムズ」紙に見られる文章のほとんどはレポートであり、「だれが」「何を」「どこで」「いつ」「なぜ」「どうやって」といった疑問に対する答えをもとに組み立てられている。その評議会でだれが発言したのか。地面にあいた穴を修復する計画はどうなったのか。新しい美術館はいつオープンするのか。新しい埠頭は海岸のどのあたりに造られるのか。なぜ公立学校のエアコンの多くが新学期初日に動かなかったのか。修理の資金はどうやって集めるのか。レポートの書き手には、正確に、明瞭に、できるかぎり偏見のないように仕上げる大きな責任がある。

ストーリーはちがう。ストーリーの目的は情報を伝達することではなく、身代わりの体験を提供することだ。八月の熱いさなかのフロリダ州の教室で、エアコンの恩恵にあずかれない生徒たちがどんな体験をしているかを伝えるには、ストーリーの特別な力が必要で、それには目撃者の立場で語る手法を用いるしかない。ハリケーン・イルマから避難しようと州間道七五号線を走っているさなかにガソリンが切れたら、どんな思いをするだろうか。

たとえフィクションであれ、ストーリーには調査とレポートが必要だが、従来の疑問である「だれが」「何を」「どこで」「いつ」「なぜ」に対して、答えをひとつひとつ明らかにするプロセスを経なくてはならない。もし学生や同僚たちへのわたしの説明が不十分なら、発案者のルイーズ・ローゼンブラットに謝らないといけない。ただ、ここまでの説明で、数えきれないほどの書き手が、ある場所を指し示す文章とそこへいざなう文章のちがいを理解してくれたであろうとは思っている。

Lesson

1 読者の要望や関心、さらにはある文章に対する反応を予想しよう。導出的文章と審美的文章の書き方のちがいを理解しよう。つまるところ、情報の緊急性が高いほど、文学的要素が減っていく。

2 レポートとストーリーの主要なちがいは、文章の目的と書き手の役割の両方に関係する。レポートは、それに基づいて人々が行動を起こせる情報を提供する。ストーリーは、身代わりの体験を得られるようなシーンを提供する。レポートは「読む者に場所を指し示す」。ストーリーは「読む者をその場所へいざなう」。

3　歴史家のポール・クレイマーが的を射た助言をしている。「ストーリーからレポートのあいだにはさまざまな作品が並んでいるが、ある作品の一部が他方の端に近いということはありうるので、配列は作品間だけでなく作中においても存在する。この揺らぎが巧妙に組み合わされていると、豊かな読書体験が生み出せる」

4　自分の過去の体験群――自叙伝――が文章との交流の仕方にどんな影響を与えたかをよく考えよう。詩やストーリーのなかに、自分しか見えないどんなものが見えるだろうか。

23 レトリックを言語の力の源泉として受け入れよう。

それを使って、最善のことばを隠れた場所から引き出す。

ジェームズ・J・マーフィー編『クインティリアヌス　話すことと書くことの教え方について（Quintilian: On the Teaching of Speaking and Writing）』

自分の聞いているスピーチがすばらしいと感じたら、かならず「なぜすばらしいと感じるのか」と問いかけてみよう。答えるには、それが教会の説教であれ、講義であれ、選挙演説であれ、弔辞であれ、TEDトークであれ、ことばを吟味しなくてはならない。古代から現代に至るまで、レトリックの先達たちが、意味を生み出して説得力を持たせるための頼れる手立てを紹介してきた。これらの技法には無数の名前がつけられた（「誇張法」などがそうだ）。文章に肉づけをするのはたやすい。対比する型を作り、少しひねりを加える。たやすくは相容れない要素を並べる。そして、最も強調する語や言いまわしを文の終わり、さらには段落の終わりに置くといい。

わたしはQからはじまる名前に愛着があり、この章にはそのうちのふたつを入れた。再度紹介するイギリスの文学者サー・アーサー・クィラ・クーチ（Quiller-Couch）と、そのはるか祖先、古代ローマの修辞学者マルクス・ファビウス・クインティリアヌス（Quintilianus）だ。クィラ・クーチ教授はペンネームに「Q」をよく使った。そこで古代ローマの人物のほうは「Q氏」と呼ぶことにしよう。

QとQ氏だ。

第一章では、百年以上前にクィラ・クーチがイギリスのケンブリッジ大学で学生たちに一連の講義をし、その内容が『書く技術について』という本にまとめられていることにふれた。あなたが手にしている本の原書タイトルは、クィラ・クーチの最も有名な助言の一部にちなんでつけたものだ。サミュエル・ジョンソンから影響を受けたクィラ・クーチは、自分がいちばん気に入った瀟洒な言いまわしを原稿から削るよう作家に勧めている。つまり、これ見よがしなことはやめろ、というわけだ。

クィラ・クーチはある講義で、強力な手立てをいくつか使えば大成功できると言って学生たちを励ました。そのひとつが語順による強調であり、その説明のためにクインティリアヌスに言及している。紀元後一〇〇年ごろと言われる死の前に、クインティリアヌスは以下のことを（もちろんラテン語で）書いた。

> ある特定の語が途方もない力を宿していることがあるが、その語が文の半ばのあまり目立たない場所に置かれていると、読み手に注目されず、前後の単語に覆い隠されてしまう。だが、その語が文の最後に置かれると、読み手の感覚に訴えかけ、心に刷りこまれる。

この助言を説明するために、クィラ・クーチは学生たちにローマ書の教えを例としてあげ、「死は罪の報酬だ」よりも「罪の報酬は死だ」のほうが力強いと論じた。

この技法は、先にジョージ・キャンベルの章で述べた「語の配置」とは異なる。キャンベルは長い複文における節の効果的な配置に関心があり、その目的はある種の構文によって最も効率的に果たされた。

Qのふたり（クインティリアヌスとその紹介者クィラ・クーチ）の技法は、より実用的なレトリックの手立てを提供し、あらゆるジャンルのあらゆる文に使える。この技法を教えるとき、わたしはミシェル・オバマが民主党大会でおこなった演説の一節を使う——「わたしが住んでいる家を建てたのは奴隷たちだ」。その家はホワイトハウスのことだ。「奴隷たちが建てた家にわたしは住んでいる」ではない。どちらの文も文法的に正しいが、ミシェルのほうがレトリックとしてはるかに力強い。ありがとう、ミシェル・オバマ、ありがとう、クインティリアヌス。かつて、ボードビルの技術を身につけた者はボードビリアンと呼ばれた。クインティリアヌスの技術を身につけたわたしは、クインティリアヌシアンと呼んでもらえるのだろうか。そう願いたいものだ。

レトリックということばが、力強く意義ある印象のものから、装飾的だが中身のない言説という意味合いの侮蔑的なものへ変わってしまったのを、わたしは以前嘆いたことがある。わたしはレトリックの復活を望んだ。レトリックとは、最高の話し手や書き手がどのように思いを伝え、説得するのかについての古くからの知恵である。クインティリアヌスはわたしたちの後ろ盾となってくれるだろう。

わたしもその力添えをするつもりだ。クインティリアヌスの最も重要な著書『弁論家の教育』を大部のまま披露するのではなく、ジェームズ・J・マーフィーが編訳したものから重要なところを紹介しよう。以下はその最も有名な個所で、古代ローマの時代に劣らず、いまもクインティリアヌスを重要な存在にしている思考と技法だ。この個所については、一語たりとも「愛しきものを殺せ」などと言えまい。

▼見なおしをする前に文章を寝かせる

クインティリアヌスはローマの有名な書籍商トライフォへの手紙で、自著が急いで世に出ることを望まないとして、こう述べている。「時間をかけて再考するのは、創作したときの興奮がおさまれば、ただのひとりの読み手として、より注意深く熟読したうえで判断できそうだからだ」。これと似た助言を多くの作家からも聞いた。たとえ締切の圧力があろうと、書きあげた文章が冷めるまで距離を置かなくてはならない。文章をしっかり寝かせるほど、より澄んだ目で見なおすことができる。

▼読むこと、書くこと、話すことを関連づける

ローマの指導層を教育するための学校を開設したクインティリアヌスは、レトリックに劣らず、教育に関する理論でも名高い。たとえば「書くことと話すことを組み合わせた技術だけでなく、正確に読むことも説明にまさるものであり、これらすべてによって正しい判断はなされる」と述べている。以前、スタンフォード大学の学者シャーリー・ブライス・ヒースから、最も文学に通じたアメリカ人はどうふるまうかと尋ねられたことがある。わたしは答えに窮した。ヒースは「そうした人たちは、読んで書くだけでなく、読み書きについて語る術を心得ている」と言った。つまり、学生は日ごろからよい判断につながる読み書きを実践しなくてはならない。

▼あらゆる種類の書き手を研究する

クインティリアヌスは「詩人が書いたものを読むだけではじゅうぶんではない。あらゆる種類の書き手について、内容だけではなく、表現も研究しなくてはならない。表現が一流である書き手も多い」と主張する。二千年後、イギリスの作家デイヴィッド・ロッジはそれをこんなふうに表現した。「そうしたわけで、小説家には（中略）他者のことばを聞くためのきわめて鋭敏な耳がなくてはならず（中略）下品で低俗で卑しいことばと関係を断つことはできない。神学の論文からコーンフレークの箱の説明に至るまで、無関係なことばはどこにもない」

▼あらゆる分野の学問から知識を得る

「音楽の知識なくして文法が完成されないのは、文法学者は韻律とリズムについて語る必要があるからだ」

とクインティリアヌスは述べている。つづけて天文学や哲学についても論を進め、文法をせまい意味ではなく、あらゆる学問でことばを巧みに使う方法としてとらえている。

▼信頼できる声をめざす

「話し手だけでなく書き手にも、守るべき一定のルールがある。ことばは理性、歴史、権威、慣習を土台としている。（中略）しかしながら、慣習は会話における最もたしかな教師である。わたしたちは貨幣のような公的な印を持つ表現を用いなくてはならない」。クインティリアヌスは、規範文法と記述文法のあいだにある種の調和を期待していたらしい。守るべきルールはあるが、つまるところそれは真実味を与える一般的な用法である。わたしたちはラテン語を滅びた言語と考えるが、クインティリアヌスにとってはそうではなく、活力と新しいことばにあふれ、旅、征服、技術など、古代ローマのありとあらゆる文化の影響を受けたものだった。第二次世界大戦中のジョージ・オーウェルも同様のことを語っている。戦争遂行のためにイギリス国民を召集して犠牲を払わせるのなら、その営為はイギリス人の共通言語（「大衆」言語とオーウェルは呼んだ）でなされるべきであり、上流階級やＢＢＣのような上品で教養のある装いをまとってはならない、と主張した。

▼度を超すほうが物足りないよりもいい

修業中の人が書く文章は「乾いた味気ない」ものでも「ありそうもない説明で勝手気ままに飾られた」ものでもあるべきではない。つまり、書き足りなくても書きすぎても、よい文章にはならない。だが、クインティリアヌスの助言はこうだ。「どちらの語りにも欠点はあるが、貧しい心から生まれるものは、あふれる感情から生まれるものよりも悪い」。創意や想像力に欠けた者を焚きつけるよりも、書きすぎた未熟な作家の空まわりを抑えるほうがたやすいということだろう。

▼うまく表現技巧を使う作家をめざして努力する

「すべての問題をまとめると、つまりこうだ。速く書いたらうまく書けるのではなく、うまく書いたら速く書ける」。交差対句法として知られることばの反転が使われているのがわかるだろうか。わたしの好きなこの修辞表現のひとつに「大事なのは、戦いのなかの犬ではなく、犬のなかの戦いだ」というものがある。「犬が人を噛んでもニュースにならないが、人が犬を噛んだらニュースになる」はもっと巧みかもしれない。

▼公共の利益のために自分の技術を使う

クインティリアヌスの矢筒にある最も鋭い矢は、レトリックとは技巧と品格、手段と目的を融合させたものだという考えだ。すぐれた市民には、他者に奉仕するための話しことばと書きことばの力が具わっている。これはだれにも増して、あらゆる種類の書き手を力づけるにちがいない。市民教育の中心に据えるべき考えで、子供時代からそうすべきだ。クインティリアヌスはこう書いている。「何にもまして注意を払うべきなのは、やさしい心が雄弁さだけではなく、それ以上に、道徳的な正しさを学ぶかもしれないということだ」

Lesson

1　現代の言説において、「レトリック」ということばには否定的な意味がこめられ、「空疎な」という形容詞とともに使われる場合があまりにも多い。読み手や聞き手をもてあそぶ言辞ということだ。しかしそうではなく、レトリックの本来の意味、すなわち、教育や読み書きや公共生活とともにあることばの技巧として受け入れよう。

2 締切の日には、書いたばかりの原稿を出さなくてはならないかもしれない。原稿を長く寝かせれば寝かせるほど、一般の読者の見方に立ちもどれる。寝かせる時間が数分しかないときでも、それには意味がある。

3 最高の語句を文や段落の途中に埋もれさせてはならない。最初へ移すか、いっそのこと最後へ持っていこう。そうすれば読み手は気づき、話の力点がもっと伝わるだろう。

4 「文法」という語には多くのまぎらわしい意味がある。「規範文法」は正しい語法へ向かわせようとするものだが、「記述文法」は言語が実際にどう使われているかを説明しようとする。クインティリアヌスが与えてくれた「修辞的文法」は、ある目的を持って意味を生み出す言語の道具であり、生涯にわたって学びうる方策である。

24 受け手の感情に影響を与えよう。

憐れみと恐れという相反する感情へ読者や観客を駆り立てるとよい。

アリストテレス『詩学』

マイケル・ティエルノ『脚本家のためのアリストテレスの「詩学」西洋文明における最も偉大な賢人によるストーリーテリングの秘密（Aristotle's Poetics for Screenwriters: Storytelling Secrets from the Greatest Mind in Western Civilization）』

真っ暗な映画館にすわって目に涙を浮かべたことがある人なら、アリストテレスが「カタルシス」と呼ぶ感覚を経験したことがあるだろう。そう、人類は三千年以上前からずっと劇場で涙を流している。その涙はどこから来るのだろうか。アリストテレスは、カタルシスとは感情を晴らすこと――憐れみや恐れを心理的に発散させることだと主張している。作家にとって、泣かせることは実にたやすい。子供を行方不明にすればいいし、それでもだめなら母親と再会させればいい。悲劇には、より多くのことが必要となる。まずは登場人物に寄り添い、その人徳に感心し、その人物が生きながらえて勝利することを願わなくてはならない。そういう人物にひどいことが起これば、憐れむことができる。だが、その英雄を脅（おびや）かす力はわたしたちをも脅かすことを忘れてはならない。涙には恐れが混じっている。

本書原題（『Murder Your Darlings』）の副題には「アリストテレスからジンサーまで、ライティングに関する丁重なアドバイス（And other gentle writing advice from Aristotle to Zinsser）」とある。第二章でZではじまるジンサーに敬意を表したので、約束を守るためにも、そろそろ古代文明において最も偉大な人物、文芸批評をはじめとするあらゆる知的基盤を築いた哲学者、アリストテレスのAにもどることにしよう。

本書のテーマは書くことであって、存在論や形而上学ではない。正直に言うと、わたしはアリストテレスとその師プラトンとの相違を概括するだけの知識を持ち合わせていない。知っているのは、プラトンが詩人のことをあまり気にかけていなかったことだけだ。その嫌悪の情は、『国家』でくわしく述べられている。この著作は、理想の都市国家、すなわち、うまく機能して統率された市民社会の建設について書かれたものだ。プラトンは（ドナルド・マクドナルドがピエロの地位を引きあげたかのように）哲学者を指導的立場へ引きあげた一方で、詩人については追放するか、少なくともその影響を最小限にとどめようとした。プラトンにとって、詩人が生み出すのは、いまの理想主義の批評家が「フェイクニュース」と呼ぶものにほかならず、詩人を二重の意味で詐欺師と見なしていた。詩人がことばによって作り出すのは現実の世界ではなく、その複製か模倣にすぎない。そのうえ模倣したものは、ミノタウロスだの、いたずら好きの神々だの、額の真ん中に目をひとつだけ持つ巨人キュクロプスだのと同じで、存在すらしない。

しかし、たとえ詩人がギリシャの壺のことを書いたとしても、手に持ったりつばを吐き入れたりできるその壺は、ほんとうの意味では実在していない。その壺は高次の世界に存在する壺の本質——「壺らしさ」——の複製である。言い換えれば、詩人が作ったのは複製の複製ということだ（哲学の専門家は、この説明に対する苦情や訂正があれば rclark@poynter.org まで送ってもらいたい）。

『国家』を翻訳したロビン・ウォーターフィールドの見解は以下のとおりである。

プラトンが詩について語っていることは、多くは率直なものだが、話そうとした動機はそうではない。ここで読者のみなさんにぜひ言っておきたいが、どうかプラトンのことばを勝手に和らげないでもらいたい。詩は心を醜く変形させるものだと主張しているとき（中略）プラトンは本気で言っている。善良な人間になるなら、重要なのはそのような詩を避けることだと言っているとき（中略）それもやはり本気だ。

さらにこうつづく。

なぜ詩にそれほどの敵意を持っていたのか。どうして詩は敵なのか。詩人はギリシャの教育者だったからだ。（中略）学校ではそのように扱われ、ギリシャの文化を定着させていくうえで中心的な役割を果たした。詩人は（喜劇詩人さえも）みずからを教師と考え、聴衆のほうも詩人を教師と考えた。

ここでわれらがアリストテレスの登場である。アリストテレスはプラトンの否定的な態度に反発し、ことばを使ったあらゆる様相――レトリックにはじまり、詩、風刺、この章のテーマであるギリシャ悲劇まで――を哲学的な分析に採り入れた。アリストテレスを読めば、ことばに関する有用な思想をたくさん見つけられるだろうが、ここではいまでも有効で力を持つ、ある文学上の効果に焦点をあてたい。悲劇の一場面がなぜ観客の涙を誘うかは、それで説明できる。

二十世紀の文芸評論家は、テクストの受け手である聴衆の関心を増幅させた。アリストテレスが読者反応批評を考案したと断言できるほどの知識は持ち合わせていないが、聴衆が壮絶な悲劇に反応するのはなぜかという疑問に答えて、そうした批評を大きく押し進めたことはたしかだ。古典的な定義によると、悲劇では恐ろしいことが起こり、英雄の悲しい死で終わる。英雄は偉大ながらも欠陥のある人物で、その苦難には深い意味があり、人間という存在の暗い部分を明らかにする。ロンドンのシェイクスピアズ・グローブに腰をおろせば、観客はバーチャルリアリティの追体験ができる。星めぐりの悪いロミオとジュリエットの受難に涙する客もいれば、リア王の死に息を呑み、ただひとり愛された娘コーディリアの死に絶望する客もいる（アレクサンダー・ハミルトンの生涯を描いたミュージカル『ハミルトン』の客は、どちらも決闘で命を落とす息子と夫の死をイライザ・ハミルトンが悼む第二幕のあいだ、ずっとむせび泣いていた）。

アリストテレスはシェイクスピアより千年以上も昔の人物である。とはいえ、アイスキュロス、エウリピデス、アリストファネスといった先人の作品に恵まれ、ソフォクレスからは名作『オイディプス王』を与えられた（やがてはフロイトへも伝えられる）。アリストテレスはこの作品を事例研究の題材とし、オイディプスが三叉路で偶然に出会った父親を殺したことを、オイディプスの妻イオカステが実は母親であるという衝撃的な事実と併せて分析する。つまり、気づかぬうちに英雄は父親を殺し、母親と結婚するわけだ。自身の所業を「見た」オイディプスが、みずからの目をつぶして舞台にもどったとき、観客はどう感じたのだろうか。わたし程度の並の批評家でも、この劇はつまるところ、「見えないこと」と「見えること」に関するものだと気づくだろう。そこでは盲目の観察者テイレシアースという存在によって、犯した罪の帰結がオイディプス王に明らかにされる。

観客はこうした出来事を「見る」ことによって心を動かされ、アリストテレスがカタルシスと呼ぶ体験をする（catharsis はいまもギリシャ語に残っている）。アリストテレスはこれを「憐れみと恐れの感情を一掃すること」と定義している。これらの感情はなんらかの矛盾、あるいは少なくとも緊張のなかにある。憐れみがわたしたちを主人公に近づける。その人物の苦悩はわたしたちのものとなる。できることなら、それを和らげてやりたい。そして、自分がその苦しみを経験したらどう感じるだろうと想像する（アレクサンダー・ハミルトンのために最善を尽くし、敬愛し、味方になりたいと考える）。

ここで恐れの出番だ。憐れみがわたしたちを主人公に引き寄せるなら、恐れは追い払う。運命や宿命や神々が、英雄が苦難や死に向かう状況を生み出してきた。オイディプスやアンティゴネに起こりうることは、わたしたちにも起こりうる。怒れる神々の手のひらでもてあそばれているだけではないかと、わたしたちは心配する。リア王への忠誠を誓って両目を抜きとったグロスター伯は、目が見えない立場からなんとも力強い洞察を語る。「いわば気紛れな悪戯児の目に留った夏の虫、それこそ、神々の目に映じた吾等の姿であろう、神々はただ天上の退屈凌ぎに、人を殺してみるだけの事だ」（『リア王』、福田恆存訳、新潮社）。つまり、憐れみを生み出すには、観客を登場人物に近づけなくてはならない。恐れを生み出すには、観客を追い払わなくてはならない。

ギリシャの学者リチャード・ジャンコは、カタルシスは生理、心理、道徳教育にかかわるものだと述べている。

憐れみと恐れによるカタルシスの目的は（中略）そうした感情をいだけなくなるように枯渇させることではない。むしろ、適切な方法で、適切なときに、適切な対象に向かって、適切な動機で、適切な程度に、感情をいだくよう仕向けるのが目的である。

では、カタルシスはどのように作用するのだろうか。憐れみと恐れに満ちた出来事を芸術性豊かに表現することで、居並ぶ観客のそれぞれの感情に応じて、憐れみと恐れを呼び起こす。そして同種療法的な作用によってそうした感情が刺激され、穏やかで害のない運動が与えられて、その感情は解き放たれる。解き放たれることで喜びが訪れる。

カタルシスとなる事件を作り出すために、作家や戯曲家は主人公に魅力を感じさせるように性格づけをしなくてはならない。コーディリアの父親への揺るぎない忠誠心は、姉ふたりの恐ろしい裏切りに対するものだ。それでこそ観客はコーディリアを受け入れ、リア王と最後まで――死ぬまで――いっしょにいたいと決意する彼女を応援したいと考える。ふたりの苦しみや死は観客を耐えがたいほど痛めつけ、十七世紀の劇作家ネイハム・テイトが戯曲を改変してハッピーエンドにしたほどだった。

死は悲劇における最後のことばかもしれないが、これには対症療法がある。劇場から出ればいいのだ。英雄が死んでも、わたしたちはいたって元気であり、より複雑かつ劇的に人としての経験を「見る」ことができる。

映画監督のマイケル・ティエルノは著書『脚本家のためのアリストテレスの「詩学」』で、現役脚本家のためにアリストテレスを（わたしと同じように）単純化したが――おそらく単純化しすぎている。ここでの議論に最適な章の見出しは「映画のせいで憐れみと恐れのひどい症状だって？　医者はカタルシスを勧める」だ。

ティエルノによるカタルシスの説明は以下のとおりで、映画ファンにあてはめたものだ。

映画の最後に、観客はそれまでの話で蓄積した憐れみと恐れを一掃できる瞬間を体験する。この「カタルシス」を通して、観客は映画によって掻き立てられた感情だけでなく、これまでずっと捨てずにいたほかの心のごみも解き放つ。カタルシスは観客に、心がすっきりと冴え渡り、人生がよりうまくいく感覚をもたらす。アリストテレスによると、カタルシスは、物語のあらゆる要素がこの体験を生み出すことをめざして組み立てられる場合に最も効果があるという。重要なのは、カタルシスが映画の最後にいきなり起こるものではないことだ。それは物語全体を通して蓄えられ、最後に解き放たれる。

ここからがおもしろい部分で、おそらく実際にも役立つ議論である。

『タイタニック』はこれまでに作られた映画のなかで最もカタルシスの大きい作品のひとつだ。かなりの数の若い女性が十回以上観て、そのたびに泣いていたという数字からも判断できるだろう［女性だけではないぞ、マイケル。泣くまいと思ったがわたしも泣いてしまった］。

（中略）ジャックはローズを救うために死ぬだけでなく、その際に激しく苦しむ。肉体的苦痛と精神的苦痛の相乗効果で観客は感情を高ぶらせ、悲劇を骨身に感じつつ翻弄される。この激しい肉体的苦痛があるからこそ、観客はカタルシスが訪れたときにそれを深く味わうことになる。

それは、最後に年老いたローズが船室のベッドに横たわって息を引きとり、天国にいるジャックといっしょになるときだ。まさにここで観客は憐れみと恐れの重荷から解き放たれ、ようやくカタルシスを体験する。

わたしもこの見解に同意するが、これは何世紀にもわたる悲劇にまつわる議論を呼び起こす。ご記憶だと思うが、ハムレットには父の仇である裏切り者のおじを討てる段になって、考えあぐねる重要な瞬間がある。なぜためらうのだろうか。王位を簒奪したおじが祈りのためにひざまずくからだ。ハムレットはおじを天国にまちがって送りたくはない。送りこむなら地獄だ。来世では罪人が許される設定だとしたら、悲劇の効果は弱まる。悲劇をしっかり味わえるのは、現世の死の行き着く先が天国ではなく、地獄ですらなく、ただ消滅をもたらすときである。

『タイタニック』での死はこうしたものとはまったくちがうが、映画のアクションが強烈なカタルシスの瞬間を徐々に作りあげているのはまちがいない。ロミオとジュリエットが星めぐりの悪い関係なら、ジャックとローズは海めぐりの悪い関係と呼んでもかまわない。そろそろカナダの歌姫にご登場願おう。

Lesson

1 文学に対する自身の感情にしっかり注意を払おう。しばらく前に『アラバマ物語』を再読し、最後の場面で泣いたのを覚えている。以前読んだときになかったその感情はどこから芽生えたのだろうか。一読者としてのそのような疑問は、作家としての自分の感性を豊かにするだろう。

2 芸術においても人生においても、感傷と悲劇を区別しよう。どちらも感情の反応を引き起こすが、形は異なる。結婚式で泣くのは——感傷だ。葬式で泣くのは——とりわけその死があまりに早く、非道や暴虐によってもたらされた場合——カタルシスがより深いものとなる。

3 アリストテレスが憐れみと恐れの感情を一掃することについて書いたのは、芸術作品としての物語に対する人間の反応を説明したものだ。カタルシスが生じるとき、観客や読者はある種の矛盾を経験する。他人——物語の登場人物——の苦しみを嘆きながら、ある種の喜びを経験するからだ。そのためには、読者が同情できる人物を作って苦しませ、その人間性を感じとれるようにしなくてはならない。

4 書き手にとってむずかしいことかもしれないが、尊敬できる英雄について書くなら、その人物の欠点を見つけて人間らしく表現しよう。逆に、道徳的に非難される人物を書くなら、救いとなるような特徴を描こう。

25
読み手と社会的契約を結ぼう。

特に回顧録や個人的なエッセイを書く場合は、自分の手法を明かすこと。

ヴィヴィアン・ゴーニック『状況と物語　個人的な語りの技法（The Situation and the Story: The Art of Personal Narrative）』

メアリー・カー『回顧録の技法（The Art of Memoir）』

個人的なエッセイや回顧録のようなジャンルで、信頼できる内容だと思わせるものはなんだろうか。答えは諸説ある。多くの作家はこれらを、現実の物語と記憶の限界のせいでゆがめられたものとが混ざったジャンルだと考えている。厳密に考えると、回顧録作家にはジャーナリストと同じ基準が求められる。作家と読者のあいだには、暗黙の社会的契約がある。そう、記憶は不完全で不十分かもしれないが、記憶を思い起こせないことと意図的な作り話にはちがいがある。こうしたちがいに折り合いをつける最善の手立ては、透明性と呼ばれる有効な戦略である。自分が用いる手法を、作品の最後ではなく冒頭で明かしておこう。登場人物は合成したものなのか。場面はひとくくりにしたものなのか。台詞は創作したものなのか。自分の狙いを読者に知られたくないのであれば、その手法をやめるか――作品をフィクションの仲間に入れよう。

以前「セント・ピーターズバーグ・タイムズ」紙に掲載された個人的なエッセイで、少年時代からの好敵手のことを書いた。ここではボビーと呼ぶことにしよう。というのは冗談で、実際の名前もボビーだった。わたしたちふたりが八歳ぐらいのころ、近所に住んでいたボビーがわたしの顔に石をぶつけた。ボビーが的に命中させたのは、たぶん人生でその一回きりだろう。右目のすぐ下にあたった。これまでに感じたことのない猛烈な痛みを感じたあと、血がしたたり落ちてきた。覚えているのは、家をめざして坂を駆けあがりながら、泣いた、いや、泣きわめいたことだ。

復讐は冷やして出される料理だ。それから六年ほど経った、ある寒い雪の夜のことだった。わたしたちはふたりともボーイスカウトの団員で、シアリング記念教会——そこでボビーにわけもなく背中を叩かれた——での大会のあと、一同はシャフター・アヴェニューの突きあたり、古い墓地に面した道で足を止めた。墓標は南北戦争時代のものだった。そこで親睦の雪合戦がはじまったのだが、エッセイではその様子をこんなふうに書いた。どこからともなくいたずら小僧ボビーの頭が視界にはいり、共同墓地を前方に見ながら雪玉を投げると、それは氷の彗星のように飛んでいき、ボビーの頬骨にぶつかって砕け、バールでカボチャをつぶしたような音を立てた。ボビーはその衝撃で悲鳴をあげ、どたばたと家へ駆けていった。

個人の話というものは——このわたしの話のように——大げさに伝えられる。もっとも、エッセイを書いたときには、本質的な部分は真実だと信じていた。石を投げられた。ボーイスカウト（第百七十七団）に所属していた。教会へも行った。教会の隣は古い墓地だった。墓標は一八〇〇年代のものだった。ボビーの顔に握り固めた雪玉をぶつけた。ボビーが走って帰るのを、勝ち誇った気分でながめた。

しかし、まちがいがあった。何年も経ってから、この出来事があったロングアイランドの町へもどり、雪合戦をした場所を歩いた。驚いたのは、曲がり角に教会の尖塔はあったものの、墓標がひとつも見あたらないことだった。大地のあり方に少しばかり脚色が加わったせいで、その出来事にメフィストフェレス的な要素が増していたことを知って、わたしが睡眠不足になったとは思わないでもらいたい。それでも、「ロイ、事前に写真を見て、街路の様子がおかしいと気づいたとしたら、墓地のことを話に含めただろうか」と自分に問いかけた。たぶん、含めただろう。

ではここで、読者のみなさんに質問をしよう。教会の隣が墓地ではなく公園だとして、わたしが「話のためには、隣を墓地にしたほうがおもしろいだろうな」と考えたとしたら、どう感じるだろうか。フィクションとノンフィクションのあいだのこうした境界を探る問題は古くからあり、いまもすたれていない。何世紀にもわたって、文学の基準や慣例がいくつも採用されつづけてきたが、話を「夢想（パイプ）」する誘惑に抗えない作家もいる。これは昔の新聞で使われたことばで、アヘン窟に対する警察の手入れを取材していた記者が使ったものだ。記者は煙をくゆらせながら話を夢想して記事にしたらしい。

物語の要素が文字どおりの真実であるか、それとも創作者の特権による産物であるかは、重要なことなのだろうか。それは、「個人的なエッセイ」「回顧録」「創造的ノンフィクション」と呼ばれるジャンルの基準をめぐる果てしない議論のなかで、基準をきびしく解釈する者とゆるやかに解釈する者、どちらの意見を聞くかにかかっている。この問題に関する本はたくさんあるが、そこから二冊の本を選んだ。個人的な文章やストーリーテリングについて、ふたりの傑出した実践者が書いたものだ。

ひとりは『状況と物語』を書いたヴィヴィアン・ゴーニック。もうひとりは『回顧録の技法』を世に送り出したメアリー・カー。回顧録がただのノンフィクションなのか、それともフィクションとの混成物なのかについて、このふたりの作家には考えのちがいがあるものの、どちらも回顧録作家になりたいと考えている書き手に実用的で価値のある助言を与えている。

わたしは有益な分類を高く評価するが、ここで採りあげるゴーニックのものは特にすばらしい。

あらゆる文学作品には、状況と物語がともにある。状況とは事情や境遇であり、ときには筋書きである。物語とは作家を夢中にさせる感情的な体験で、知見や叡智、そして心の声がこめられている。ゴーニックはつぎのような例をあげる。

シオドア・ドライサーの小説『アメリカの悲劇』では、状況はドライサーのころのアメリカで、物語はこの世に対する病的な渇望である。エドマンド・ゴスの回顧録『父と子』では、状況はダーウィン時代のイギリスの原理主義で、物語は自分を見いだしていくために必要な親密さの表現である。エリザベス・ビショップは「待合室で」という詩で、第一次世界大戦中に七歳の自分が歯医者の待合室にすわって「ナショナル・ジオグラフィック」誌のページをめくりながら、臆病なおばの心から発せられる静かな苦痛の叫びに耳を傾けていたさまを描いている。これは状況であり、物語はひとりの子供がはじめて経験する孤立感である。自分の、おばの、そして世界の孤立感だ。

もしわたしがこの区別——状況と物語——の利点をかつて知っていたら、二十九話から成る連作『三つの小さなことば（Three Little Words）』を書いたときにもっとうまくやれただろう。背景として、一九九〇年代のはじめにエイズが世界じゅうに蔓延し、恐れと悪評が付きまとっていたことがあった。物語は尊敬された教育者ミック・モースについてのもので、モースは結婚して三人の子供の父親だったが、エイズで死に瀕したとき、自身を隠れゲイのままにしておかなかった。

ゴーニックはさらにつぎのように書いている。

自伝のテーマは自分を定義することにほかならないが、空疎な定義であってはならない。回顧録作家は、詩人や小説家のように、世界と深くかかわらなくてはいけない。かかわることが経験を生み、経験が知恵を生む。そしてその知恵が——あるいはそこへ向かう行動が——何より重要だ。

ゴーニックは、才能を持った名もなき教師のことばを引用している。「よい文章にはふたつの特徴がある。それはページのなかで生き生きとし、書き手が発見の旅に出ていると読み手に思わせる」。さらにこう付け加える。

詩人、小説家、回顧録作家——あらゆる書き手は、自分に知見があり、知にたどり着くためにできるかぎり正直に書いていると読み手を納得させなくてはならない。個人的な物語の書き手は、それに加えて、語り手が信頼できると読み手に感じさせなくてはならない。フィクションでは、語り手は——よく知られているとおり——信頼できない場合もある。（中略）ノンフィクションはまったくちがう。ノンフィクションでは、語り手が真実を語っていると読み手に信じさせる必要がある。この語り手は信頼できるのか、言っていることを信じていいのか、とつねに問われるからだ。

ここで議論がややこしくなるのは、読み手というものをどう理解するかに左右されるからだ。読み手は、ある作家が主張するように「意図的に無知」なのか、あるいは、誤った記述につねに調子を合わせながらも、「ありのまま」を装った捏造を嗅ぎ分けようとする懐疑論者なのか。

ある夏、メリーランド州ボルチモア郊外のタウソンにあるガウチャー大学で、ノンフィクションの語りの本質についての議論が劇的な形で繰りひろげられた。この大学は物語風のノンフィクションに重点を置いた芸術学修士（ＭＦＡ）の課程を設けている。アメリカの一流作家や文章術の指導者で、講師として訪れた人がずいぶんいて、ゴーニックもそのひとりだった（わたしは結婚四十周年の記念日である二〇一一年八月七日に、ガウチャー大学から名誉学位を授与され、夏の卒業式のスピーチをおこなった）。

ゴーニックがその夏やってきたとき、わたしはいなかったが、親友がその場にいた。一九九八年のピューリッツァー賞を特集記事部門で受賞したトーマス・フレンチである。また、ウォルト・ハリントンもいた。長年「ワシントン・ポスト」紙でルポルタージュ風の特集記事を執筆したベテランであり、現在はイリノイ大学で文章指導の講師として活躍している。

騒動は、ゴーニックが母親との会話や数々の出会いが書かれた自身の回顧録を朗読したあとに起こった。母親との関係を正直に表現したものではあるものの、書かれたとおりのことが実際に起こったわけではない、とゴーニックは認めた（わたしはゴーニックに直接会ったこともインタビューしたこともないが、この場に居合わせた人たちと話をし、その後の議論に関する本人のコメントを読んだ）。「第四のジャンル」を擁護する多くの人々と同じように、ゴーニックは回顧録を想像の産物と考えている。回顧録は記憶（これ自体に脚色する作用がある）に基づくものだが、それは文字どおりの真実ではなく、もっと高次の真実——記録されたものではなく、経験されたものとしての現実——を表したものだという。

この議論のことが知られるにつれて、ゴーニックを批判する人たちは態度を硬化させたようだった。柔軟に解釈する側はゴーニックを熱く支持し、強硬派はより強硬な主張を展開して、一段と厳格な基準と行動を求めるようになった。

二〇〇六年、この論争は舞台を『オプラ・ウィンフリー・ショー』へ移して、全国的なものとなり、番組史上きわめて有名な放送回となった。書籍の紹介をする番組の人気コーナーで、作家のジェームズ・フライがアルコール依存症から回復する過程を描いた回顧録『百万個の小さなかけら（A Million Little Pieces）』を採りあげた。当初は小説として想定されていたこのベストセラーは、ノンフィクションとして出版された。フライの個人的な経験に基づいていると見られていたが、調査に基づく記事によって、いくつかの重要な場面が粉飾もしくは誇張されていることが明らかになった。その記事を書いた記者を含めて何人かは、オプラがまだこの本を支持していることを批判するコラムを書いた。オプラの番組にわたしを含む三人が呼ばれた際には、そうした懸念を伝えた。意外だったのはオプラがこの本への支持を翻し、全国の視聴者の前でフライをきびしく追及したことだった。フライへの最初の歓声は、最後にはブーイングに変わっていた。

わたしはほかの多くの人たちと同じく、読者とノンフィクションの作者とのあいだには暗黙の社会的契約があると考え、その契約書には「信じてください。わたしの記憶には欠陥があるかもしれないが、故意にでっちあげたものはひとつもない」と書いてあると主張した。作者がこの基準を逸脱しようとした場合、たとえば複数の人物を合成したときには、そのことを隠してはならない。最後の注釈のなかではなく、物語がはじまる前にそれを明らかにする必要がある。

メアリー・カーの『回顧録の技法』には、こうした考えが最も明瞭に書かれている。この問題へのカーの取り組みは、作家や教師としての経験をもとにしている。カーは詩人であり、エッセイストであり、作家としては三つの賞を受賞した『うそつきくらぶ』が有名である。テキサス東部での苛酷な少女時代を描いた回顧録で、「ニューヨーク・タイムズ」紙では「驚くべき作品で（中略）ここ数年来でも指折りの魅惑的で心動かされる回顧録」と絶賛された。

読者と作家の契約に関して、カーは『回顧録の技法』でこう語りはじめる。「ずっと何年も、回顧録に対して自分が執拗に真実を求めてきた発言を思うと、恥じ入りたくなる。なんだか、敬虔だが愚かな村の牧師が、限界に挑む作家を指さして叱っているようだ。許してもらいたい、わたしは芸術を取り締まる警察じゃない」

カーはさらにこうつづける。

　どの作家も自分の基準をほかの作家に押しつけることはできないし、そのジャンル全体を代表して物を言うこともできない。回顧録の真実性については、どんな作品であろうと、書き手には境界線を動かす権利があると思うが、読者に知る権利があるのもたしかだ。わたし自身のささやかな習慣としては、でっちあげには全面的に反対する。

カーが最大の敵対者と認めるヴィヴィアン・ゴーニックは「ザ・ビリーヴァー」誌のインタビューでこう語っている。

わたしはいつも物語に彩りをつける。ありのままの真実を語るときでさえもそうだ。物事が起こるとき、実際に起こることは話の一部にすぎないので、物語を作らなくてはならない。だから嘘をつく。要するに――ほかの人たちからは嘘をついていると思われるだろう。でも、だれもがわかっている。物語を口にするのは避けられない。それに、その現実はだれのおかげでもない。現実とはなんだろう。つまり、それはだれのものなのか。

メアリー・カーの反論は、このテーマに関する発言のなかでわたしが最も気に入っているものだ。

さて、ノンフィクションに定価を払ったんだから、わたしも言わせてもらおう。彼女がごまかしを認めたのは評価するが、事後の告白であり、ましてこんなふうにあいまいに自己を正当化する告白を信用することはむずかしい。まるでランチのあとにデリの店員が「あなたが食べたサンドイッチにティースプーン一杯ぶんの猫の糞を入れましたが、ぜんぜん気づきませんでしたね」と冗談を言うようなものだ。わたしの考えでは、猫の糞がどこにあるかを知ったうえでそのまわりを食べるのでないなら、たとえ猫の糞がほんの少しであっても、それは猫の糞サンドイッチだ。

(こんな調子の大胆なユーモアを見れば、なぜメアリー・カーがツイッター上でわたしが好きな作家なのかわかるだろう）。こうした考えを自分の墓石にぴったり合うようにまとめることができたら、カーに使用許可を求めるつもりだ。この話題に関して、わたしはカーの側に立つが、『状況と物語』でゴーニックがおこなった明確で役に立つ区別を否定するわけではない。

Lesson

1　個人的なエッセイと回顧録は、ノンフィクションの形式として扱おう。自分の記憶が完璧でないことだけでなく、現実の世界で起こっていないことも意図的に話に加えるべきではない。

2　ノンフィクションに関しては、作家と読者のあいだに存在する暗黙の契約を尊重しよう。透明性を保つべし。自分の基準がどうであれ、その作品の冒頭で明らかにしよう。

3　もし回顧録においてフィクションに近い手法——人物の合成、会話の創作、場面の合成——をとる場合は、著者による注釈を使って読者に知らせよう。

4　記憶の限界とゆがみを用いた「作り話」は許されることではない。過去の記録、昔の新聞の切り抜き、アルバムの写真を使って、記憶と照らし合わせよう。ゴーニックが「状況」と定義するものと物語と、双方を豊かにする細かい事実がきっと見つかる。

26

読み手のレベルに合わせて書き――その少し上をめざそう。

文章を読みやすくするこつ、場合によっては、読みにくくするこつを習得する。

ルドルフ・フレッシュ『読みやすい文章を書く技術（The Art of Readable Writing）』

ロバート・ガニング『文章の霧をどう晴らすか（How to Take the Fog Out of Writing）』

一九四〇年代以降、かなりの数の作家や教師が、さまざまに異なる教育レベルの読み手に文章をもっと理解してもらおうとつとめてきた。わたし自身、幼稚園のクラス用と法科大学院の講義用では、異なる書き方をするだろう。とはいえ、図抜けたすばらしい文章のなかには――『シャーロットのおくりもの』が頭に浮かんだ――八歳の読者も八十歳の読者も喜びとひらめきを感じながら読めるものがある。理解のアルゴリズムを習得するのはむずかしくなく、計算機も必要ない。単語や文が短くなればなるほど、情報を伝える速度はよい按配に遅くなる。ピリオドは一時停止の標識だ。専門家の使う隠語などは技術的な知識がある者には便利だが、長い文や段落のなかの長い単語は、多くの読み手にとって意味の流れを妨げるものだ。

一九七二年にはじめて文章指導の授業で教えたときに、『レトリックについて（Speaking of Rhetoric）』という評論集に出会ったのを覚えている。四十五年近く文章を書いたり教えたりしながらも一冊の本を持ちつづけ、そこに無数の下線や星印やチェックマークを書きこみ、信頼できる友人にさえぜったいに貸さないとしたら、その本はほんとうに役立つ本だと世界に宣言できるはずだ。

その二百ページ足らずの本には、ことばとレトリックに関するさまざまな種類の評論が載っていて、書き手の顔ぶれはマーク・トウェイン、ジェームズ・サーバー、マルコム・カウリー、ジョン・ケネス・ガルブレイス、H・L・メンケンといった影響力と知名度のある作家が多い。はじめてオーウェルの『政治と英語』を読んだのもこの本だった。残念ながら、女性作家はたったひとりしか選ばれていない（一九六六年当時には驚くことではなかった）。そのひとりはアメリカの作家マーシェット・チュートで、イギリス文学者のすぐれた伝記を書いていた。彼女のエッセイ「真実を知ること」は出色で、ノンフィクションにおける証拠というテーマは、オーウェルが政治におけることばの濫用について書いたのと同じくらい、とてもタイムリーだった。

Ｅ・Ｂ・ホワイトの文章は二編選ばれている。ここで関連するのは「計算機」と題されたもののほうだ。作家であり、編集者であり、教師であるルドルフ・フレッシュをきびしく批判している。フレッシュは毀誉褒貶相半ばの人物であり、文章はわかりやすくなくてはならず、ある種のテストを使えば読みやすさを測れるという信念を持っていた。ホワイトは多くの作家の側に立つことを明確に示し、フレッシュとその同調者たちの測定法をこの名言で一蹴した。「読者は知能が低いという都合のよい認識を改めないかぎり、どんな作家も自作を向上させられない。書くことは信念の行為であり、文法の技巧ではないからだ」

ホワイトはフレッシュをこう理解していた。「（彼の主張によると）〝平均的な読み手〟は〝簡単〟と測定された文章しか読めないので、書き手はそのレベル以下で書くべきだという。実に傲慢で愚劣な考えである。平均的な読み手などどこにもいないし、こうした存在もしない人物に手を差し伸べることは、われわれひとりひとりが向上しつづけることを否定するものだ」

つまり、読者を見くだして書くのではなく、仰ぎ見て書くべきということだ。E・B・ホワイトは何世代もの作家にとって文学の英雄である。フレッシュを一蹴するレトリックに説得力はあるが、不当または不正確と感じられる節がなくもない。

はるか以前から、アメリカでは文章をわかりやすくするための野心ある努力がなされてきた。AP通信などの報道機関や、法曹教育の現場、契約書や利用規約をもっと理解しやすくすべきだと考える市民団体や消費者団体などがそれを必要としていた。高校以上の教育・学問の現場では、国語教育についての論争がある。学生にもっと理論的に文章を書く方法——たとえば文芸批評——を教えるべきだろうか。それとも、商売や技術職や専門職でそのまま使えることを学ばせるほうがよいのだろうか。

文章をよりわかりやすくする取り組みのおもしろい例が、市民のためのわかりやすさをめざす書き手のグループでおこなわれたことがある。それは明確な目標を持ったチームで、そこでは基本ルールがあった。たとえば、メンバー同士で文章のやりとりをする場合、使ってよいのは一音節の単語だけだった。この制約のおかげで、多音節から成るややこしいことば（polysyllablic gobbledygook）や難解な専門用語（esoteric jargon）——いま使ったような単語——を避けることができた。この話を聞きつけた「ウォール・ストリート・ジャーナル」紙は取材する価値があると判断し、第一面中央のみごとな記事として採りあげた。

記事の切り抜きはもうなくしてしまったが、はっきり覚えているのは、その欄がすべて一音節の単語だけで書かれていたことだ。離れ業だと言っていいだろう。この記事を完成させるのに、記者はいくつか工夫する必要があった。

・「音節（syllable）」という語を「拍（pulse）」に変えた。
・編集担当者は、記者の名前を「ジョゼフ（Joseph）」からジョー「（Joe）」に変えなくてはならなかった。
・署名欄の肩書は、「担当記者（staff writer）」ではなく、「担当筆記者（staff scribe）」となった。

最後の段落では、まるで記者のことばの蓄えがついえたかのように、結末で一気に多音節のことばが噴き出したのを覚えている。

おびただしい数の教師や編集者が明快な文章を支持してきたが、そのなかでも特に際立つ人物がいる。ここ十年ではブライアン・A・ガーナーだ。その著作はすぐれた法律の本とはどのようなものであるかを規定し、いかがわしい弁護士連中のための勉強会などで持てはやされている。だが、わたしの考えでは、ガーナーは先駆者たちを手本にしている。その最も卓越したふたりが、ルドルフ・フレッシュとロバート・ガニングである。どちらも実用的な手引書を書き、企業、学校、政府機関の相談に乗った。そしてどちらも文章の読みやすさを測定するための道具、装置、手順書——いわばアルゴリズム——を作ったが、前述のとおり、E・B・ホワイトらによって「計算機」と呼ばれて退けられた。フレッシュの「読みやすさの公式」は「フレッシュ・テスト」として広く知られるようになり、ガニングのほうも「フォッグ・インデックス」によって影響力を強めた。

一九三八年、ルドルフ・フレッシュは家族とともにオーストリアからアメリカへ移民としてやってきて、ナチス・ドイツの惨禍からすんでのところで逃れた。コロンビア大学の博士論文の一環として、ことばの使い方と読みやすさの問題についての理論を発展させ、実践に移した。一九四六年ごろには、読み書きに関する自身の考えを最初の著書『わかりやすく話す技術（The Art of Plain Talk）』にまとめ、一九四九年には『読みやすい文章を書く技術』がつづいた。そして、残りの人生を費やして、特定の聞き手を念頭に置いた文章の書き方を人々（および組織）に教えていった。話題を呼んだ『なぜジョニーは読めないのか（Why Johnny Can't Read）』を書いたころには、AP通信をはじめ、いくつもの出版社、政府機関、教育機関、企業などで、読みやすさについて助言するコンサルタントをつとめていた。

わたしもその種の相談に乗ったあと、ある政府機関の長からもてなしを受けたことがある。彼女の差し出した名刺には、名前のあとに二十七語もある肩書が書かれていた。「クラーク博士、ようこそおいでくださいました。ことばが死にゆく場所へ」。実にすばらしいひとことだと思った。この上司のもとなら、部下たちは明快で興味を掻き立てる文章を書けるようになるだろう。

では、フレッシュ博士は読みやすさをどのように評価したのだろうか。

フレッシュは評価基準として、読みやすさに応じて七つの等級を設けた。それぞれは、その教育課程の学年レベルに相当する。

非常にやさしい——小学四年レベル
やさしい——小学五年レベル
少しやさしい——小学六年レベル
ふつう——中学一年もしくは中学二年レベル
少しむずかしい——一部の高校レベル
むずかしい——高校もしくは一部の大学レベル
非常にむずかしい——大学レベル

フレッシュはサンプルの文章を使って計算をおこなった。その際には、つぎの二点を測定した。

1　一文あたりの平均の長さ。
2　百語あたりの平均の音節数。

たとえば、「非常にやさしい」は一文あたり平均八語以下だった。百語あたりの平均音節数は百二十三となった。

「非常にむずかしい」の場合、読者は平均して一文あたり三十語以上ある文を読み、百語あたりの平均音節数は二百以上だった。

八語の文はかなり短い（この文もそうだ）。一文が三十語になると読み手は長いと感じはじめ、文章を理解する能力が試されることになるが、これは情報がうねりながら文末に向かって徐々に蓄積されていくからだ（この文もそうだ）。

音節数に関してはこうなる。フレッシュの計算では、一音節の単語がたくさんあるほうが、二音節や三音節の単語がたくさんあるよりも読みやすいことが示される。留意すべき点がいくつかある。論理と経験は、短い文のなかにも理解しにくいもの（たとえば「摂食者は存在を渇望する」）があり、短い単語のなかにもむずかしいものがありうる、と教えてくれる。たとえば、angst（苦悩）、sprag（輪止め）、zouk（ズーク）〔西インド諸島発祥の音楽〕といったものだ。フレッシュと同僚たちは、何年もかけてこのテストを手直しし、どんな変数が加われば文章が読みづらく、あるいは読みやすくなるのかを突き止めようとした。自身の考えへの反対意見に対しては、学年レベルに合わせた文章を用いることで、読解力を等しくすることができる（もしくは、そうすべきである）と応戦した。

長年にわたって、フレッシュのツールは誤って使われてきたのかもしれない。作家のなかには、自分の作品が読者にはむずかしすぎると判断されて落胆する者もいた。わたしはフレッシュの理論を正しいものと考えているので、これは残念なことだ。一文の長さと音節の数は、文章の読みやすさに影響を与える重要な要素である。

証明するために、わたしの著書『ライティング・ツール』に載っている短い個所を見てみよう。最初は「州の権限を規制せよ」と題された新聞の社説で、一文で書かれている。

地方政府の費用や税金への影響を考慮せずに、要求だけの多い、ありがちな立法化を回避するため、委員会は提案されたどの命令についても、州全体の利害が明確に特定されるべきであって、州は地方政府に命令権の一部を返還すべきだと勧告し、そこには職員の報酬、労働条件、年金が含まれている。

この一文は（英語の原文で）五十九語から成る。音節の数は百二ある。（計算機を使って）一文が百語として換算すると、音節の数は百七十三となる。このふたつの測定値を使ったフレッシュの評価は「非常にむずかしい」だ。

待ってくれ、とあなたは言うかもしれない。この社説を読むのが「非常にむずかしい」と知るために、そんなわずらわしい測定は必要ない。読んだらわかるじゃないか、と。では、なぜ書き手は読みやすくしなかったのだろうか。もしそうしていたら、どんなふうになるだろう。

以下はわたしが「書き換えたもの」だ。

ニューヨーク州が地方政府のすべきことを規定する法案を通すことはよくある。こうした法律には名前がある。「州命令」と呼ばれる。たいていの場合、その法律によって州内のすべての人々の生活は向上する。ただし、費用がかかる。地方政府にかかる費用や納税者が支払わなくてはならない税金を州が考慮していない例は、あまりにも多い。そこでひとつ提案がある。州は、このような命令権と言われるものの一部を地方政府へ返還してはどうだろうか。

ここでもう一度、フレッシュ博士に登場願おう。この個所には八つの文と八十一語が含まれ、一文あたりでは平均十語となる。音節の数は百十含まれている。同じように換算すると、百語あたりで音節の数は百三十六となる。この音節の数を守りながら文をつなげていくと、「非常にやさしい」文章を作ったことがわかる。ひとつ付け加えると、わたしが作家として「非常にやさしい」文章をめざして書くことはまずない。しかし、ある種の一般的な目的においては、単純明快であることは最もよく効果を発揮する。

これまでフレッシュの測定に自分の文章を差し出したことはないが、書いたり教えたりするなかで、その概念を別のことばで解釈してきた。参考となったのは「最も複雑な個所では、なるべく短い単語、短い文、短い段落」を使うよう作家たちに助言したドナルド・マレーの教えである。たとえば学生には、理解しづらそうな説明の前には「それはこういうことだ」と入れるように勧めている。

多種多様な問題について四十年も研究と執筆をつづけてきたにもかかわらず、フレッシュに残された名声は読みやすさに関する計算法に基づくものだけだった。よくあることだ。野球の名選手ロジャー・マリスは、一九六一年にベーブ・ルースの記録を破る年間六十一本のホームランを打ったことで知られているが、それ以外の年の多才な活躍ぶりは知られていない。

それと同じように、フレッシュ・テスト（これを新しくした測定法が「フレッシュ・キンケイド・グレード・レベル」である）の作成者が、長い文を好んでいたことがわかっている。ジョゼフ・コンラッドとアレクサンダー・ハミルトンの一節を披露し、その流れるような力強さと美しさを明らかにしたことがある。驚くことに、文法と語法の問題については、記述文法のほうへといくぶん傾いていた。「シェイクスピアは英語のまちがいを犯したか」という愉快な見出しの章を、W・サマセット・モームのこの引用ではじめている。「しっかり覚えておきたいのは、文法は一般のことばを体系化したものであるということだ。語法が唯一の判断基準となる。わたしは簡素な言いまわしを好み、いかにも文法的な言いまわしには心を動かされない」

フレッシュは述べている。「英語の使用に関して、あらゆる状況に対応しうる規則というものはまずないだろう。実際には、選択可能な場合でも経験則を機械的にあてはめると、よい結果よりも悪い結果になることのほうが多い」

フレッシュは学者、作家として、目標に率直だった。

本書では、よく目にする文法、語法、作文、レトリックといった語を使っていないことに、そろそろみなさんもお気づきだろう。そうしたことばが要らないわけではない。文章の書き方を学びたいなら、どのようなことばがどのような読者に適しているのかを正確に知る必要がある。異なる文体による心理的効果に関する科学的なデータについても同様だ。ふつうの単語、文、段落には、手ごろで扱いやすい形がある。また、さまざまな書く技術によって得られる知識もある。つまり、自分自身が書くときにあてはめることができる現代的かつ科学的なレトリックが必要なのである。

（編集担当のキャスリーン・ロジャースによると、マイクロソフトの「ワード」を使って綴りと文法のチェックをすることで、書き手は文書の読みやすさを数値でたしかめることができるという。ごく身近にあるフレッシュ・テストだ）

フォッグ・インデックス（霧の指数）

ハズラムズ・ブックストアはアメリカでも有数の独立系書店で、わが町、フロリダ州セント・ピーターズバーグのセントラル・アヴェニューにある。自著の売れ行きをたしかめるため、わたしは執筆に関する本のコーナーをよく訪れる。そこで見かける数かぎりない本のなかに、変わった雰囲気の昔の本があった。そこで四ドル九十五セントを払い、『文章の霧をどう晴らすか』と題された四十六ページという短さの本を購入した。著者のロバート・ガニングはオハイオ州ブラックリックの出身で、ルドルフ・フレッシュの測定法を修正してフォッグ・インデックス（霧の指数）と呼ばれるものに変えた。

ガニングは文章を明快に書くことに闘志を燃やしていた。その主張によると、一九五〇年代から六〇年代にかけて、アメリカでは産業が大きく発展したにもかかわらず、明快なコミュニケーションがなかったせいで企業が大きな損害をこうむったという。この薄い本は、どのページを開いても実践する価値のある助言が記されている。とりわけ得意とするのは、レポートや手紙から専門用語だらけの難解な表現を取り除き、明快な文章に書き換えることである。

ガニングの本は「明快な文章のための十原則」からはじまるが、見つけにくい文章なのでここにリストをあげる。

1　それぞれの文を短くする。
2　複雑なものよりも単純なものを選ぶ。
3　語彙を増やす。
4　不要なことばは使わない。
5　動きは名詞ではなく動詞で表す。
6　読み手がイメージを描きやすい用語を使う。
7　読み手の経験と結びつける。
8　話すように書く。
9　さまざまな手法を駆使する。
10　いいところを見せるためではなく、表現するために書く。

文章を読んだり書いたり教えたりするなかで、わたしが以前にも増して気を配るのは、ページや画面で文章がどのように見えるかである。たとえばデンマーク語のような自分の読めない言語で書かれた文章を見ても、それが読みやすいか読みにくいかを判断できるとわたしはよく豪語する。

そのいちばんの判断基準は空白である。学生たちには「空白は句読点の一種と考えよう」と教えている。ピリオドが文に対しての停止の標識だとすると、空白は段落に対して同じ働きをする。空白は文章の風通しのよさを視覚的に表す。読み手をその文章に招き入れ、最後まで苦もなくすらすらと読めるというメッセージを送っている。

ロバート・ガニングはこの効果について、一九六四年にこう語っている。

あなたの書いた手紙や報告を手にした読み手は、労力の一部をことばを把握することに使う。その後、それらのことばを組み合わせ、あなたの考えやそのつながりを理解するためにさらなる労力を費やす。

例として、自分が読み手としてどうふるまうかを思い出してもらいたい。二通の手紙が同時に机に届いたとしよう。ひとつは空白が少なくて文字がびっしり詰まったもの。もうひとつは、多くの段落に分かれ、字さげがなされ、番号つきの箇条書きがあり、おそらくは小見出しもあるもの。どちらを先に手にするだろうか。

わたしたちはきっと、空白が多く明るいページを選ぶ。それは、長年の経験から、そのように書かれた手紙や報告のほうがよくまとまっていると知っているからだ。その書き手は自分の考えのつながりをより明快にしている。導かれたとおりに読み進めると、ますます読みやすくなる。

むろん、著作を読むなら、わたしはルドルフ・フレッシュやロバート・ガニングのものよりもE・B・ホワイトのものを選ぶ。ホワイトの著作はほとんどが文芸作品で、「明快コンビ」のほうは手引書だ。わたしたちにはどちらも必要だ。カナダで最も影響力のあるジャーナリズムの研究者スチュアート・アダムは、公共の文章は市民によるものから文学作品まで幅広い領域にわたるとかつて述べた。地域社会であれ、民主国家であれ、人々は物語とそれが与えてくれる疑似体験を強く求めている。だが、わたしたちに課せられた最も重要で現実的な選択をするとき、公衆の利益のために知るべき報告も必要である。そう、執筆とは信頼に基づく行為であって、文法を弄することではない。形の上では正しい情報だとしても、ただ世間に情報を公表してすむわけではない。わたしたちは読み手のわかることばを使ってたしかな事実を伝え、読み手の理解にまで責任を持たなくてはいけない。

Lesson

1 読み手を見くだすのではなく、仰ぎ見て書こう。過小評価してはならない。読み手についてじゅうぶんに学べば、しっかりと尽くせるだろう。

2 単語の長さと文の長さは、わかりやすさに影響を与える。理解しづらい事実を読みやすくするため、最も難解な個所に短い単語、文、段落を使おう。

3 空白の多い文章のほうが読みやすいことを忘れてはいけない。

4 文章をわかりやすくする手立ては以下のとおりだ。具体的にひとりの読者との会話を想定して書く。情報を伝える速さを落とす。専門用語を言い換える。データを文章から切り離し、図やグラフへ移す。効果を際立たせる。

第6部
使命と目的

映画の分野において芸術面で数多くの新境地を開き、発展させたのは、レニ・リーフェンシュタールというドイツの映画監督である。残念なことに、彼女の非凡な才能はヒトラーによるドイツの戦意高揚に捧げられた。芸術性はすばらしい。技巧もすばらしい。だが、それらは結局のところ、人道にかなった気高い目的への貢献度によって評価される。意味論学者のサミュエル・I・ハヤカワは、ナチのプロパガンダの悪質さを悟り、善なる大衆に向けたことばの使い方を学生たちに教える決意を固めた。

ローマの詩人ホラティウスは、公共と芸術の双方に尽くす使命感をいだいて光のなかに足を踏み入れ、偉大な文学の目的は喜びと教訓を与えることで、かなうものなら双方をめざすべきだと主張した。

カート・ヴォネガットとリー・ストリンガーは、知恵とユーモアに満ちた会話を駆使しつつ、さまざまなレベルの悲劇と最も力強い文章の形の関係を探った。作家、特にひどく苦しんでいる者は、その苦しみを糧として悲惨な経験に救いを見いだすことができる。

熱意を持った小説家は、しばしばディストピアの未来像を提示する。そこに見られるのは完璧な未来ではなく、独裁と抑圧に毒された世界だ。ジョージ・オーウェルは小説『一九八四年』でそうした未来を描いた。それよりも前に、オルダス・ハクスリーは『すばらしい新世界』を作り出した。後年、ハクスリーは自身が示した忌まわしい予言へと立ち返ったが、そこではさまざまな形のプロパガンダが人々を高次の利他主義に反発させる。自身のよき天使に触発される作家こそ、恐れや不寛容にではなく、より大きな善に訴えかけなくてはならない。

すべての善良なる書き手は、光を求めて仕事に取り組まなくてはならない。『光を求めて（In

Search of Light)』は、二十世紀で最も偉大なアメリカ人ジャーナリストとも呼ぶべきエドワード・R・マローのラジオ放送をまとめた本のタイトルだ。ブリテンの戦いやブーヘンヴァルト強制収容所の解放の当時、マローがおこなったヨーロッパからの報告は、重大な出来事の目撃者が高らかな声で証言する際に何が起こりうるかを明らかにしたもので、そこでは使命や目的に技術をうまく融合させている。

最後に、ナタリー・ゴールドバーグとチャールズ・ジョンソンの著作によって、多種多様な事物をもとに創造性を発揮する作家像が明かされる。それは執筆という大仕事に全力を傾けるよう、わたしたちを促すものだ。

27

レポートの信頼性を高める戦略を学ぼう。

自分の偏見を監視し、自分のことばを解き放つ。

サミュエル・I・ハヤカワ『思考と行動における言語』

コミュニケーションに関して言えば、レポートは民主主義社会の土台となる煉瓦である。行政府や責任ある企業はレポートを拠りどころにする。レポートは物語やエッセイや投書とは異なる。最もすぐれたレポートの書き方を知るには、その逆を考えることだ。つまり、事実を歪曲したり加工したりする文章である。主観、党派性、偏見をレポートから完全に取り除くことはできないが、不偏不党をめざして抑えることはできる。どんな分野でも信頼できるレポートを作成する方法がある。ことばの表層だけでなく、内奥にも注意を向けよう。言語を解き放つ手立てを習得しよう。そして、多様な視点——二点だけでは足りない——を持ち、誤った同一化を避けよう。誤報、プロパガンダ、悪意のある陰謀論がはびこる時代には、レポートが必要だ。

アメリカのすべての大学生が読むべき、言語についての本を、もしわたしが一冊だけ選ぶなら、『行動における言語（Language in Action）』を選ぶだろう。一九三九年に書かれて一九四一年に刊行された本で、第二次世界大戦後に加筆されて『思考と行動における言語』となった。一九三九年と一九四一年という年の歴史的な意味を考えてもらいたい。著者のサミュエル・I・ハヤカワは、この言語に関する本をイリノイ工科大学の学生たちのために書きあげた。ハヤカワはその大学で教える若手研究者だった。

ハヤカワは序文で、この本は学生の読み書きを助けるだけでなく、より高次の目的のために書いたと明言している。

本書のもととなった一九四一年刊行の『行動における言語』は、多くの点でプロパガンダによる危機に対応したもので、とりわけアドルフ・ヒトラーが何百万人もの人々を自身の狂信的で破壊的な野望に巻きこむことに成功したのはそのプロパガンダの実例だった。書いた当時もいまも持つ信念は、だれしも言語に対して――ほかの言語と同じく自身の言語に対しても――日ごろからきびしい目を持つべきだということだ。それは個人の幸福のためでもあり、市民として適切な任務を果たすためでもある。ヒトラーはすでに去ったが、もし同胞市民の大多数が、人類の平和的和解や相互尊重よりも恐怖と人種憎悪のスローガンに影響されやすかったら、われわれの政治的自由は口達者で節操のない煽動者の望むがまとなるだろう。

この序文は、ジョージ・オーウェルが一九四六年に書いた『政治と英語』と同じく、二〇二〇年の政治においても真実のように聞こえる。オルダス・ハクスリーも一九五〇年代の半ばに『文明の危機　すばらしい新世界再訪』として発表された一連のエッセイで同様のことをおこなった。ハクスリーは、ディストピア小説『すばらしい新世界』の刊行から二十五年後、作中の予測の当否をみずから進んで検証したのだった。

ハヤカワが『思考と行動における言語』で最も力を入れているのはプロパガンダについての章だ。ナチスは、当時まだ用語としてほぼ中立の意味合いしかなかったもの――プロパガンダ――を悪用した。今日ホロコーストと呼ばれる大量虐殺は、「ユダヤ人問題」への「最終的解決」という婉曲表現で呼ばれていた。ハクスリーが区別したのは、大衆の情熱を焚きつけるスローガンと、人間の理性や善への欲求に訴えかけることばだ。思うに、その区別がまたハヤカワを駆り立て、一般意味論の分野を、言語の抽象的な原理から学生が実用的な道具として使える場へと変えた。序文にはこう書かれている。

意味論の研究者の有益な仕事は、一般的な命題がどれほど正しくても、それを述べるだけにとどまってはならないと、わたしはつねづね考えてきた。研究者の役割は、できるだけ多くの状況で、つねに心の奥に意味論の原理を持って生活し、実践することだ。そうすれば、他者にその原理を勧める前に、人間の実人生にどのようにあてはまるか（あるいはあてはまらないか）がわかるだろう。

この重要な本の内容にはいる前に、ハヤカワの学界や政界でのすばらしい経歴について紹介しよう。その人生では、数えきれないほどの個人的挑戦と効果的なコミュニケーションの事例研究が生み出された。カナダで生まれて教育を受け、日系人が蔑まれた時代にアメリカの大学で学び、教え、実践的な研究者として評判をあげ、サンフランシスコ州立大学の学長となり、カリフォルニア州の上院議員にも選出された。そこへ至るまでに、配達係、巡回セールスマン、タクシーの運転手、広告のコピーライターとして働いたこともある（意味論の専門知識が宣伝文句作りに役立ったのはまちがいない！）。政界へ進出したときは新参者として物議を醸し、風変わりだという評価も受けた。タム編みの帽子をかぶったり、聴聞会で居眠りしたりする姿をよく写真に撮られた。

ここで考えてみよう。なぜ意味論を学ぶのだろうか。

わたしは英文学の修士号を持ち、文章指導の講師をつとめた経験もあったが、言語研究の分野の知識はほとんどなかった。「意味論」ということばを耳にしたとき、「レトリック」とよく似た否定的な含みを感じとった。オバマ大統領が巧みな演説をしたとき、一部の対立候補は――あるときにはヒラリー・クリントンさえも――それを「ただのレトリック」、つまり、表現上のごまかしとして相手にしなかった。ある者は討論会で「ああ、それはただの意味論の問題だ」と言って議論を交わした。むしろ、そちらのほうが表現上のごまかしだというのに。

いまのわたしは、意味論――そしてレトリック――を、実用的な言語の知識のなかできわめて重要なふたつの項目と考えるようになっている。意味論は、ことばがどのように意味をなすか、もしくはそれができないかを説明する。なぜ一部のことばは判断や偏見を内包しているのか。なぜタブーとされることばがあるのか。ことばはどこから来るのか。なぜことばの意味は時間とともに変化し、肯定的になることもあれば、否定的になることもあるのか。「考え」のことばと「事物」のことばはどうちがうのか。「抽象のはしご」とは何なのか。辞書では「ヌード（nude）」と「裸（naked）」が同義語とされているが、それならなぜ一般の用法において大きなちがいを感じるのか。

こうした疑問のすべては、また別の移民出身の学者、ポーランド系アメリカ人のアルフレッド・コージブスキーが考案した言語研究の分野である一般意味論に分類される。移民と言えば、「違法（illegal）」のものと「無認可（undocumented）」のものはどうちがうのか。「内戦（civil war）」と「宗派間抗争（sectarian violence）」はどうちがうのか。「侵入（invasion）」と「侵略（incursion）」はどうちがうのか。議論は政治的であるかもしれないが、もしことばのちがいを研究したいのであれば、意味論の分野をひととおり学ばなくてはいけない。意味論を、思考における言語を、行動における言語を。

わたしはハヤカワの本のひとつの章を要約することにした。その内容を説明し、民主的な秩序のなかでコミュニケーションをおこなうことの豊かな意味を探るためだ。ハヤカワはその本の第三章をつぎのようにはじめる。

> 知識の交換をするための基礎となる象徴的行為は、見たこと、聞いたこと、感じたことの報告である。「道路の両側に溝がある」「スミス金物店ならそれを二ドル七十五セントで買える」「湖のあちら側に魚はいないがこちら側にはいる」。つぎに、報告の報告がある。「世界で最も長い滝はローデシアのヴィクトリアの滝である」「ヘイスティングズの戦いは一〇六六年に起こった」「新聞によると、幹線道四十一号線のエヴァンスヴィル付近で大きな衝突事故があった」。報告は以下の規則を忠実に守る。第一に、実証可能である。第二に、できるかぎり推論と判断を排除する。

二〇三〇年にこの文章を読んでいるかもしれないので、二〇二〇年のアメリカを手短に紹介しよう。国は政治的に二極化していると感じられる。右派と左派のあいだで、中絶、移民、銃規制、気候変動といった争点となる問題では、妥協できる余地はほとんどないらしい。人々は政策に関して意見が合わないだけではなく、事実がなんであるかについて合意できていない。哲学の用語で言うと、認識論の泥沼にはまっている。政治の世界では、「真実っぽさ（truthiness）」や「別の事実（alternative facts）」といった用語も登場した。有権者は、確たる真実や信頼できる証拠よりもイデオロギーに関心があるようだ。政治家やお偉方は嘘に嘘を塗り重ね、意味のある結論にたどり着かないというのが定説だ。煽動者や陰謀論者たちはソーシャルメディアを活用して、自分たちに都合のよい偽りの物語を大げさに語り、忌みきらう相手を攻撃している。世界じゅうの敵対者がアメリカの制度を弱体化させようと目論み、選挙制度にまで干渉している。そこで各国のジャーナリスト仲間——わたしが勤める研究所に所属している人も少なくない——が、事実確認に身を捧げてきた。

もしこれが二〇二〇年の世相を簡潔に描写しているとするなら、ハヤカワが七十年前に書いたこのくだりを考察してみよう。

報告は実証可能なものだ。つねに自分で実証できるとはかぎらないのは、知っているあらゆる出来事の証拠を見つけだすことはできないからであり、また、エヴァンスヴィルの衝突事故の現場が片づけられる前に、だれもがその残骸を見にいけるわけではないからだ。しかし、もしわれわれが物の呼称や時間の測り方について、おおむね合意すれば、互いに誤解する危険性はかなり少なくてすむ。だれもがつねに言い争っているような今日の世界でさえ、いまだに驚くほど互いの報告を信頼し合っている。旅行のときには見ず知らずの人に道を尋ねる。道路標識を立てた人を少しも疑うことなく、その標識どおりに進む。本を読むときにも、科学、数学、自動車工学、旅行、地理、衣装の歴史などなどに関する内容で、著者が自分の知ることをできるかぎり正しく伝えようとしている、とふつうは考える。そしてたいていの場合、そう考えて問題はない。今日では、偏向した新聞や扇動家について、さらには受信する情報の全般的な信憑性の低さについての議論に重きが置かれているせいで、われわれがなおも膨大な量の信頼できる情報を入手できることを忘れがちだ。戦争関連を除けば、故意に誤った情報が行き来することはむしろ例外である。互いの自衛本能ゆえに情報交換の手段が発展してきたおかげで、誤った情報を与えることが罪悪と見なされるようにもなっている。

二〇二〇年になっても、敵対し合う政治家たちは、自分たちの世界観に反するものはすべて「フェイクニュース」で、それを伝える者は「大衆の敵」であると退けている。こうした対立へと至る何年ものあいだ、多くの文化の表現のなかで、客観性が否定される事態が見られた。心が白紙の状態の者はどこにもいないのではないだろうか。メッセージを発信する者は、だれもが自身の経験を拠りどころにしている。この話題に最もふさわしい議論は『ジャーナリズムの原則』という本に出てくる。著者のビル・コヴァッチとトム・ローゼンスティールはハヤカワの名こそあげていないが、レポートの重要性について、ハヤカワを強く支持する姿勢を見せている。ジャーナリズムは実証のための規律であって、断定のためではない、というのがふたりの主張だ。ケーブルテレビ局のニュース番組では、たくさんの人間が語る。だが、さまざまな物事を調査し、検証したうえで、公共の利益のために報じることの重要性を理解して、真摯に伝える者は多くない。その意味で、客観性とは中立の状態ではなく、伝える者がおのれの偏見を自覚し、レポートからそれを排除する過程なのである。

レポートの信憑性や確度を高めるにはどうすればいいのだろうか。ハヤカワの本には具体的な助言がたくさん書かれている。

・できるだけ推論は避けよう。「他人の心中で何が起こっているかを推測しない」ことが大切だ。語るよりも見せるということだろう。「男は怒っていた」ではなく、「男はテーブルをこぶしで叩き」「毒づいた」と書こう。

・断定を避けよう。つまり、書き手が賛否を表明しない。「その上院議員は反抗的だった」ではなく、「その上院議員が投じたのは法案に反対する唯一の票だった」と書こう。

・「怒鳴りことば」（たとえば「人殺しでもしそうな移民」）や、「猫なでことば」（たとえば「自由を愛する銃所有者」）は排除しよう。

・「思考を停止させる」判断や結論を避けよう。ある場所を「乱雑」もしくは「乱雑でない」と断じてしまうと、読み手は具体的な事実から結論を導き出せなくなる。

・一度に両方へ目を向けよう。ハヤカワはこの助言によって、一方のみに偏った話にだけ目を向けることは、公平性を放棄した肩入れにつながると伝えている。ある人物の白い歯には目を向けながらも、汚れた爪に目を向けなければ、その記述は偏っている。両方をくわしく描写すれば、かなりの公平性を保てる。

・自分の先入観に気づこう。ハヤカワはこう書いている。「ある新聞がこちらの好まない形で話を伝え、重要と思われる事実を省き、重要ではない事実を不公平と思われる方法で大きく扱うとき、こう言いたくなるはずだ。〝なんだ、この偏った書き方は！　なんて卑怯なやり口だ！〟」

ひそかなイデオロギー上の目的のために報道機関が意図的に情報をゆがめていると主張する人は多い。実際には、その偏向は意図的なものではなく、その記事を作った人たちの一般的な経験に基づくものかもしれない。自分の偏見や嗜好を意識することで——こっそりとではなく公然と——書き手はレポートを確固たるものにすることができる。多くがカトリックを信じる「ボストン・グローブ」紙の記者や編集者が、聖職者による子供への性的虐待の隠蔽を暴くことができたのは、まさにその証である。この様子は、映画『スポットライト　世紀のスクープ』で描かれている。

Lesson

1　実証可能なレポートは自立した民主主義の基盤をもたらす。こうしたレポートは、あらゆる社会的、経済的活動にとってきわめて重要であり、その信頼できる情報をもとに行動が起こされる。

2　すぐれたレポートを書くのに、偏見や嗜好や判断を完全に捨て去ることは必要ではない。書き手に求められるのは、完成品からこれらを取り除く手順に従うことで、これは公平と中立を保つための困難ながら必要な道筋である。

3 推敲するときには、使っていることばに偏った兆候がないかを検証しよう。たとえば、ある話し手の発言を引用するとき、「認めた」「容認した」「示唆した」「主張した」「言い返した」といった語や、かなり悪意を持って「のたまった」といった表現を使いたくなるかもしれないが、ふつうは「言った」という語が最適である。

4 しっかりした報告を書くには強い意志が必要で、決めつけをおこないがちな日ごろの習慣を抑えなくてはならない。古い警句が言うとおり、「決めつける（assume）」とは「尻（ass）」を「あなた（u）」と「わたし（me）」から生み出すことだ。結婚指輪をしている人を既婚と決めつけてはいけない。大事な問題なら、まずは調べよう。

28　書くことでみずからの魂を成長させよう。

苦しみという短所を救いの長所に変えて、力強く書く。

カート・ヴォネガット、リー・ストリンガー『神と握手するかのように　書くことに関する会話（Like Shaking Hands with God: A Conversation about Writing）』

服役中のことを書いた本を出したばかりの作家に、ある教師が会った。「きみはほんとうに幸運だ」教師は言った。「どうして?」「本を書けるほど興味深い経験を持っているじゃないか。わたしのひどい経験なんて、せいぜいショッピングモールでミニバンをどこに停めたか忘れたぐらいだよ」作家にとっては、短所が長所になる。カート・ヴォネガットがその好例だ。よい物語を書くには、同情しやすい人物をひどい状況に置き、その人物がどうしていくかを見ればいい。もしモデルとなる人物が必要なら、聖書を探してみよう――ヨブからキリストまで。苦しみから逃れることだけが正しいわけではない。

一九六九年、二十一歳となったその年のことは鮮明に覚えている。夏にニューヨークのロックフェラー・センターで働いていた。わたしはひとりどころか、ふたりの若くて魅力的な女性にふられた。独身生活を送る運命かと思ったが、また別の若くて魅力的な女性に出会った。髪がとても長く、スカートは――当時の流行で——まるでヘミングウェイの文のように、とても短かった。その彼女と結婚した。四十八年になる。

同じ年、カート・ヴォネガットはすでに人気作家で、『猫のゆりかご』や『スローターハウス５』といった風変わりで半分ＳＦのようなダークコメディを出していた。わたしはロードアイランド州のプロヴィデンス・カレッジにかよい、ヴォネガットは街の反対側のブラウン大学で講義を受け持っていた。その講義を聴くために大講堂の床にすわったのを覚えている。一九六〇年代のカウンターカルチャーがまさに最高潮に達するなか、ヴォネガットはわたしたちを楽しませる感性を持った大人で、ゼネラル・エレクトリックの元広報ライターとして時代を的確に分析し、自分を形作ったインディアナ州の規範に反旗を翻していた。

ある学生がヴォネガットに、ＳＦ界の大スター、アイザック・アシモフについて尋ねたのを覚えている。やや気どった口調の質問は、アシモフの理論——人類の進化は宇宙旅行とかかわりがあり、人類が月やほかの惑星に移住するようになれば、その経験は人間の本質を根底から変えるだろう——についてだった。ヴォネガットは、最初のうちはていねいに答えていた。アシモフの作家としての生産性と想像力をとても評価していると話した。だが、宇宙探検などの話になると、アシモフのことを「ほら吹き野郎だ」とのたまった。聴衆はあっと息を呑んだ。「あそこには空気がないぞ！」とヴォネガットは言い、わたしたちは大爆笑した。「息をしようものなら死ぬんだからな！」

一九六九年十一月十四日——ヴォネガットの講義を聴いた翌日だったかもしれない——プロヴィデンス市の中心部では、学生の大集団がワシントンＤＣに向かうバスに乗りこみ、そこでおこなわれるベトナム戦争反対の大行進に参加しようとしていた。何十万もの人々が全国から同じように向かっていた。バスのなかでこれからの寒い夜の長旅を覚悟していた矢先、扉が開き、ひょろっと背の高い、ぼさぼさ髪で顎ひげを蓄えた男がバスに乗りこんで、最後列の席へ向かった。ヴォネガットだった。

わたしはびっくり仰天した。第二次世界大戦でも有数のひどい戦闘をいくつも目のあたりにした作家が、おおぜいの反対派の若者といっしょに行動を起こしていたわけだ。そうした経験や知識を持った作家がわたしたちと同じ目で世界を見るのなら、この戦争に反対することは正しいのだろうと思えた。

戦争は地獄だ。だがどういうわけか、ヴォネガットのような作家にとっては、書くことによってその地獄の苦しみが和らぎ、そこから解放されることさえある。批評家のピーター・リードは、ヴォネガットの短編小説集『バゴンボの嗅ぎタバコ入れ』の序文で、ヴォネガットの戦争体験を以下のように要約している。

この短篇集には、第二次世界大戦でのヴォネガットの戦争体験から生まれた話もある。『スローターハウス5』の素材になったいろいろの事件は、すでによく知られるところだ。ヴォネガットがバルジの戦いでドイツ軍に捕えられたこと、ドレスデンが大空襲で焼きはらわれたとき、捕虜として地下の食肉貯蔵庫に避難していたこと、そして、ナチの敗北のあと、避難民でごったがえすドイツをしばらく放浪したすえ、アメリカ軍に合流できたこと。（浅倉久志、伊藤典夫訳、早川書房、以下同）

この短編集のまえがきで、ヴォネガットはこう付け加えている。

ちなみに、一九九八年十月七日、わたしは『スローターハウス5』の舞台であるドレスデンを再訪した。そして、ある地下室へ案内された。そこは、約十三万五千人の一般市民を窒息死または焼死させた火災旋風のなかで、このわたしも含めて百人ほどのアメリカ兵捕虜が生き残った場所だった。その大空襲は〝エルベ川のフィレンツェ〟をぎざぎざの月面風景に変えてしまったのだ。

思い出の地下室へふたたび足を踏みいれたとき、こんな言葉が頭にうかんだ——「長生きしたおかげで、わたしはアトランティス大陸が海に沈む前にそれを見たことのある、地上で数すくない人間のひとりになった」

同じ個所でヴォネガットは、書かれた文章から意味を汲みとる行為は、単純だが魔法のようでもあると説明している。「脳みそがすっかり点灯するのを待って、親愛なる読者よ、あなたがたがいまやっておられるのとおなじ作業、不可能に近い作業をわたしは開始する。漂白し、平らにのばした木材パルプの上に、二十六個の音標文字と、十個の数字と、八種類ほどの句読点を独特な組み合わせで横にならべたしろものから、意味をくみとるのだ！」

ヴォネガットの文章に感嘆符がたくさんある記憶はないので、ひとつの感嘆符が絵文字百個ぶんの力を持つ。こうした読みの力がヴォネガットの技巧を押しあげた。

そのあと、わたしは創作講座で教えるようになった。最初はアイオワ大学、つぎはハーバード、それからニューヨークのシティ・カレッジ。『キャッチ＝22』の作者ジョーゼフ・ヘラーも、やはりシティ・カレッジで教えていた。彼はわたしにこういった。もしあの戦争がなければ、自分はドライ・クリーニングの商売をやっていただろう。わたしは彼にこういった。もしあの戦争がなければ、わたしは《インディアナポリス・スター》紙の園芸欄担当者になっていただろう。

そう、たしかに戦争は地獄だが、それはあなたが偉大な作家ではない場合の話だ。作家にとって、戦争は印税の小切手が詰まったかごにはいった地獄である。大学時代にルームメイトだったフレッド・デイは、一九七〇年代の初頭をベトナムで過ごすという強烈な体験をたくさんしたおかげで、帰国してすぐに本を書くことができた。わたしのほうは大学院で過ごし、ホメロスを読んでトロイア戦争を、シェイクスピアを読んで薔薇戦争を知っただけだ。たしかに大学院は地獄だった。図書館の棚が埃だらけのこともあった。

ヴォネガットには、悲惨な人生経験を読者の疑似体験へ変える機会と能力があった。わたしはシャツをつかまれ、ドレスデンの爆撃のなかへ引きずりこまれた。まさに物語の持つ「移送力」のせいだ。作家の記述を通して、異なる時空を旅し、心地よい安楽椅子にすわったまま、そこにいたかのような体験をすることができる。

ヴォネガットのまえがきの一部に、「創作講座１０１」と題されたくだりがある。そのすべてを引用するつもりはないが（自分でそのリストを見つけて読むことをお勧めする）、わたしが最も役に立つと感じた技法は以下のものだ。

２　男女いずれの読者も応援できるキャラクターを、すくなくともひとりは登場させること。
３　たとえコップ一杯の水でもいいから、どのキャラクターにもなにかをほしがらせること。
６　サディストになること。どれほど自作の主人公が善良な好人物であっても、その身の上におそろしい出来事をふりかからせる——自分がなにからできているかを読者にさとらせるために。

だから、作家にとっては不利が有利になる。このことは、『神と握手するかのように』という薄く瀟洒な本の中心テーマとなった。この本は、一九九八年十月一日にニューヨーク市内の書店でおこなわれたヴォネガットと作家のリー・ストリンガーの公開対談をまとめたものだ。ロス・クラヴァンが司会をつとめ、書く技術に焦点があてられた。興味深いやりとりのなかで、ふたりの作家は——経歴はまったく異なるが——苦難の時代がすぐれた作品を生むためのたしかな孵卵器になりうることで意見が一致した。

クラヴァンはふたりの共通点を尋ねた。

カート・ヴォネガット：共通点か。知ってのとおりだよ。わたしたちは自分の人生について書いた。書くことがあったから、ふたりとも作家になるのは簡単だった。ドレスデンが焼きつくされたときに、その場にいたことを神に感謝してるよ……。

リー・ストリンガー：住む家がないというのは『グランドセントラル駅・冬』のテーマで、たくさんの人が悲劇だと思っている。でも、たいていの悲劇では最後にだれかが死ぬわけだから、いまも生きているわたしは悲劇とは思わない。そのとき身につけたのは、ある種の楽観主義だ。ひどいこともチャンスになる。そこからいくつもの道が開ける。むしろ逆境に立つほうが、たとえばサテンの枕で寝ているよりも多くの道が見える。そういった点では、わたしは楽観主義者だろう。楽観主義には理由がある——少なくともわたしの楽観主義にはね。この世界が存在しつづけるのかどうかはわからないが、この心臓が動くかぎりわたしは前へ進むつもりだ。

ストリンガーは、そのあとで、自分が作家であることにどのように気づいたかを述べている。

リー・ストリンガー：鉛筆を握ってただそこに座っていたんだ。鉛筆は麻薬用の器具として、パイプにフィルター用の網を押しこむのに使っていた。ある日、まったく麻薬の持ち合わせがなかったので、一本の鉛筆として使うことにした。それくらいの頭は働いた。鉛筆をどうにか使おうと思ったわけだからね。そして書きはじめた。驚いたことに、五時間経ってようやく鉛筆を置いた。そのぶっとおしの五時間は、何かをやりとげたわけではないんだが、ハイになるか、それ以上の効果があった。それほどまで集中できることはほかになかった。そのときが決定的瞬間だ。

カート・ヴォネガット：すばらしい本があったんだが、絶版になってしまったんだよ……。もう亡くなったエドマンド・バーグラーという人が書いた『作家と精神分析（The Writer and Psychoanalysis）』という本だ。その分野で、だれよりも多くの作家を治療したと主張したんだが、ニューヨークで診察していたから、実際にそうだったんだろう。バーグラーによると、作家が幸せなのは、毎日書くことで神経症を治療できるからだという……。どんな芸術であれ——絵でも、音楽でも、ダンスでも、文学でもなんでも――創作することは金儲けや有名になるための手段じゃない、とわたしは言ってきた。それは魂を成長させる手立てなんだよ。

Lesson

1 書くことによって、苦しみをほかのものへ変えよう。自分の苦しみでも、直接間接を問わず知っている人の苦しみでもいい。

2 描こうとする登場人物を選ぶときには、ヴォネガットのアドバイスを思い出そう――いちばんよいのは、だれか、または何かを強く欲している人物、つまり重大な危機に瀕している人物を描くことだ。

3 共感の持てる登場人物――たとえばハリー・ポッター――が大きな苦難に遭えば、その人物の素性がさらけ出され、勝利したときにいっそう満足できる。

4 苦難に遭う人物はたいがい二度――もしくはそれ以上それを体験する。災難――戦争、伝染病、ハリケーン――のさなかに苦しみ、何か月か何年か経って、いわゆるその後遺症に苦しむ。ストーリーテリングを、この「第二の苦しみ」を軽減する手立てとしてとらえよう。作家は苦しみを呼び起こして、ストーリーを生み出す。あるいは、別の人が味わった苦しみについて書くこともある。それは心理療法や薬物療法に代わるものではないが、苦難の物語そのものに癒しの効果がある。

29 — 楽しませ、教えるために書こう。

どちらか一方はできることも多いが、両方できれば最高だ。

ホラティウス『詩論』

おそらくあなたは詩人だろう。あるいは、大都市のタブロイド紙で「トップレス・バーの頭が足りない男（ヘッドレス）」という見出しをつける仕事をしているかもしれない。両方なら、さらによい。詩人も見出しの担当者も、ことばを圧縮して意味を持たせる。ことば遊びもする。すぐれた文章の高次の目的は、古くからずっと変わらない。それは楽しませ、教えることだ。一方の効果はもう一方がなくても消えはしないが、合わさることで書き手は山の頂上にたどり着ける。最も広く受け入れられる物語を書くために、興味深くて重要な主題を探し出そう。興味深いことはすべて重要だと思わせて、愚かな読者をだますのはいただけない。逆に、重要なことを興味深くもできれば、読者は注目し、必要とあらば行動を起こすだろう。

多才にして多作の作家が、あるひとつの作品——おそらく、あるひとつのみごとなアイディア——で有名になることがある。わが師ドナルド・マレーで思い出すのは、「執筆過程（ライティング・プロセス）」ということばだ。すぐれた文章は、魔法によってではなく、一連の合理的な手順によって生み出されるという考えである。友人のウィリアム・ジンサーであれば、「雑然とした」ということばや、文章をどうそぎ落とすかについてのすぐれた助言を思い出す。シナリオ講師のロバート・マッキーは、すぐれたストーリーには日常のリズムを掻き乱す瞬間、「契機事件」が必要だと教えている。

古代ローマの詩人ホラティウスを頭に浮かべると（そう、わたしは実際にときどきそうする）、ひとつのすぐれた考え、いや、あらゆるジャンルのあらゆる作家が執筆場所に近く貼るべき、きわめてすぐれた考えを思い出す。偉大なのは技巧的だからではなく、ひらめきや向上心を与えてくれるからだ。それは作家の使命や仕事の目的を採りあげたものだ。学部教育のどこかの段階で、このちょっとした知恵を授けられていたことに、わたしはいまになって気づいた。意味は理解していたが、当時はまだ作家ではなく読者だったので、その戦略的な重要性に気づいていなかった。文学の目的は「デレクターレ・エト・ドケレ」、すなわち、楽しませることと教えることである。別の言い方をすれば、最高の文章は喜びと知恵をもたらし、甘いうえに役に立たなくてはならない。ありがとう、クィントゥス・ホラティウス・フラックス。ローマ時代にはホラスという通称で知られていた。

イタリアを長靴として描くなら、ホラティウスは紀元前六十五年にその踵の部分で生まれた。一族はユリウス・カエサルの暗殺とアウグストゥスの台頭をもたらす政治的混乱から逃れられなかった。ホラティウスは詩人ウェルギリウスの導きのもと（今日では文章指導と呼ばれる）、目をかけられて、ローマで有数の栄誉ある詩人、劇作家、批評家、修辞学者となり、紀元前八年に没した。

現代の読者には、幸いにもデイヴィッド・フェリーが翻訳した抒情詩や書簡詩がある。ホラティウスはラテン語で簡潔な韻文――一行六拍のもの――を書いたが、フェリーはその英語版を短長格の韻律で解き放ち、原文が持つエネルギーをとらえている。そしてホラティウスの詩から、この気に入った一節を紹介している。

私は周知のところから詩作にかかる。だが、誰であれ
同じことを望んでも大汗をかくだけになるだろう。徒労に終わるだろう、
同じ挑戦をしても。言葉の連接と配置に大きな力があるために、
常套句からとったものも大きな栄誉に浴する。
（『書簡詩』所収「第三歌　ピーソー家の人々宛」、高橋宏幸訳、講談社、以下同）

これを読んで笑ってしまった。もしあなたもテレビのコメディドラマ『となりのサインフェルド』のファンだったら、その理由がわかるだろう。ここに書かれているのは、つまり、ジェリーとジョージによる「なんでもないこと」についてコメディ番組を作るという野心的な任務と同じものだ。

フェリーは憧れの詩人をこう讃えた。「これらの詩の生命はその声だ。自由で、自信にあふれ、みずからや仕事のことをよく理解していて、見せかけを軽蔑しながらも、あまりにおもしろく楽しい」。作家や文章指導の講師（そして書き方に関する本）は、書き手の「声」をしきりに説明しようとする。どのような意味なのか、どのように感じたか、どこに書かれているのか、真偽をどう判断すればいいのか。ホラティウスとフェリー——二千年の時を隔てたふたり——は、声が作られたものであることを理解している。フェリーはこう説明する。

『書簡詩』のなかで、ホラティウスは六歩格〔一行が六つの韻脚から成る〕の韻律を完成させた。その声はまるでずっと会話のようで、こうした手紙のなかで、率直さと機知と緊迫感を保ちながら、若い書き手たちや、友人、後援者、そして皇帝アウグストゥス本人に向かって語りかける。自由な男が、誘惑や好機や事件に満ちたローマの世界でどう暮らしていくのか、高潔さを汚すことなくどう過ごしていくのかを伝える声だ。

詩や演説が目ではなく耳を通して伝えられる場合、声がさらに重要となる。

ホラティウスによって書かれた詩形式の手紙が一通、ピーソー家という裕福な家族のもとに届けられた。一家の息子たちのなかに詩人と劇作家を志望する者がいたので、ホラティウスはそこに自身の関心事を書いた。これは、現在『詩について』もしくは『詩論』と呼ばれる作品となった。およそ千六百年後、ギリシャやローマ時代の学問が生まれ変わろうとしていたエリザベス朝時代のイギリスで、サー・フィリップ・シドニーによって、その後継となる『詩の弁護』が書かれるが、ホラティウスの手紙は大胆でより楽しませるものだった。

ホラティウスは一貫して、実に具体的な助言をしている。戯曲に関して、好みは五幕物で、それより多くても少なくてもいけない。話すよりも見せる。身の毛のよだつ演技は舞台裏ですべきだ。話の筋に機械仕掛けの神（デウス・エクス・マキナ）の登場を必要としてはならない（つまり、問題の解決のために神を呼び出してはならない）。ほかの形式の文章については、このように勧めている。自分が扱うことのできる題材を選ぶ。目標に届かなくても落胆しない。「やりすぎ」にならないかぎりは、新語を作り出すことを恐れない。正しい語法に関しては、ホラティウスは「規範」派と「記述」派の上に、ロードス島の巨像のようにまたがった。「いま持てはやされていることばもすたれるかもしれない。もし語法がことばの統治者であるなら、語法がそれを決めるだろう」

このような知恵はすべて、以下のような考えに由来する。

詩人の望みはひとを喜ばすか、ひとの役に立つか、
あるいは、人生を楽しくすると同時に人生に益することを語ること。
どんな忠告をするにも、短いのがよい。手短かに言われたことは

素直に心に受け入れられ、忠実に守られるから。
冗長な言葉はすべて心から溢れてこぼれてしまう。
娯楽のために創作されたものは真実に近づけるべきだ。
何を上演するにも、芝居が真実だと思ってもらう必要はない。
だが、怪物の胃袋から生きた少年が出てくるのはいけない。（同右、一部改変）

シェイクスピアは『ハムレット』を通し、千五百年後に同じ助言をしている。王子が役者たちに対し、自然に向かって鏡を掲げるよう迫る場面だ。

ジャーナリストは何年もかけて、「ニュース評価力（news judgment）」として知られる識見を築きあげるが、公の場で書く者はだれもがそれに似た能力を身につけるべきだとわたしは考えている。このことばは、その日に経験したこと、起こったこと、やりとげたこと、危険にさらされたことを採りあげて、分類し、最も重要なものを選び、それらを各種の媒体を通じて受け手が利用できるようにするための識見を指している。

一九七七年にわたしが記者の仕事をはじめたとき、編集局ではコンピューターもワープロもはじめて採用されたばかりだった。まだ電信受信室と呼ばれるガラス張りの部屋があり、騒々しい機械でいっぱいだった。そして、当時の通信社――AP、UPI、ロイター、ニューヨーク・タイムズ――から何十本もの記事が吐き出されていた。ニュース編集者や電信編集者と呼ばれる人たちが夜遅くまで働き、それらの記事を分類して、あるものは捨て、ほかのものは縮めたり整えたりした。短時間でそれをどう判断したのか、興味深いところだ。

その四十三年後の二〇二〇年に移動すると、いまや革命的技術のインターネットがあり、ニュース、情報、娯楽（中心となるのはかわいい子供、犬、子猫である）の重要な供給源となっている。ウェブサイトやS

NSの仕事をする人たちは、自分たちの技術を表すのに別のことばを使うが、マイク・モスカルディーニやボブ・ジェンキンズが一九七〇年代に「セント・ピーターズバーグ・タイムズ」紙の編集室で夜におこなっていたことと大差はない。今日では、ネットの技術に長けたサイト運営者たちが、さまざまな情報源から素材を集約（アグリゲート）し、それを受け手のために取捨選択（キュレート）している。

そうした判断をどのようにおこなうかを理解するために、ホラティウスの考えにもどろう。楽しませ、教えることだ。ニュース評価力であれ、作家の評価力であれ、研ぎ澄まされると、以下のふたつの基準に沿って素材を選び、それを広める力を持つようになる。

・何がおもしろいのか。
・何が重要なのか。

デジタル時代には、興味を惹くものをたくさん手に入れられるが、それらの多くはおもしろいと言えるのだろうか。おもしろいとしても、重要とは言えない。たとえば、ケーブルテレビのニュース専門局は、ひとつの刑事裁判を何週間、いや何か月も追いつづける。視聴者はそれをメロドラマのように観る。興味を引きつけるのは、セックス、暴力、スキャンダル、金持ちや権力者の没落といった、なじみのある話である。だが、そうした話のなかで、公共に資するような重要なものはまったくない。

多くの作家、編集者、プロデューサーたちは、おもしろいことを重要だと思わせるために、あまりにも多くの時間と労力を費やしている。最も信頼できる公共の書き手は、そこを逆に考える。重要なニュースや情報――たとえば、通貨供給量の増減――は本来おもしろいものではないということを知っていて、それでも社会的な責務を感じ、重要なことをおもしろく見せて人々が注意を払うようにすることに取り組んでいる。

ホラティウスがどのような表現を使っていたかはわからないが、おそらく「ためになるように」楽しませよ、とか「楽しく」教えよ、などと書いていただろう。あらゆる時代——あらゆる文化、あらゆるジャンル——の偉大な物語の大半がおもしろいことと重要なことの交わる場所に行き着くことを歴史は証明している。ケネディ暗殺、月面着陸、ベルリンの壁崩壊、九・一一の大惨事。

啓示を受けたので、ホラティウスにマイクを渡して最後を締めてもらおう。「詩人の望みは、教えるか、楽しませるかである」。そしてこうつづく。「さらによいのは、教訓と娯楽を同時に与えることだ」

Lesson

1　自分が何をおもしろいと思うかを考えよう。それは人によってさまざまだろうが、答えはまったく主観的なものでもあるまい。ニュース、娯楽、文学から、人の興味を引きそうなものを十項目あげる。

- 愛らしい子供やかわいい動物のしぐさ
- ほぼすべてのレベルの争い
- 人間の性に関するさまざまな表現
- スポーツの結果
- 弱者の勝利
- 偽善者の没落
- 結婚式などの式典での人々のふるまいや失態
- 音楽とダンス
- 解けた謎

・最高の自然環境と最悪の自然環境
・（このリストに自分のものを追加していこう）

2　重要なことについても、同じようにリストを作ろう。

・自分や知人の身に起こること
・自分が住む場所に影響を与えること
・日常生活を劇的に変えること
・暴風雨や洪水などの災害
・金や資源の支出や浪費をともなうこと
・戦争。ほんとうの戦争（ベトナム戦争など）と、比喩的な意味での戦争（麻薬戦争など）
・環境への脅威
・役に立つ科学上の発見
・死者の数
・英雄的行為

3　自分が一生忘れない大事件のリストを作ろう。それらはきっとおもしろくて重要であり、ホラティウスの精神に則って、さまざまな知恵や喜びを与えてくれるだろう。

4　自分がおもしろくて重要だと思うこと――楽しみと知恵を与えてくれること――のなかでマスメディアに過小評価されていると感じるもののリストを作ろう。

30

受け手の目となり、耳となろう。

視覚的、聴覚的に異なる立場を使い、遠くから、そして近くから書くこと。

エドワード・ブリス・ジュニア編『光を求めて　エドワード・R・マローの放送録
一九三八年から一九六一年まで（In Search of Light: The Broadcasts of Edward R. Murrow, 1938–1961）』

かつてないほど、いまの書き手は文章を書く際に音や視覚の要素――写真や動画やデータ表など――を添えている。マルチメディアのこうした多彩な機能は一世紀以上をかけて形作られてきた。こうした世界のいわば英雄であるエドワード・R・マローは、ラジオとテレビの両方でニュース番組の制作に貢献した。画像がなくとも、マローの書いたことばは視覚と認知の面で、聞き手が「見る」手助けとなる。その最もすぐれた戦略のひとつは、語り手としての自分と見ている対象との距離をさまざまに変えることだ。大都市の建物の屋上に陣どって空に見えるものを伝えたり、強制収容所に踏み入って収容者のにおいやぼろぼろになった衣服のことを伝えたりした。スマートフォンのカメラは書くための貴重な道具である。ノートパソコンのカメラを使うのもいい。あるいは、手帳をカメラの代わりにする手もある。見たものを書き留めよう。

書くことについての本の例として『光を求めて』を採りあげるのは、おかしなことだと認めよう。それは放送ジャーナリストが語ったことばをまとめた本だからだ。執筆については特になんの助言もないだろう——主語とか動詞とか、ノンフィクションのためのストーリーボードの書き方などは皆無で、むしろ聞いてもらうための書き方、イメージの浮かびやすい書き方について語られている。

とはいえ、エドワード・R・マローはただの放送ジャーナリストではない。わたしはマローこそが二十世紀を代表する放送ジャーナリストで、CBSニュースの形を作り出したと言ってきた。最初はラジオ、つぎにテレビで。一見自信家のようだが、さまざまな困難をかかえ、パニックの発作を起こしがちだった。また、煙草を吸っていない写真や映像を見たことがないほどで、この習慣が早い死につながった。

マローの本を本書に含めたのは、すぐれた書き手となるためのきっかけを提供してくれるからだ。マローはひとつの技巧——放送用の文章を書く技術——を作りあげただけではなく、当初からだれよりもうまく実践していた。第二次世界大戦中のマローのラジオ原稿を読むと、ストーリーを力強く伝えようとしているのがわかるが、それは耳で聴くためだけでなく、目にも訴えかけるように書かれていて、情景が浮かびあがる。マローは放送ジャーナリズムの第一人者となるにつれ、ラジオの技術、さらにはテレビの技術が、つまらない商業目的でも深遠な目的でも使われうることを自覚した。それはデジタル時代のいまこそ強まっているジレンマでもある。

当時のマローが傑出したジャーナリストだった理由は以下のとおりだ。

・ラジオにはさまざまな場所から、とりわけ危険な場所から目撃者の報告を伝える力があることを示した。ロンドンがドイツ空軍の集中爆撃を受けたブリテンの戦いや、解放されたブーヘンヴァルト強制収容所からの特報を伝えた。

・情報技術が大きく進歩したさなかに、記事や報道で他を圧倒するものを見せつけた。CBSラジオで報道の新しい基準を打ち立てたあと、そうした基準や実地経験を黎明期のテレビのニュース番組で活用した。

・テレビに長期の調査報道のスタイルを持ちこみ、権力者の責任を追及した。この調査には記録を正すことが含まれ、それがいまや政治に関するファクトチェックの規範として熟しているが、その初期の例と言えよう。最も注目すべきなのは、マローがこの戦略を使って、ジョゼフ・マッカーシー上院議員による悪質なプロパガンダや、共産主義者への「魔女狩り」の愚行を暴き出したことである。

・力強い記事や報道は、安らいだ人々を打ちのめすだけでなく、打ちのめされた人々に安らぎを与えることもできる。マローのすぐれたドキュメンタリー作品のひとつに『恥辱の収穫』がある。これは、全米各地できびしい貧困と悲惨な状況のもとで働く出稼ぎ労働者を描いた、胸が張り裂けるような物語だ。

・マローは当時のアメリカで最も偉大な報道記者であっただけでなく、最も偉大なジャーナリズムのリーダーだった。その献身ぶりはすばらしく、テレビ局の同僚に向けた演説のなかで、エンターテインメントの評価や収益を超越した責務のあり方について論じ、みずからの雇用主の価値観に異議を唱えた。

こうした偉大な業績は、マローの卓越した執筆技術なくしてはありえない――とりわけ、目撃者の報告という語りの形式がそうだ。以下にラジオの特報からふたつ抜粋する。最初は一九四〇年九月二十二日のロンドンからのものだ。

今夜もまた、ロンドンを見おろす屋上に立っていますが、かなり広々としていて、さびしく感じます。この十五分から二十分ほどのあいだに、ここではかなりの動きがありましたけれど、いまのところ、ロンドンには不気味な静けさが漂っています。しかし同時に、この静けさは威厳にあふれてもいます。すぐ目の前をサーチライトが照らしています。遠くで対空砲弾の炸裂がひとつふたつ。通りの向こう側の屋根の上では、ブリキの帽子をかぶって、高性能の夜間双眼鏡をかけた男が空を見渡しています。反対のほうを見ると、窓がふたつなくなった建物があります。片方の窓では、白いシーツのように見えるカーテンが、夜のそよ風のなかを自由にはためいています。まるで幽霊に揺さぶられているようです。幽霊はロンドンのこうした建物のまわりにとてもたくさんいます。何マイルもの彼方に見えるサーチライトがまだ空を引っ掻いています。夜空高く、四分の三の月が浮かんでいます。一発の砲火がこぐま座へほぼまっすぐに向かっています。

これが強く心をとらえるのは、生中継で、台本もなく、その瞬間に伝えられる話だからだ。マローはわたしたちの目となり、耳となる。語り手がくわしく伝えないかぎり、ラジオを通して何かを見ることはできない。空を見渡すブリキの帽子をかぶった男、まるで幽霊のせいであるかのように揺れる窓のカーテン、空を照らすサーチライト、こぐま座に向かう砲火。ほかの例でマローが加えるのは、もちろん、静寂を破る自然音——ラジオの冒険ドラマの効果音とはちがって、その場にいたら聞いたであろう音だ。いや、ある意味では、そこにいるとも言える。

こうした特報は、開戦当初のブリテンの戦いからはじまった。終戦が近づいた一九四五年四月十五日には、わたしたちがのちにホロコーストと呼ぶ出来事の最初の証拠を世界に示すことになる。もちろんそれは、ブーヘンヴァルト強制収容所が解放されたときにマローが自分の目で見たものだった。

木曜にわたしといっしょにいたら見聞きしたであろうことを、この場で話すことを許してください。楽しい話ではありません。昼食をとっている人や、ドイツ人がしたことを聞いて食欲をなくしたくない人は、すぐにラジオを切ってもらいたい。これから話すのはブーヘンヴァルトのことです。ヴァイマルから四マイル離れた郊外の小さな丘の上に建つ、堅牢な造りを持つドイツ最大規模の強制収容所。そこへ近づくにつれ、ライフル銃を持った百人ほどの私服の男たちが散らばって進んでくるのが見えました。何軒か店があったので、わたしたちは寄って話を聞きました。収容者たちがナチスの親衛隊員ふたりをそこに閉じこめたとのこと。わたしたちはさらに車を走らせ、正門にたどり着きました。収容者たちが鉄条網の向こうに群がっています。わたしたちは中へはいりました。

こうして一人称で話すのは、お聞きのとおり、わたしはそこではとるに足りない人間だったからです。悪臭のする人の群れが押し寄せて、まわりを取り囲まれました。男たち、少年たちが、わたしにふれようと手を伸ばしてくる。みな、ぼろや囚人服の切れ端をまとっていました。多くの人にはもう死相が表れていましたが、目は笑っていました……。

［マローは何人かの収容者と会話をしたことや、その話の内容を伝える。それからこう語る］

わたしたちは小さな中庭へ進みました。壁の高さは約八フィート。隣は馬小屋か車庫だったのではないか。中にはいりました。床はコンクリート。二列に並んだ死体が、束ねた薪のように積まれている。痩せていて、とても白い。一部の死体にはひどいあざ、あとはほとんど骨と皮ばかり。頭を撃ち抜かれた死体もあるけれど、出血はほとんどない。二体を除いて全員裸。死体を正確に数えようとして、あきらめる。結局、そこには大人と子供、合わせて五百体以上が二列になって整然と横たわっているのがわかりました。

［今日でも、ホロコーストはなかったと否定しようとする人々がいる。このあとの部分は、そうした悪意ある否定をマローが予想したかのように感じられる］

ブーヘンヴァルトについて話したことを、みなさんは信じてくれるでしょうか。わたしは自分が見て聞いたことを報告しましたが、それはほんの一部です。ほかのほとんどについては、語ることができません……。このかなり控えめなブーヘンヴァルトの報告がみなさんを怒らせたとしても、わたしは少しも後悔しません。

ロンドンの屋上からの最初の報告と、この強制収容所のなかからの報告には、類似点と相違点がある。どちらも語り手が自分の目で見た細部の積み重ねによって作られている。おもなちがいは報告者と対象との距離で、これはあらゆる書き手にとってきわめて重要な戦略上の問題だ。屋上からの視点はずっと空を横切り、隣接した建物へ移動する。では、収容所のなかからの視点はどうだろう。語り手は死にゆく人々のにおいが嗅げるほど近くにいる。血の気のない裸の遺体が薪のように積まれているのが見える。

加えて、情報を伝える速度も異なる。ブリテンの戦いの文は淀みなく進んでいくが、それは内容にかなっている。注目すべきはブーヘンヴァルトにおける文で、こちらは徐々に短くなる。トム・ウルフによると、読者はとても短い文を「絶対の真理」として受け入れるという。マローは虐殺による恐ろしい事実を伝える際に、ひとつの段落に十の短い文を入れた。聞き手（この本では読み手）にしっかりこの経験を味わってもらいたいと考えている。巧みに練られた語りのなかで、マローは読者を十回立ち止まらせている（イギリス人はピリオドのことを終止符（フルストップ）と呼ぶ）。

第二の文章の口調は、最初の文章とはちがって聞き慣れた響きがあるかもしれない。言うなれば、聖書のような――どこか古めかしい――響きを持ち、預言的、黙示録的でもある。「大人と子供、合わせて五百体以上が二列になって整然と横たわっている」――この圧倒的な描写は、思いつくかぎりの何よりもナチスの大量虐殺機関の効率主義を的確にとらえている。作家は話すべきときには話さなくてはならないが、見せることができる場合にはそうすればいい。

一九五八年十月十五日、マローは現役のジャーナリストとして、おそらく歴史上最も有名な演説をした。ジャーナリズム、テレビ、ニュースの未来についてのものだ。シカゴで開催されたラジオ・テレビ・ニュースディレクター協会の会合でおこなわれた。この演説は、技巧が使命と目的に結びつくことにかけては、マローのことばのなかでも最高のものだ。

この業界で働き、ことばや絵をつむぎ出しているみなさんに対して、技術的な助言や忠告はありません。みなさんが使う道具は奇跡のようなもので、その責任は前例がないものですが、ときにはその願望が挫折することがあるのは、わたしが話さなくともおわかりでしょう。わたしが思い出させる必要もないことだが、みなさんの声は国の端から端まで届くほどに増幅されています。だからと言って、バーカウンターの端から端まで届く程度の声だったときよりも大きな知恵がみなさんに与えられたわけではありません。

マローの最後のことばは有名で、公共の使命を大切にするジャーナリストたちによって幾度となく引用され、二〇一九年になっても、ノラ・オドネルが「ＣＢＳイヴニングニュース」のキャスターとしての初日の晩に引用するほどだ。

この機械（テレビ）は教えることも諭すこともできます。人を奮い立たせることさえできる。しかし、そうできるのは、人間が目的を持って使おうと決めたときだけです。さもなければ、ただの箱にはいった電線と電球にすぎない。無知や無関心や不寛容と向き合うには、大きな、そしておそらく決定的な戦いがあるでしょう。テレビという武器はきっと役に立つはずです。

読み終わったあとに、もう一度読もうと思わせる本がある。『光を求めて』にはそうした力があり、それとは別に――もっと書こうと思わせる力もある。

Lesson

1　あらゆる文章は音声で読めるが、いくつかのもの――ラジオの報道、ポッドキャスト、オーディオブック――は耳で聞くように作られている。聞き手がある話に耳を傾けるとき、視覚と認知の面で「見る」ことができることが重要である。視覚を刺激するくわしい描写やイメージを含めよう。

2　マローの戦争報道から、さまざまな距離をとって報告したり書いたりする技術を学ぼう。空の光が見え、都市を広く見渡せる場所でのものもあれば、収容者の体に垂れさがるぼろぼろの衣服が見える劇的な至近距離のものもある。

3　ほとんどの文章は読み手の視覚に訴える。ほかの四つの感覚――嗅覚、聴覚、触覚、味覚――は過小評価され、無視されている。五感以外のもの――温度、動き、痛み、平衡、空腹、喉の乾き、恍惚――についても考えてみよう。これらのものはすべて、体験を「本物」と感じさせる機会を書き手に提供する。手帳を確認しよう。そうした感覚に関するくわしい記述を――せめてふたつくらいは――残しているだろうか。もし手帳ににおいや音についての記述がなければ、おそらく文章にはならない。

4　ここに書き起こした文章を読んだあとは、ネット上にたくさんある、マローの実際のラジオ特報やテレビ放送の音声を探してみよう。実際の声と、このページから立ちのぼる声のちがいを説明してみよう。

31

プロパガンダではなく唱道を選ぼう。

読者のさもしい本能に訴えかけず、そうする人がいたら抗うべきだ。

オルダス・ハクスリー『すばらしい新世界』

ジョージ・オーウェル『一九八四年』

ニール・ポストマン『愉しみながら死んでいく　思考停止をもたらすテレビの恐怖』

唱道とプロパガンダのちがいを学ぼう。一方は理にかなった目的に訴えかけ、もう一方は見知らぬ人への恐れなど、激情やさもしい本能に訴えかける。唱道が感情と相容れないという意味ではない。ストーリーは──たとえば児童虐待の話は──道理ある怒りと改善への欲求に火をつける。重要なのは、感情に満ちたストーリーも事実に基づいていなくてはならないということだ。あらゆる事実を確認しよう。メッセージやその送り主にだまされないよう、それを感知する嘘発見器を開発しよう。

高校生のころ、わたしには文学界のヒーローが三人いた。ひとりはアメリカ人のJ・D・サリンジャーで、残りのふたりはイギリス人のオルダス・ハクスリーとジョージ・オーウェルだった。同世代の多くの学生たちと同じように、ライ麦畑でつかまえたくて、高校のあいだずっと、ホールデン・コールフィールドを真似て赤いハンチング帽をかぶっていた。さまざまな理由からサリンジャーへの愛は年々薄れていったが、ディストピアを描いたイギリス人ふたりへの愛着はしだいに大きくなった。

十六歳の少年にとって、ハクスリーの未来像は実に魅力的だった。作中の世界では、強大な権力が薬物（「ソーマ」）とポルノ（「映画（ムービー）」ではなく「感覚映画（フィーリー）」）を使って、大衆が反乱を起こさないようにしていた。つづいて読んだのが、動物を描いたオーウェルの政治的寓話『動物農場』で、その体験が、おそらく文学史上最も有名な年である『一九八四年』へとつながった。

ヒトラーのドイツの余波やスターリンのソ連の影があるなか、オーウェルが書きあげた『一九八四年』は、恐ろしい独裁体制の話だった。そこでは、すべてを知り、すべてを監視するビッグブラザーが、暗黒の悪夢を利用して人々の行動をコントロールした。主人公のウィンストン・スミスにとって、それは殺すか殺されるかの選択ではなかった。そんな簡単なものではない。ウィンストンは恋人の顔にネズミを置くか、自分の顔をネズミにかじられるかを迫られていた。

『すばらしい新世界』と『文明の危機　すばらしい新世界再訪』の新版の序文で、故クリストファー・ヒッチェンズ――ハクスリーとオーウェルの文学上の後継者――は、そのふたりに共通する過去を明かしている。たとえば、ハクスリーはかつて失明寸前まで視力を悪化させながら、イートン校でフランス語と文学を教えていたことがある。文学界にとって幸運だったのは、その教え子のなかにエリック・ブレアという若者がいたことだろう。その後しばらくして、若きエリックはジョージ・オーウェルとなる。

ハクスリーは『すばらしい新世界』を書いた。オーウェルは『一九八四年』を書いた。それ以降、読者や批評家は、予言として的確なのはどちらの未来像かを議論してきた。ハクスリーにとって、大衆は薬物や快楽や娯楽によって服従させられる存在である。オーウェルにとって、市民は恐怖と威圧に心を支配された奴隷であり、党の指導者たちはことばを含めた人間生活のあらゆる面を歪曲する。

一九八五年に批評家の故ニール・ポストマンがおこなった講演は『愉しみながら死んでいく 思考停止をもたらすテレビの恐怖』として書籍化された。題名からもわかるように、迫りくる真実にはハクスリーのディストピアのほうが近いと考えたのだろう。二〇二〇年の現在でも、北朝鮮や中東のISなどで、『一九八四年』が形を変えた姿で見られる。ポストマンは軍靴よりもハイヒールに興味があるようだ。その主張によると、アメリカ人はテレビに夢中で、ずっと気を散らされている。ハクスリーの「ソーマ」の現代版だ。もしポストマン、オーウェル、ハクスリー、ヒッチェンズ――それにスーザン・ソンタグも入れよう――が生き返って、円卓ですてきな昼食をとるとしたら、きっと興味深い議論が展開されるだろう。話題は現代の娯楽、スマートフォンやテレビゲームや動画配信、さらには、近いうちに仮想現実として生々しく提供されるであろう各種ポルノといったものだ。

ハクスリーは未来をのぞき見るこのおもしろさに気づき、一九三二年におこなった予想について後日みずから説明するという驚きの行動に出た。新聞に連載されたのち、『文明の危機 すばらしい新世界再訪』として書籍化されたエッセイでは、自身の未来予測をおもな項目ごとに列挙し、ごまかすことなく採点している。気がかりなこととして、人口過多（解決策としての優生学も）、過度の組織化、プロパガンダ、宣伝、洗脳、化学薬物による説得、潜在意識に働きかける説得のほか、子供が生まれながら持つ健全な嗜好を支配者の意志に従わせる「嫌悪条件づけ」と呼ばれる手法のことも記している。

ハクスリーは予想のいくつかについて自己弁護し、オーウェルに宛てた手紙のなかで自分の言い分を述べている。

産児制限や麻薬催眠は、ナイトクラブや刑務所よりも、政府の用いる道具として効率的であり（中略）権力者の欲望は、むち打ちや足蹴にして服従させるのと同じように、人々に隷属を愛するよう促すことによっても、じゅうぶんに満たされる。（中略）『一九八四年』の悪夢は、わたしが『すばらしい新世界』で想像したものにいっそう近い悪夢へと変化する運命にある。

快楽は苦痛よりも効率的である、とハクスリーは言う。

だが、本書は本の書き方についての本だ。ことばの使い方に関して、ハクスリーとオーウェルの作品ではどう説明されているのだろうか。ふたりが描いたのはともに専制国家で、ことばの改竄やプロパガンダをうまく使うことで精神の自由を奪っている。オーウェルはエッセイ『政治と英語』のなかで、政治の腐敗はことばの腐敗を招き、それがさらなる政治の腐敗を招くと述べている。

ハクスリーの教えは同じくらい説得力があり、多くの読者のために執筆するどんな書き手にとっても重要なものだ。それは商業目的であれ、政治目的であれ、説得の技術に関係している。前者は広告。後者はプロパガンダ。ハクスリーの見方では、わたしたちはプロパガンダの内容によって、よいものと悪いものに分けているのかもしれない。よいものは人間の理性に訴えるが、悪いものはさもしい本能にしか訴えない。

『オックスフォード英語辞典』によると、プロパガンダ（propaganda）という語は「広める（propagate）」を由来とし、カトリック教会のなかで海外の伝道をつかさどった組織を指したことばで、その意味は十七世紀後半にまでさかのぼる。のちにそれが宗教以外へもひろがって、「特定の主義や慣習を広めるための連合、組織的計画、共同運動」の意味で使われるようになった。定義の中立性に注目してもらいたい。よい慣習にも悪い慣習にも使われ、区別されていないのである。

その中立性は二十世紀にはいってもつづいたが、意味が中立から否定的なものに変わると、侮蔑の含みを持つようになった。ハヤカワは、語義が変わった元凶として、ナチスのプロパガンダを指摘している。プロパガンダが卑劣な目的——大量虐殺、少数集団の迫害、専制権力の高揚——と結びつきはじめたのはそのころで、やがて、よいプロパガンダを表すことばが失われた。二〇二〇年に、これを最も意味の近いことばで表すとしたら、唱道（アドボカシー）だろう。わたしが太陽エネルギーを唱道していると言ったら、人々はわたしの立場やどんな主張なのかを理解してくれるだろう。だが、太陽エネルギーのプロパガンダを伝える者だと言ったら、まだ説得できていない人々のあいだに疑念をもたらすだけだろう。

ハクスリーは「販売の技術」という章でこう述べている。

> 民主政治の存続は、多くの人々がじゅうぶんな情報に照らして現実的な選択をできるかどうかにかかっている。一方、独裁政治は、検閲や事実の歪曲をおこない、また理性や正当な利己心にではなく、激情や偏見、そしてあらゆる人間の無意識の奥深くにひそむ、ヒトラーが言うところの強力な「隠れた力」に訴えることで、みずからを維持している。

二〇二〇年における国境を超えた政治的な動きを見るにつけ、このくだりを読むと先見性を感じずにはいられない。ハクスリーは、よいプロパガンダと悪いプロパガンダの区別をわかりやすく説明し、西洋の民主国家でもそこにふたつの面があると述べている。

> プロパガンダにはふたつの種類がある——それをおこなう人々と対象となる人々の正当な利己心に反しない行動のための合理的なプロパガンダと、どちらの正当な利己心にも反し、激情に支配されてそれに訴えかける非合理的なプロパガンダである。もし、政治家と有権者がつねに自身の、もしくは自国の長期的な利益のために行動するなら、この世は地上の楽園となるだろう。ところが実際は、自身の利益に反して行動することが多く、不名誉きわまる激情を満足させるためだけに行動する。その結果、この世は悲惨な場所となる。

以下の個所は、『すばらしい新世界』に登場するポルノ制作者なら「値千金のショット」と呼ぶかもしれない。

正当な利己心に反しない行動のためのプロパガンダは、じゅうぶんかつ誠実に説明された、考えうるかぎり最良の根拠に基づいた論理的な議論によって理性に訴えかける。自己利益に劣る衝動に支配された行動のためのプロパガンダは、まちがった根拠、歪曲された根拠、不完全な根拠を提供し、筋道立った議論を避け、ただ標語を繰り返し、国内外を問わずだれかに罪をかぶせて激しく非難し、最悪の激情を最高の理想と巧みに結びつけて、その餌食にしようとしている。その結果、残虐行為が神の名のもとでおこなわれ、最も不誠実な「現実政治」が宗教原理と愛国的な義務の問題として扱われることになる。

シェイクスピアは、恋人をソネットの詩で讃えれば不死の存在にできると論じる詩人のひとりだった。読者は何世代にもわたってそれらを読んできた。この章を、ハクスリーとオーウェルを生き返らせたいという無茶な願いで締めようと思う。なんとしてもふたりが必要だ。いや待て、ラザロの奇跡は必要ない。ふたりはわたしたちとともにいるからだ。そのことばや思想や理想は、すぐ手の届くところにある。

Lesson

1　ニュースや情報を読んだり利用したりするときには、プロパガンダの形態がよいものなのか、悪いものなのか、そのちがいに注意しよう。そのメッセージは、理性に訴えかける高い目的を持ったものだろうか、それともさもしい本能に訴えかける低い目的のものだろうか。

2　書くときには、検証可能な事実と信頼のできる証拠に一段と注意を払ってもらいたい。誠実な書き手であっても、物事を正しくとらえるよりも取りちがえるほうがたやすい。書いた原稿を提出する前に、よく目を通し、すべての事実に確認の印をつけ、「どうしてこんなことがわかるのか」と自問しよう。

3　友人や同僚と、この世界がハクスリー的であるか、オーウェル的であるか、それとも別のものであるか、話し合ってみよう。もし二〇八四年を舞台にしたディストピア小説を書くとしたら、そこにどんな課題を盛りこむだろうか。

4　書くことに関するオーウェルの最も実践的な助言は、エッセイ『政治と英語』の最後に書かれている。以下は、その教訓からの抜粋である。

・刊行物でよく見かける隠喩、直喩、そのほかの比喩的表現は使わない。
・短い単語でじゅうぶんなところでは、長い単語を使わない。
・単語を取り除くことが可能な場合は、かならず取り除く。
・能動態が使えるところでは、受動態を使わない。
・外国語の言いまわし、科学用語、専門用語については、日常使う母語でその語に相当するものを思いつくなら、使用しない。
・野蛮なことをおおっぴらに言うくらいなら、これらのルールを破るほうがいい。

32 書き手になろう――そして、それ以上の存在にも。

自分の持つすべての資質を生かして、空全体をながめてみる。

ナタリー・ゴールドバーグ『野性の精神　作家の人生を生きる（Wild Mind: Living the Writer's Life）』

チャールズ・ジョンソン『作家の手法　ストーリーテリングの技巧についての考察（The Way of the Writer: Reflections on the Art and Craft of Storytelling）』

自分が書き手であることを受け入れよう。だが、書き手であることは演じる役のひとつにすぎない。あなたは、音楽家、写真家、修理工、ヨガのインストラクター、バーテンダー、牧師、パン職人、はたまた、燭台を作る職人かもしれない。書くという技術には、そうした数多くの職業からあれこれを採り入れることができる。さまざまな経験を描けば描くほど、書き手の声はより濃密で信頼できるものになるだろう。人生をより力強く楽しみ、より深い知恵をもってながめ、より大きな共感力とともに受け入れることができるだろう。ジミ・ヘンドリックスのように、空にキスをするかもしれない。

これが最後の章となるのは、エージェントと編集者の双方から、そろそろ仕上げてくれないかと頼まれたからだ。本の書き方について何もかもを詰めこむのは賢明でも現実的でもない。契約では七万五千語だった。完成稿の単語を数えたところ、全部で十二万五千語になった。書棚にはそれぞれ一章を宛てるにふさわしい本がまだ百冊はある。つぎはどの本にしよう？

わたしが執筆時にすべて盛りこみ、推敲時に容赦なく削除するタイプであるのは、もうおわかりだろう。言いたいことを書き綴り、長さに関しては制限を設けない。ツイートするのもこんな具合で、メッセージを打つときにもよく文字数を超過して、ベーグルを焦がしたときのオーブントースターのような警告音が鳴るのも珍しくない。最もひどかったのは『文法の魅力』を書いたときだ。締切が過ぎたにもかかわらず、さらに三か月間、休みなく書きつづけ、契約上の目安だった五十章の倍の百章を書きあげてしまった。

わたしがこれから書くことが、あなたに希望を与えることになればと願っている。わたしもあなたと同じ執筆上の問題にぶつかる。ほかの書き手を助ける役割を持つ文章指導の講師だからこそ、よけいに不安になる。虫歯持ちの歯医者にはなりたくない。問題なのは、執筆に関する自分の助言を忘れる——あるいは無視する——ことである。著書にたくさんの解決法や技法があるけれど、自分でも復習する必要がある。たとえば、原稿を縮めようというとき、単語レベルの編集、つまり、ある章から無用な単語を削るだけでは無理だろう。たしかにわが原稿には雑然としているところがあるが、五万語すべてがそうではない。そう、簡潔さは圧縮ではなく、選択によって得られるものだ。

この教訓を最終稿に適用するつもりだが、それは最後の章を書き終えてからだ。最初の章にもどってQ教授の助言をもう一度読んだら、愛しきものをふたつや三つ殺すことになるかもしれない。テーマや趣旨とほとんど関係がないのに、大仰に声をあげたり、自分の好きな言いまわしや逸話を詰めこんだりした部分だ。

本書にナタリー・ゴールドバーグの『野性の精神』とチャールズ・ジョンソンの『作家の手法』を含めなくては、使命を果たせないのはわかっていた。どちらの本もそれぞれ一章ぶんの価値があり、予定では二章書いて、適切なテーマのところに入れるつもりだった。しかし、最後の瞬間に魔法のようなことが起きた。ある共通テーマが両作品でまさに具現されていることに気づいたのだ。これでひとつの章にまとめられる。だがそれだけでなく、どちらの本も、最後の教訓に最もふさわしい技巧の叡智をみごとに示している。

その叡智を手短に述べよう。作家には根幹となる技術が必要なだけでなく、付随する技術も必要である。それは料理かもしれない。ポーカーかもしれない。ダンスかもしれない。彫刻や建築かもしれない。ナタリー・ゴールドバーグにとって、それは絵画の技術と禅の研究だった。チャールズ・ジョンソンにとっては、哲学と視覚芸術だった。ゴールドバーグとジョンソンがともに、ウィリアム・ブレイク、G・K・チェスタトン、ウィリアム・ハズリットといった先人たちと同様に、視覚的な表現力から文章を書く力を得ているのを知って、うれしく感じた。

わたしは絵はまったく描けないが、ほかに何もしないわけではない。音楽や大衆文化やスポーツに支えられている。音楽理論の専門家ではないが、八歳からピアノを弾き、十六歳からロックバンドで演奏してきた。百年物のアップライトピアノ、三台の電子キーボード、テイラーのアコースティックギター、ベース、二本のウクレレ、十二本のハーモニカ、ニュージャージーのガレージセールで買ったイタリア製のアコーディオンを持っている。音楽と文章を共通言語にして、構成、リズム、抑揚、声、反復といったものを学んできた。物語にはクレッシェンド（盛りあがり）もあれば、コーダ（結尾）もある。コードの種類のひとつ「サスペンド」は、わずかな不協和音と先を予感させる軽い摩擦音を含んだ音の集まりだが、サスペンドのコードのまま楽曲を終えることはできない。リゾルブ（解決）する必要がある。物語もふつう、サスペンスのまま終わることはない。クリフハンガーで宙吊りのまま終わることはあるが、それは最後のコードではない。サスペンスもまた解決する必要がある。

本を書くことに関しては、売れることも大事だ。ナタリー・ゴールドバーグに多くの読者がいるのは喜ばしいことだ。『魂の文章術』の発行部数は三十年間で百万部に達し、ウィリアム・ジンサーの『うまく書くことについて』の記録と肩を並べている。ゴールドバーグの著作のなかに副題が「内なる作家を感じる」というものがある。彼女の解放への歩みは、ニューメキシコ州のサンタフェやタオスでの東洋宗教の実践に端を発している。

ゴールドバーグの半生を調べているとき、自分の経歴と共通項がいくつもあることに驚かされた。一九四八年にブルックリンで生まれ（✓）、ロングアイランドで育ち（✓）、ユダヤ人の親族を持ち（✓）、作家のための勉強会や相談会を運営し（✓）、カフェで書くのが好きで（✓）、これまでに書いた著作は十冊以上にのぼる（✓）。だが、ゴールドバーグから学んだことのほとんどは、互いのちがいに基づく。カトリックの信徒として育てられたわたしにとって、旧約聖書と新約聖書の物語は支えであり、また典礼や秘跡は恵みをもたらし、奇跡や超越の感覚を与えてくれるものだ。子供が洗礼を受けるとき、司祭が水を注いだあとに御（み）ことばを朗唱すると、すばらしいことが起こっているとまわりの信者は感じる。自分が書くときに似たところがあるのに気づいた――ことばの儀式は、わたしにとって変化をもたらすものであり、わたしの読者にとってもそうであればよいと願う。

ゴールドバーグにとってそれは禅であり、少なくとも間接的に彼女はわたしたちの禅の師である。そのことを最も強く感じたのは、野性の精神（ワイルド・マインド）ということばと出会った瞬間だ。それは『魂の文章術』の続編のタイトルでもある。作家として生きるには、ある種の物の見方が必要となる。とはいえ、野性の精神とはどんなものだろうか。

以下は、そのすばらしい一節だ。

> ニューメキシコ州のバンデリア国定公園にあるフリホーレス渓谷に、バックパッカーとして来ている。わたしたちはピンクとオレンジの崖のあいだを流れる小川沿いの道をたどってきた。午前中にシカを目撃した。ミュールジカなのは、ほぼまちがいない。最初に一頭、少しあとに二頭。シカはこちらを

見たとたん、駆けるというよりも跳びはねていった。

ゴールドバーグは、わたしがあまり得意としていない、場の雰囲気の再現に長けている。実際に感じたことや直接観察したことを、色鮮やかな美や驚くべきものへの喜びとともに、シカの姿の贈り物にして見せてくれる。

いま、巨石に寄りかかっている。石が背中を冷やす。読者のみなさんはここにいっしょにいるわけではないが、空を見あげてほしい。見えるだろうか。大きな空だ。こんな西まで来たことがないなら、オハイオ州の空の下に立っていると想像してもらおう。二車線の幹線道路、どんよりとした空、四方八方に地平線が見える。景色を邪魔するものはほとんどなく、風除けのヤナギバグミの木が並ぶ農家の臨時家屋と、細いネオン管のＥＡＴ〔食堂〕の文字が光る道路脇の白い四角い建物があるだけだ。Ｅの下の線とＡの左の線が切れている。

ゴールドバーグはある種の魔法を使っていて、降参すべきなのか抵抗すべきなのかわからない。大きな空と壊れた看板の細部を一度にどうやって見ればいいのだろうか。車のヘッドライトのように、わたしの鼻をニューメキシコへ、オハイオへ、そしていまいるフロリダへと向けさせているのだろうか。

ニューメキシコであれ、オハイオであれ、わたしたちは大きな空の下にいる。大空は野性の精神だ。まっすぐ頭上の空へのぼり、そこにマジックペンで点をひとつ書くつもりだ。点が見える？　その点のことを、禅では心猿（しんえん）と呼び、西洋の心理学では意識の一部と呼ぶ。わたしたちはそのひとつの点にあらゆる注意を向ける。だからその点が、書けない、だめだ、失敗だと言い、ペンを手にすることさえもからかうと、それに耳を傾けてしまう。

読者に直接語りかける個所では、ゴールドバーグはひとつの段落のなかで「あなた」という語を十五回も使い、不満を覚える書き手、すなわち、作家になりたいと熱望しつつも苛立ちの兆候が出てあきらめてしまう書き手を想定して、多角的な人物像を作り出している。

これは永遠につづく。それが心猿だ。わたしたちはこんなふうに押し流される。耳を傾け、投げ出す。ひとつの点にあらゆる注意を向ける。一方で、まわりには野性の精神が満ちている。西洋の心理学では、野性の精神のことを無意識と呼ぶが、無意識では限定的な用語に感じられる。わたしたちすべてが相互に入り組み、つながっているのが事実だとしたら、野性の精神には、山、川、キャデラック、湿気、平原、エメラルド、貧困、ロンドンの古い通り、雪、月が含まれる。川や木に意識がないわけではない。それらも野性の精神の一部だ。

わたしは結びの部分を読むたびに高揚感を覚える。そして、あなたを文学の洗礼に浸らせる道徳的義務を感じる。

だから、作家としてのわたしたちの仕事は、すべての人生をその点のなかで無駄に費やすことではなく、そこから大きな一歩を踏み出して、大空に身を沈め、それから書くことだ。あらゆることを経験して、できるだけ多くのことをつかみとり、ペンと紙で書きつける。すでにまちがいなく持っているもの――あなた自身の野性の精神――のなかで過ごしてもらいたい（中略）。

これは禅が求めることでもある。野性の精神の真ん中に腰を落ち着けよう。これはすなわち、制御を失うことだ。恋に落ちることもまた、制御を失うことだ。

実行できるだろうか。制御を失い、野性の精神に身をまかせてもよいのだろうか。だが、これが書くうえで最善の方法だ。生きていくうえでも。


ナタリー・ゴールドバーグとチャールズ・ジョンソンの会話をぜひ聞いてみたいものだ。多くの類似点がある一方で、相違点もあるというのは、禅の公案の二面性である。ふたりの共通点にはすぐに気づくだろう。ジョンソンは多作な作家にして有能な文章指導の講師であるだけでなく、視覚芸術と仏教の実践者でもある。著書『作家の手法』の表紙の写真を見ると、ジョンソンは明らかに作家の仕事場とわかる部屋にいて、棚いっぱいに本が並び、机はノートであふれ、そばには愛らしい子供——おそらくは孫——がいて、横の敷物の上には二匹の犬がいる。ぜひ名前を知りたいものだ。机の端には黒檀で作られた仏陀の坐像がある。ジョンソンのこの本には、仏教哲学や文学の引喩が山ほど載っている。その本のあとがきで、かつてジョンソンの教え子だった評論家のマーク・C・コナーは、「彫刻家の仕事は、まだ彫っていない木や石のなかにあるすばらしい像を見ることだ」という禅のことばをジョンソンが大好きらしいと述べている。つまり、作家にとっては、「意識的に創造する」ことではなく、経験という石に隠された物語を見つけることが重要なのだ。

ゴールドバーグとのちがいは、ジョンソンに哲学と文学を融合させる情熱があることだ。ふたつの学問はずっと対立するもの——上層の真実と下層の真実——だったが、ジョンソンは論理と抽象性という泉から、情熱と感情によって両者を和解させる方法を引き出している。

文学について議論するとき、いつの間にか近しい学問である哲学へと会話が向かうことに気づくだろう。どちらの表現形式も、言語を用いて経験したことの解釈を提示する。さらに、哲学と文学の関係は、哲学者は単に物を考えているだけではないという、明白ながらあまり言及されない事実によって裏打ちされている。哲学者は書き手でもある。最高のストーリーテラーはこの世界の理解を変え、深めていく。書き手であるだけでなく、観念の冒険にも出ている。（中略）しかし残念なことに、この重要な問題についての対話は、哲学と文学が持つ性質への偏見や誤解によって曇らされることが多い——たとえば、作家は物語（ただのフィクション）を伝えるが、哲学者は真実を伝える、といったたぐいのものだ。しかし、最上の文学を特徴づける真に創造的な過程を、もし内側から見ることができれば、この関係のいくつかの面を明確にし、小説と哲学の双方にあてはまる、著述における創造性のアルゴリズムが解明されるとわたしは考える。

哲学と文学はともに考える手立てであり、この世界と人類の経験への理解を明確にする手立てでもある。すぐに書いて発表できるものもあるが、哲学と文学はどちらも、理論化、議論、失敗につながる成功、成功につながる失敗といった長い過程から利益を得る。哲学者のなかには、挿話や実例を避ける者もいる。ひとつの例は、ある瞬間には、より大きな抽象概念を力強く伝えるかもしれないが、別の瞬間には、時代遅れになったり、弱くなったり、ただ該当しなくなったりということがあるからだ。

真実を伝える形式としてのストーリーテリングを説明する段になると、ジョンソンは三段論法ではなく、あるすばらしい逸話を引き合いに出す。それは大学の友愛会の仲間に再会した場面ではじまる。それぞれの娘たちが一芸コンテストに出場しているあいだに、その友人はジョンソンの小説『中間航路』を堪能したと話した。

わたしは友人に礼を言った。その二百五十ページの物語となるまでに、六年間に三千ページぶんの原稿を捨てたから、読んでくれてほんとうにうれしいと言った。相手は目を大きく見開いた。書いたページと残ったページの比率は二十対一ぐらいが多いと話すと、こんどは口をあんぐりとあけた。おそらく友人は、アテナがゼウスの頭から出てきたように、その本がわたしの脳からほぼ完全な形で湧き出てくるのを想像したのだろう。『中間航路』を書きはじめたとき、すでに物語をどう終えるかわかっていたとさえ、勘ちがいしていたかもしれない。

その友人は小説が特別な思考実験だとは知る由もなかったが、わたしはずっと文学を潜在的に哲学の力を持った場と見なしてきた。人類の経験を超えた抽象的な領域に存在する考えなど、これまでに一度も見たことがない。むしろ、考えはこの世界のすぐ近くにあり、日々の経験が溜まったごみや泥に由来すると見なしている。わたしたちが研究や熟考のためにそれらを抽象化するのは、あとの話だ。では、この哲学的小説家は何をするのだろうか。そうした考えが最初に生まれた、経験という実体のある世界へ、ただもどそうとしているのだ。

『倫理的な小説について（On Moral Fiction）』の著者、故ジョン・ガードナーの教え子であるジョンソンは、小説をどう書くかだけでなく、なぜ書くのかということにもこだわった。あとがきのなかでコナーはジョンソンについて述べ、「わたしたちはなぜ小説を書くのか」「なぜそれを読むのか（中略）なぜ物語がわたしたちにとってそんなに重要なのか」と問いかける。

こうした問いかけがジョンソンの創作やそれを教える際の糧になったという。「めざしていたのは、教え子たちに深い読書体験のすばらしさを理解してもらうことだった」とコナーは述べている。

ジョンソンの考えでは、読書の真の実践には、経験をまとめて現在の瞬間だけに集中する現象学の実践と多くの共通点があるという。仏教がいまここに存在する場所にあらゆる注意を向け、幻想的な過去や未来の誘惑に抗うのと同じだ。ジョンソンは創作を取り巻くあらゆる関心事——批判的な考え、評判、文学理論など——をすべて遮断し、「自分が十二歳や十三歳のころに読者としていだいた純粋な魅惑と同じもの……謎や不思議の体験、つぎに何が起こるのかという期待感」だけを求める。

結局のところ、ゴールドバーグとジョンソンの著作——加えて、この『名著から学ぶ創作入門』で採りあげたすべての書き手の作品——は、単純だが深遠な真実を示している。書き手はあらゆるものを使う。想像力、本能、理性、五感、経験、人間関係、ことば、そして子供のころから吸収してきたありとあらゆる物語。書くことは天職かもしれないし、趣味かもしれないし、憧れかもしれない。どんな道であるにせよ、書くことは、あなたがさらに多くを知ったり感じたりする助けとなる。それは人として生きる経験を力強く増幅させることだろう。

Lesson

1 この『名著から学ぶ創作入門』を読んで、いちばん心に残ったところを、メモや本書を見ずに三つあげてみよう。

2 本書で紹介した本のうち、自分が読んでみたいと思った本を三冊あげてみよう。選んだ理由も書こう。

3 読み手と書き手以外に、あなたが演じているほかの役割をあげてみよう。そうした経験をどう生かしたら文章を書けるか考えよう。

4　もし本書が役に立つと感じたら、わたしのほかの著作――『ライティング・ツール』、『文法の魅力』、『書き手が困ったときは』、『簡潔に書く方法（How to Write Short）』、『X線読みの技術（The Art of X-Ray Reading）』――もぜひ読んでもらいたい。すべてリトル・ブラウン社から刊行されている。

著者あとがき

本を書く場合、わたしは構想から刊行までにおよそ三年をかける。本の書き方について書いた本を書くのは賢明で有益ではないか。わたしがそう思いついたのは二〇一七年のことだった。

いま、この『名著から学ぶ創作入門』の最後のことばを書く段になって感じるのは、第一章を書きはじめたときにいた場所とはずいぶん離れたところに自分がいることだ。ドン・マレーは自分の文章に対する驚きに備えることを教えてくれたが、わたしはいま大きな驚きに襲われている。この本は予想以上の度合いで、わたしを技巧の高みや深みへ導いてくれた。

原題の副題「アリストテレスからジンサーまで、ライティングに関する丁重なアドバイス」には〝AからZまで〟の意味合いがこめられている。たまたまアルファベットの端から端までだが、それよりも重要なのはその年代の幅である。紀元前三八四年のアリストテレスの誕生から二〇一五年のジンサーの死去まで、その広がりは二千三百九十九年間に及ぶ。物語がどのように機能し、ことばがどのように意味を生むかを解き明かすために、二千年以上もの期間をかけて、無数の人々が力を尽くしてきたということだ。

パーティーでのこんな遊びがある（きっとソーシャルメディア版もあるにちがいない）。食事に招きたい歴史上の人物を三人あげるというものだ（シェイクスピア、リンカーン、イエスの母マリアの三人に加えて、キーボードの片隅にモーツァルトがいるのはどうだろう）。

現実の暮らしでは、だれといっしょにいるかが重要だ。あなたの選び方を見ればその人たちについて多くのことがわかるし、あなた自身のことはもっとわかる。これまでにわたしは執筆に関する講座や催しを、三人から数千人まで、さまざまな規模で企画してきたが、そのうちのひとつ「全米作家ワークショップ」では、作家志望者たちがどこかの街に集まって、著名作家とともに演習をおこなっている。ぼんやりと考えているとき、ふと、この本にはそうした学びを通じた出会いの精神があると感じた。

ホラティウス、ハヤカワ、マローといった面々が現場報告やストーリーテリングについて討論したらどうだろうか。アリストテレスとルイーズ・ローゼンブラットが物語への読者の反応について会話したらどうなるだろうか。カート・ヴォネガットとメアリー・カーが事実と虚構の境界について熱心に語り合ったら、廊下にはどんな話が漏れ聞こえるだろうか。

「大げさな言い方をするとね」歴史家である友人のポール・クレイマーは、この本についてこう述べた。「きみが主催しようとしている集まりは、言語おたくの歴史のなかで、かつてないほどにぎやかなものになりそうだよ」

このパーティーを催し、みなさんをお招きできて光栄だ。著者が受けとる最高の贈り物は、読者に注目してもらうことである。これからもジョージ・オーウェル、E・B・ホワイト、アン・ラモットとの会話をつづけてほしい。そこでの有意義なやりとりを日々の執筆に採り入れ、執筆仲間と分かち合ってほしい。一日一日、その技巧に関して新しいことを学んでもらいたい。そして、つぎの驚きに備えよう。

謝辞

どうかこの本を表紙で判断していただきたい。デザインしたキース・ヘイズは、わたしがリトル・ブラウン社から出した六冊すべての本の表紙を手がけてくれた。リトル・ブラウンを離れてフラティロン・ブックスのアート・ディレクターに就任するとキースが発表したとき、きっと深い嘆きの声が聞こえたにちがいない。その声はあまりに強く響き、フロリダから州間高速九十五号線を通ってニューヨークまで届いた。わたしの絶望を知ったキースは、いま一度もどって表紙（カバー）の手助け（カバー）をすると言ってくれた。表紙のあの短剣、とても気に入ったよ〔日本版は原書とデザインが異なる〕。

リトル・ブラウン・チームの中心、トレイシー・ベハールは、これまでのなかでも、今後望みうるなかでも、最高の編集者だ。二〇〇六年、伝説的エージェントのジェーン・ディステルは、わたしとトレイシーが組めば生産性が増すだろうと請け合った。わずか十数年のあいだに六冊の本を出せたことは、ジェーンの判断が正しかったことを示す証拠だ。トレイシー、殺すべき愛しきものを——そして生かすべきものを見きわめる手助けをしてくれてありがとう。マイケル・ピーチとリーガン・アーサー、そしてベッツィー・ウーリグ率いる原稿編集チームにも謝意を表する。鋭い目と深い教養を持ったキャスリーン・ロジャースにはとりわけ感謝したい。わが文章に磨きをかけ、誤った思いこみへの事実確認をしてくれた〔ビリー・ウェルは左投げのプロボウラーだと思いこんでいたが、右投げだと判明した〕。

この『名著から学ぶ創作入門』が刊行される二〇二〇年に、わたしはポインター・インスティテュートで教壇に立って四十周年を迎える。この学校は、ピューリッツァー賞を十二度受賞した報道機関「タンパベイ・タイムズ」を所有している。税関で四十年間勤続した父を手本に、協力的・創造的で理念を持った拠点を築き、そこで職業人生を送れたことを光栄に思う。ポインターや「タンパベイ・タイムズ」のすべての仲間、いまやわが教師へと転じたすべての学生にも感謝する。

一九七七年からわが故郷となったセント・ピーターズバーグ市にも感謝したい。陽光と海があるだけにとどまらず、活気のないフロリダの小さな町からアメリカでも有数のダイナミックで創造的な街へと変貌をとげた。何かあったら連絡をもらいたい。ピネラス郡公立学校とそれぞれの学校の国語科の先生がたに——とりわけメアリー・オズボーンとホリー・スローターに感謝する。みなさんは読み書き教育のよき庇護者だ。率先して教室を読み書きや発話の実験室へと変えてくれた。

ピューリッツァー賞受賞作家であるアメリカ人の親友トーマス・フレンチにも感謝する。インディアナ大学を国内最高の作家やストーリーテラーが集まる本場にした功労者だ。カナダ人の親友、故スチュアート・アダムにも感謝したい。わたしの知るかぎり最も聡明で矜持のあるジャーナリズムの学者だった。

歴史家にして作家のポール・クレイマーに感謝する。励ましに加え、草稿を読んで貴重な意見を述べてくれた。

行く先々の書店に感謝する。とりわけジャック・ケルアックの亡霊と二匹の偉大な看板猫ベオウルフとティーカップの住まいであるハズラムズ・ブックストアのみなさんに。ウィルソンズ、321ブックス、ライトハウス・ブックスにも。そして、タンパでのわが文芸活動の拠点、オックスフォード・エクスチェンジのローラ・テイラーにも感謝する。

すべての作家には、休憩と気分転換のためのコーヒーショップが必要で、ここ十年間のわたしの行きつけはセント・ピーターズバーグの「バンヤン」である。エリカ・アラムズのもてなしと魅力、そして書き手たちへの貢献に感謝する。

若くしてこの世を去ったジェイミー・ホーキンス＝ガーの思い出に。彼の遺した創造性、ユーモア、慎み深さはいまもわたしたちを魅了している。

特定の名前はあげないが、フェイスブックの友達やツイッターのフォロワーのみなさんにも謝意を表したい。えてして社交的（ソーシャル）な環境ではないソーシャルメディアだが、わたしは周囲の人々に恵まれ、仕事を応援してもらったり、本の販売を助けてもらったり、誕生日を祝ってもらったりした。愛犬レックスが天国へ旅立った日には、いっしょに悲しんでもくれた。

この本を書いているあいだに、わが身に実に驚くべき出来事があった。母校プロヴィデンス・カレッジから名誉学位を授けられ、創立百周年記念行事の最後にスピーチを頼まれた。全額支給奨学金を受けた一九七〇年から半世紀後の今回の栄誉まで、ザ・ビーチ・ボーイズの歌詞さながらに、わたしが学校に対して誠意を尽くすと約束できるのは、学校がわたしにずっと誠意を尽くしてくれたからだ。

作家たちには事あるごとに、最後へ向けて力を残しておくよう教えているので、この十九冊目の本を家族への感謝のことばで締めくくりたい。弟のヴィンセントとテッドに。そして、善人になる方法を教えてくれるわが三人の娘たち、（アルファベット順に）アリソン、エミリー、ローレンに。おっと、忘れるところだった。その娘たちの母親カレンにも。その調子でがんばってくれ。わたしはここにいる。

ブックリスト

1　愛しきものを殺せ。

Sir Arthur Quiller-Couch, *On the Art of Writing.* New York: G. P. Putnam's Sons, 1916.（サー・アーサー・クィラー・クーチ『書く技術について』）

2　雑然とした個所を見つけて削除しよう。

William Zinsser, *On Writing Well: The Classic Guide to Writing Nonfiction, 30th-anniversary edition.* New York: Harper-Collins, 1976 to 2008.（ウィリアム・ジンサー『うまく書くことについて　ノンフィクションを書くためのクラシックガイド』）

Edward Bliss Jr. and John M. Patterson, *Writing News for Broadcast.* Foreword by Fred Friendly. New York: Columbia University Press, 1971.（エドワード・ブリス『放送用のニュースを書く』）

Roy Peter Clark, *Writing Tools.* New York: Little, Brown, 2006.（ロイ・ピーター・クラーク『ライティング・ツール』）

3　ことばのなかで生きることを学ぼう。

Donald Hall, *Writing Well.* Boston: Little, Brown, 1973.（ドナルド・ホール『うまく書くには』）

Donald Hall, *A Carnival of Losses*, Boston: Houghton Mifflin Harcourt, 2018.（ドナルド・ホール『喪失の祭り』）

J・D・サリンジャー『キャッチャー・イン・ザ・ライ』村上春樹訳、白水社、二〇〇六年ほか

ハーマン・メルヴィル『白鯨』全三巻、八木敏雄訳、岩波書店、二〇〇四年ほか

4　狙った効果にふさわしい文の形を選ぼう。

George Campbell, *The Philosophy of Rhetoric.* Condensed by Grenville Kleiser. New York and London: Funk & Wagnalls, 1911.（ジョージ・キャンベル『レトリックの哲学』）

A. Howry Espenshade, *The Essentials of Composition and Rhetoric.* Boston: D. C. Heath, 1904.（エイブラハム・ハウリー・エスペンシェード『作文とレトリックの本質』）

Hugh Blair, *Lectures on Rhetoric and Belles Lettres.* Edited by Linda Ferreira-Buckley and S. Michael Halloran. Carbon- dale: Southern Illinois University Press, 2005. (Originally published London: W. Strahan, 1783.)（ヒュー・ブレア『レトリックの講義』）

5　計画に沿って書こう。

ジョン・マクフィー『ピュリツァー賞作家が明かす　ノンフィクションの技法』栗原泉訳、白水社、二〇二〇年

John McPhee, *The John McPhee Reader.* Edited with an introduction by William L. Howarth. New York: Vintage Books, 1977.（ウィリアム・L・ハワース編『ジョン・マクフィー選集』）

Roy Peter Clark, *Free to Write.* Portsmouth: Heinemann Educational Books, 1987.（ロイ・ピーター・クラーク『自由に書く』）

6　「スタイル」の相反するふたつの意味を認識しよう。

ウィリアム・ストランク・ジュニア、E・B・ホワイト『英語文章ルールブック』荒竹三郎訳、荒竹出版、一九八五年

E・B・ホワイト著、ガース・ウイリアムズ絵『スチュアートの大ぼうけん』さくまゆみこ訳、あすなろ書房、二〇〇〇年

E・B・ホワイト著、ガース・ウイリアムズ絵『シャーロットのおくりもの』さくまゆみこ訳、あすなろ書房、二〇〇一年

Mark Garvey, *Stylized.* New York: Touchstone, 2009.（マーク・ガーヴィー『表現様式』）

ウィリアム・シェイクスピア『マクベス』福田恆存訳、新潮社、一九六九年ほか

7｜文の長さを変えて、心地よいリズムを作ろう。

Gary Provost, *100 Ways to Improve Your Writing: Proven Professional Techniques for Writing with Style and Power.* New York: Mentor, 1985.（ゲイリー・プロヴォスト『文章を上達させる百の方法　スタイルと力を具えた文章のための、実証された専門技術』）

Ursula K. Le Guin, *Steering the Craft : A 21st-Century Guide to Sailing the Sea of Story.* Boston: Mariner Books, 2015.（アーシュラ・K・ル＝グウィン『技巧の船を操る　二十一世紀に物語の海を渡るためのガイド』）

8｜視覚的なマーキングによって、創作の進行を促そう。

Robert H. Taylor, and Herman W. Liebert, *Authors at Work (manuscripts of famous writers).* New York: Grolier Club, 1957.（ロバート・H・テイラー、ハーマン・W・リーバート編『仕事場の作家たち』）

Vera John-Steiner, *Notebooks of the Mind: Explorations of thinking.* Albuquerque: University of New Mexico Press, 1985.（ベラ・ジョン＝スタイナー『心の手帳　思考を探る』）

パーシー・ビッシュ・シェリー「ヒバリに寄せて」『シェリー詩集』所収、上田和夫訳、新潮社、一九八〇年ほか

Roy Peter Clark, *The Glamour of Grammar.* New York: Little, Brown, 2010.（ロイ・ピーター・クラーク『文法の魅力』）

リチャード・シェリダン『悪口学校』菅泰男訳、岩波書店、一九八一年ほか

ジェイムズ・ボズウェル『サミュエル・ジョンソン伝』全三巻、中野好之訳、みすず書房、一九八一年・一九八二年・一九八三年

ディラン・トーマス「プロローグ」『ディラン・トマス全詩集』所収、松田幸雄訳、青土社、二〇〇五年ほか

9　自分の声をデジタル時代に合わせよう。

Constance Hale and Jessie Scanlon, *Wired Style: Principles of English Usage in the Digital Age*. New York: Broadway Books, 1999.（コンスタンス・ヘイル、ジェシー・スキャンロン『ワイアード・スタイル　デジタル時代における英語の語法の原則』）

Constance Hale, *Sin and Syntax*. New York: Broadway Books, 1999.（コンスタンス・ヘイル『罪と統語論』）

Constance Hale, *Vex, Hex, Smash, Smooch*. New York: W. W. Norton & Company, 2012.（コンスタンス・ヘイル『手こずらす、たぶらかす、ぶつける、口づける』）

リチャード・ドーキンス『利己的な遺伝子　40周年記念版』日高敏隆・岸由二・羽田節子・垂水雄二訳、紀伊國屋書店、二〇一八年ほか

ウィリアム・シェイクスピア『タイタス・アンドロニカス』小田島雄志訳、白水社、一九八三年ほか

10　書き手の声として聞こえるよう、ダイヤルを調節しよう。

Ben Yagoda, *The Sound on the Page: Great Writers Talk about Style and Voice in Writing*. New York: Harper, 2004.（ベン・ヤゴーダ『ページの響き　大物作家たちが文章のスタイルと声について語る』）

ジョセフ・コンラッド『闇の奥』、中野好夫訳、岩波書店、一九五八年ほか

Ben Yagoda and Kevin Kerrane, editors. *The Art of Fact*. New York: Scribner, 1997.（ベン・ヤゴーダ、ケヴィン・ケラーン『事実の技術』）

アーネスト・ヘミングウェイ「三日吹く風」『われらの時代・男だけの世界　ヘミングウェイ全短編一』所収、高見浩訳、新潮社、一九九五年

11　執筆というプロセスの手順を知ろう。

Donald Murray, *The Essential Don Murray: Lessons from America's Greatest Writing Teacher*. Edited by Thomas Newkirk and Lisa C. Miller. Portsmouth, New Hampshire: Heinemann Boynton/Cook, 2009.（トマス・ニ

ユーカーク、リーサ・C・ミラー編『ドン・マレーの精髄　全米一の創作講師の教え』）

J・R・R・トールキン『指輪物語』全十巻、瀬田貞二・田中明子訳、評論社、一九九二年・二〇〇三年

Donald Murray, *A Writer Teaches Writing, 2nd edition.* Boston: Houghton Mifflin, 1985.（ドナルド・マレー『物書きが教える文章術』）

Donald Murray, *Writing for Your Readers.* Guilford: Globe Pequot Press, 1983.（ドナルド・マレー『読者のための文章』）

Donald Murray, *Write to Learn.* Stanford: Thomson Learning, 1984.（ドナルド・マレー『書くことと学ぶこと』）

Donald Murray, *Read to Write.* Boston: Holt Rinehart & Winston, 1986.（ドナルド・マレー『読むことと書くこと』）

Donald Murray, *The Craft of Revision.* San Diego: Harcourt Brace College Publishers, 1991.（ドナルド・マレー『修正の技法』）

Donald Murray, *Writer in the newsroom.* St. Petersburg: Poynter Institute for Media Studies, 1995.（ドナルド・マレー『ニュース編集室の記者』）

12｜書きつづけよう。そうすれば、だんだんよくなる。

アン・ラモット『ひとつずつ、ひとつずつ　「書く」ことで人は癒される』森尚子訳、パンローリング、二〇一三年

ベンジャミン・スポック『スポック博士の育児書』高津忠夫監修、暮しの手帖翻訳グループ訳、暮しの手帖社、一九六六年ほか

Anne Lamott, *Traveling Mercies.* New York: Random House, 1999.（アン・ラモット『恵みを伝える』）

Anne Lamott, *Plan B.* New York: Riverhead Books, 2004.（アン・ラモット『プランB』）

ジェームズ・M・ケイン『郵便配達は二度ベルを鳴らす』田口俊樹訳、新潮社、二〇一四年ほか

13｜言いたいことを見つけるために、自由に書こう。

Peter Elbow, *Writing Without Teachers.* New York: Oxford University Press, 1973.（ピーター・エルボー『教師

がいなくても学べる文章術』）

Peter Elbow, *Writing with Power: Techniques for Mastering the Writing Process.* New York: Oxford University Press, 1981.（ピーター・エルボー『力のある文章　執筆プロセスの技術』）

Roy Peter Clark, *Help! For Writers.* New York: Little, Brown, 2011.（ロイ・ピーター・クラーク『書き手が困ったときは』）

ロラン・バルト『明るい部屋　写真についての覚書』花輪光訳、みすず書房、一九九七年ほか

スティーヴン・キング『ミザリー』矢野浩三郎訳、文藝春秋、一九九一年ほか

14　「わたしは作家だ」と声に出して言おう。

Dorothea Brande, *Becoming a Writer.* New York: Harcourt Brace & Co., 1934. (Reissued twice with forewords by John Gardner and Malcolm Bradbury, respectively.)（ドロシア・ブランド『作家になる』）

ブレンダ・ウェランド『本当の自分を見つける文章術』浅井雅志訳、アトリエＨＢ、二〇〇四年

ドロシア・ブランド『目覚めよ！　生きよ！』小林薫訳、実業之日本社、二〇一三年

15　書く習慣を身につけよう。

スティーヴン・キング『書くことについて』田村義進訳、小学館、二〇一三年

スティーヴン・キング『キャリー』永井淳訳、新潮社、一九八五年ほか

スティーヴン・キング『呪われた町』全二巻、永井淳訳、集英社、二〇一一年ほか

スティーヴン・キング『シャイニング』全二巻、深町眞理子訳、文藝春秋、二〇〇八年ほか

スティーヴン・キング『デッド・ゾーン』全二巻、吉野美恵子訳、新潮社、一九八七年

ジョン・スタインベック『怒りの葡萄』全二巻、伏見威蕃訳、新潮社、二〇一五年ほか

16　ストーリーテリングの価値を理解しよう。

ブライアン・ボイド『ストーリーの起源　進化、認知、フィクション』小沢茂訳、国文社、二〇一八年

Melvin Mencher, *News Reporting and Writing, 9th edition.* Boston: McGraw Hill, 2000.（メルヴィン・メンチャー『ニュースレポーティング&ライティング』）

ダンテ・アリギエーリ『神曲【完全版】』平川祐弘訳、河出書房新社、二〇一〇年ほか

ホメロス『オデュッセイア』全二巻、松平千秋訳、岩波書店、一九九四年ほか

ドクター・スース『ぞうのホートンひとだすけ』わたなべしげお訳、偕成社、二〇〇八年ほか

17―複雑な人間を語り手としよう。

James Wood, *How Fiction Works.* New York: Farrar, Straus and Giroux, 2008.（ジェームズ・ウッド『フィクションの仕組み』）

スコット・フィッツジェラルド『グレート・ギャツビー』村上春樹訳、中央公論新社、二〇〇六年ほか

シルヴィア・プラス『ベル・ジャー』青柳祐美子訳、河出書房新社、二〇〇四年

James Wood, *The Broken Estate: Essays on Literature and Belief.* New York: Picador, 1999.（ジェームズ・ウッド『壊れた階級』）

W・G・ゼーバルト『土星の環　イギリス行脚』鈴木仁子訳、白水社、二〇〇七年

W・G・ゼーバルト『移民たち　四つの長い物語』鈴木仁子訳、白水社、二〇〇五年

アントン・チェーホフ「ロスチャイルドのバイオリン」『新訳チェーホフ短篇集』所収、沼野充義訳、集英社、二〇一〇年

18―まず場面のために書き、それからテーマのために書こう。

ノースロップ・フライ『同一性の寓話　詩的神話学の研究』駒沢大学N・フライ研究会訳、法政大学出版局、一九八三年

ノースロップ・フライ『批評の解剖』海老根宏・中村健二・出淵博・山内久明訳、法政大学出版局、二〇一三年ほか

イアン・フレミング『007ゴールドフィンガー』井上一夫訳、早川書房、一九九八年ほか
ジェーン・オースティン『高慢と偏見』全二巻、中野康司訳、筑摩書房、二〇〇三年ほか
ウィリアム・バトラー・イェイツ「再臨」『対訳　イェイツ詩集』所収、高松雄一訳、岩波書店、二〇〇九年
シャーリー・ジャクスン「くじ」『くじ』所収、深町眞理子訳、早川書房、二〇一六年ほか

19｜ストーリーを短い一文でまとめよう。

Lajos Egri, *The Art of Dramatic Writing: Its Basis in the Creative Interpretation of Human Motives.* New York: Touchstone Books, 1960. (Published in 1942 as How to Write a Play.)（ラヨシュ・エグリ『**劇作の技法　人間の動機を独創的に解釈する根本原理**』）
ウィリアム・シェイクスピア『ロミオとジュリエット』『シェイクスピアⅡ』所収、福田恆存訳、中央公論社、一九九四年ほか
ウィリアム・シェイクスピア『リア王』福田恆存訳、新潮社、一九六七年ほか
ウィリアム・シェイクスピア『オセロー』福田恆存訳、新潮社、一九五一年ほか
Wake Field Master (unknown author), *The Second Shepherds' Play.* Unknown (possibly c. 1500)（ウェイクフィールド・マスター（氏名不詳）『第二の羊飼いの劇』）

20｜登場人物にさまざまな特徴を与えよう。

E・M・フォースター『小説の諸相』中野康司訳、みすず書房、一九九四年ほか
E・M・フォースター『眺めのいい部屋』西崎憲・中島朋子訳、筑摩書房、二〇〇一年ほか
E・M・フォースター『インドへの道』瀬尾裕訳、筑摩書房、一九九四年ほか
E・M・フォースター『モーリス』加賀山卓朗訳、光文社、二〇一八年ほか
ラドクリフ・ホール『さびしさの泉』全二巻、大久保康雄訳、新潮社、一九五二年
D・H・ローレンス『完訳チャタレイ夫人の恋人』伊藤整・伊藤礼訳、新潮社、一九九六年ほか

チャールズ・ディケンズ『クリスマス・キャロル』村岡花子訳、新潮社、二〇一一年ほか

ギュスターヴ・フローベール『ボヴァリー夫人』芳川泰久訳、新潮社、二〇一五年ほか

21 ストーリーのためのレポートを作ろう。

Gay Talese, *Frank Sinatra Has a Cold and Other Essays*. New York: Penguin, 2011.（ゲイ・タリーズ『フランク・シナトラ、風邪をひく　そのほかのエッセイ』）

Tom Wolfe and E. W. Johnson, *The New Journalism*. London: Picador (published by Pan Books), 1973.（トム・ウルフ、E・W・ジョンソン編『ニュー・ジャーナリズム』）

This Is My Best, edited by Kathy Kiernan and Retha Powers. San Francisco: Chronicle Books 2005.（キャシー・キールナン、リーザ・パワーズ編『ディス・イズ・マイ・ベスト』）

22 読者の求めるものを予想しよう。

Louise M. Rosenblatt, *Literature as Exploration, 5th edition*. Foreword by Wayne Booth. New York: The Modern Language Association of America, 1995. (Original edition 1938.)（ルイーズ・M・ローゼンブラット『探求としての文学』）

Louise M. Rosenblatt, *The Reader, the Text, the Poem: The Transactional Theory of the Literary Work*. Carbondale: Southern Illinois University Press, 1978.（ルイーズ・M・ローゼンブラット『読者、文章、詩　文学作品の交流理論』）

ウィリアム・シェイクスピア『シェイクスピア全集28　尺には尺を』松岡和子訳、筑摩書房、二〇一六年ほか

23 レトリックを言語の力の源泉として受け入れよう。

***Quintilian: On the Teaching of Speaking and Writing: Translations from Books One, Two, and Ten of the Institutio oratoria*. Edited by James J. Murphy. Carbondale: Southern Illinois University Press, 1987.**（ジェームズ・J・

マーフィー編『クインティリアヌス　話すことと書くことの教え方について』）

クインティリアヌス『弁論家の教育』全五巻、森谷宇一ほか訳、京都大学学術出版会、二〇〇五年・二〇〇九年・二〇一三年・二〇一六年・五巻未訳

24　受け手の感情に影響を与えよう。

Aristotle, *Poetics*. Translated by Gerald F. Else. Ann Arbor: University of Michigan Press, 1967.（アリストテレス著、ジェラルド・F・エルス翻訳『詩学』）

Michael Tierno, *Aristotle's Poetics for Screenwriters: Storytelling Secrets from the Greatest Mind in Western Civilization*. New York: Hyperion, 2002.（マイケル・ティエルノ『脚本家のためのアリストテレスの「詩学」西洋文明における最も偉大な賢人によるストーリーテリングの秘密』）

プラトン『国家』全二巻、藤沢令夫訳、岩波書店、一九七九年ほか

ソポクレス『オイディプス王』藤沢令夫訳、岩波書店、一九六七年ほか

Richard Janko, *Aristotle on Comedy*. Berkeley and Los Angeles: University of California Press, 1984.（リチャード・ジャンコ『アリストテレスの喜劇論』）

ハーパー・リー『アラバマ物語』菊池重三郎訳、暮しの手帖社、一九六四年

25　読み手と社会的契約を結ぼう。

Vivian Gornick, *The Situation and the Story: The Art of Personal Narrative*. New York: Farrar, Straus and Giroux, 2001.（ヴィヴィアン・ゴーニック『状況と物語　個人的な語りの技法』）

Mary Karr, *The Art of Memoir*. New York: Harper Perennial, 2015.（メアリー・カー『回顧録の技法』）

シオドア・ドライサー『アメリカの悲劇』全二巻、大久保康雄訳、新潮社、一九七八年ほか

エドマンド・ゴス『父と子　二つの気質の考察』川西進訳、ミネルヴァ書房、二〇〇八年

エリザベス・ビショップ「待合室で」『エリザベス・ビショップ詩集』所収、小口未散訳、土曜美術社出版販売、

二〇〇一年

Frey James, *A Million Little Pieces*. London: John Murray, 2003（ジェームズ・フライ『百万個の小さなかけら』）

メアリー・カー『うそつきくらぶ』永坂田津子訳、青土社、一九九九年

26　読み手のレベルに合わせて書き――その少し上をめざそう。

Rudolf Flesch, *The Art of Readable Writing*. New York: Harper and Brothers, 1949.（ルドルフ・フレッシュ『読みやすい文章を書く技術』）

Robert Gunning, *How to Take the Fog Out of Writing*. Chicago: Dartnell Corporation, 1964.（ロバート・ガニング『文章の霧をどう晴らすか』）

Jack E. Conner, and Marcelline Krafchick, editors, *Speaking of Rhetoric*. Boston: Houghton Miffliin Company, 1966.（ジャック・E・コナー『レトリックについて』）

ジョージ・オーウェル『政治と英語』『オーウェル評論集2 水晶の精神』所収、川端康雄編、小野協一訳、平凡社、一九九五年ほか

Rudolf Flesch, The Art of Plain Talk. New York: Harper and Brothers, 1946.（ルドルフ・フレッシュ『わかりやすく話す技術』）

Rudolf Flesch, *Why Johnny Can't Read*. New York: Harper and Brothers, 1955.（ルドルフ・フレッシュ『なぜジョニーは読めないのか』）

27　レポートの信頼性を高める戦略を学ぼう。

サミュエル・I・ハヤカワ『思考と行動における言語』大久保忠利訳、岩波書店、一九八五年ほか

S. I. Hayakawa, *Language in Action* (later expanded to Language in ought and Action). New York: Harcourt, Brace, 1941.（サミュエル・I・ハヤカワ『行動における言語』）

オルダス・ハクスリー『文明の危機　すばらしい新世界再訪』谷崎隆昭訳、雄渾社、一九六六年

ビル・コヴァッチ、トム・ローゼンスティール『ジャーナリズムの原則』加藤岳文・斎藤邦泰訳、日本経済評論社、二〇〇二年

28 書くことでみずからの魂を成長させよう。

Kurt Vonnegut and Lee Stringer, *Like Shaking Hands with God: A Conversation about Writing*. New York: Washington Square Press, 1999.（カート・ヴォネガット、リー・ストリンガー『神と握手するかのように　書くことに関する会話』）

カート・ヴォネガット『猫のゆりかご』伊藤典夫訳、早川書房、一九七九年ほか

カート・ヴォネガット『スローターハウス５』伊藤典夫訳、早川書房、一九七八年ほか

カート・ヴォネガット『バゴンボの嗅ぎタバコ入れ』浅倉久志・伊藤典夫訳、早川書房、二〇〇七年ほか

ジョーゼフ・ヘラー『キャッチ＝22』全二巻、飛田茂雄訳、早川書房、二〇一六年ほか

リー・ストリンガー『グランドセントラル駅・冬』中川五郎訳、文藝春秋、二〇〇一年

Edmund Bergler, *The Writer and Psychoanalysis*. New York: Doubleday, 1950.（エドムンド・バーグラー『作家と精神分析』）

29 楽しませ、教えるために書こう。

Horace, *Art of Poetry* in *The Epistles of Horace* (including "Ars Poetica"). Translated by David Ferry. New York: Farrar, Straus and Giroux New York: Farrar, Straus and Giroux, 2015.（ホラティウス著、デヴィッド・フェリー翻訳『詩論』）

ホラティウス『書簡詩』高橋宏幸訳、講談社、二〇一七年

フィリップ・シドニー『詩の弁護』富原芳彰訳、研究社出版、一九六八年

ウィリアム・シェイクスピア『ハムレット』福田恆存訳、新潮社、一九六七年ほか

30 受け手の目となり、耳となろう。

Edward R. Murrow, *In Search of Light: The Broadcasts of Edward R. Murrow, 1938–1961*. Edited with an introduction by Edward Bliss, Jr. New York: Knopf, 1967.（エドワード・ブリス・ジュニア編『光を求めて　エドワード・R・マローの放送録　一九三八年から一九六一年まで』）

31 プロパガンダではなく唱道（アドボカシー）を選ぼう。

オルダス・ハクスリー『すばらしい新世界』大森望訳、早川書房、二〇一七年ほか

ジョージ・オーウェル『一九八四年』高橋和久訳、早川書房、二〇〇九年ほか

ニール・ポストマン『愉しみながら死んでいく　思考停止をもたらすテレビの恐怖』今井幹晴訳、三一書房、二〇一五年

ジョージ・オーウェル『動物農場』山形浩生訳、早川書房、二〇一七年ほか

32 書き手になろう——そして、それ以上の存在にも。

Natalie Goldberg, *Wild Mind: Living the Writer's Life*. New York: Bantam, 1990.（ナタリー・ゴールドバーグ『野性の精神　作家の人生を生きる』）

Charles Johnson, *The Way of the Writer: Reflections on the Art and Craft of Storytelling*. New York: Scribner, 2016.（チャールズ・ジョンソン『作家の手法　ストーリーテリングの技巧についての考察』）

ナタリー・ゴールドバーグ『書けるひとになる！　魂の文章術』小谷啓子訳、扶桑社、二〇一九年ほか

チャールズ・ジョンソン『中間航路』宮本陽一郎訳、早川書房、一九九五年

John Gardner, *On Moral Fiction*. New York: Basic Books, 1978.（ジョン・ガードナー『倫理的な小説について』）

Roy Peter Clark, *How to Write Short*. New York: Little, Brown, 2013.（ロイ・ピーター・クラーク『簡潔に書く方法』）

Roy Peter Clark, *The Art of X-Ray Reading*. New York: Little, Brown, 2016.（ロイ・ピーター・クラーク『X線読みの技術』）

訳者あとがき

これは本の書き方、文章の書き方について書いた本だ。四十年にわたって文章術の指導にあたってきた専門家、ロイ・ピーター・クラークが文筆にまつわる名著五十点以上を厳選して引用し、読むことや書くことについてわかりやすく解説している。*And other gentle writing advice from Aristotle to Zinsser* という原著のサブタイトルのとおり、古代ギリシアの哲学者アリストテレス（A）から、ジャーナリストで作家のウィリアム・ジンサー（Z）まで、時代を問わず多岐にわたる著作家の作品を採りあげている。

邦題のサブタイトルにある『愛しきものを殺せ』は、原著のタイトル *Murder Your Darlings* を訳したものだ。もとはイギリスのアーサー・クィラ・クーチ教授のことばで、「惚れこんで書いたことばを削除せよ」という意味を持つ。少々物騒な響きを持つこの原題について、著者は本書がデンマークと日本で翻訳されることをＳＮＳの投稿で読者に知らせ、「まさかミステリと勘ちがいしていないだろうね」と冗談混じりに述べていた。

著者のロイ・ピーター・クラークは、ニューヨーク市に生まれ、ロードアイランド州のプロヴィデンス・カレッジで学位を取得、ニューヨーク州立大学ストーニーブルック校で博士号を得たのち、アラバマ州のオーバーン大学モンゴメリー校ではじめて教鞭をとった。一九七七年に「セント・ピーターズバーグ・タイムズ」紙（現「タンパベイ・タイムズ」紙）に記者の指南役として雇われ、一九七九年からはアメリカのジャーナリズム研究機関ポインター・インスティテュートで文章術を教えている。これまでに、読み書き、言語、ジャーナリズムに関する十八作の書籍を執筆、編集し、本書は十九作目にあたる。ユーモアで知られるコラムニスト、デイヴ・バリーはロイ・ピーター・クラークを評して、「自分の知る存命の人物のなかでだれより文章術にくわしい」と語る。

書くことについて書いた本にはふたつあって、ひとつは「おもに文章術、すなわち書く方法に焦点をあてた本」、もうひとつは「アイデンティティ、すなわち物書きとしての生き方を語る本」である、と本文中にあるが、本書はその両面を兼ね具えている。以下の六部から成る。

1　ことばと文章術
2　声とスタイル
3　自信とアイデンティティ
4　ストーリーテリングと登場人物
5　レトリックと観客・読者
6　使命と目的

　これらのテーマに沿って、各章ごとに小説家、ジャーナリスト、詩人、哲学者などの作品を採りあげていく。第一部では、著者自身が影響を受けた名高い著述家、ジョージ・キャンベルやジョン・マクフィーの作品を引いて、文章をうまく書くための秘訣と具体的な手法を説明し、またウィリアム・ストランク・ジュニアとE・B・ホワイトによる『英語文章ルールブック』など、自身がたびたび人に勧めてきたガイド本を紹介する。第二部では、アーシュラ・K・ル＝グウィンやアーネスト・ヘミングウェイの文章には「声」があることを述べ、作家がどんなふうに文を磨くか、文章作成のプロセスと推敲について多くの例をあげてみせる。そして第三部からは、作家のスティーヴン・キングやアン・ラモットなどのことばを引用し、物書き「になる」ための心構えや習慣を説くと同時に、物書き「である」ための姿勢をも示している。

　注目すべきは、作家になりたい人のために、著者がきびしくも励みになることばを選んでいる点だ。「執筆が楽しいことは、ごくまれにしかない」というマクフィーの言を引いて執筆の苦しみを語る一方で、書くことにはそれ以上の意義があることを繰り返し強調する。「とにかく書きはじめよう」「最初がひどくても気にするな」「書く習慣を身につけよう」と終始力づけてくれるのだ。

　さらにこれを単なるハウツー本ではない独創的な案内書にしているのは、文章の技巧面、精神面でのアドバイスにとどまらず、著者自身が物書き「である」ための覚悟や矜持や使命にまで踏みこんでいる点だろう。長年ジャーナリストとして活躍すると同時に、多くの優秀な人材を育ててきた著者が、作家としての信念を熱いことばで読者に訴えかけている。プロパガンダについて述べたサミュエル・I・ハヤカワ、苦難に満ちた人生を糧にしたカート・ヴォネガット、ディストピアで未来を予言したオルダス・ハクスリー、政治におけることばの濫用について書いたジョージ・オーウェル、戦時下で目撃したことを報道したエドワード・R・マロー。こうした先人たちの作品を引用しつつ、著者はことばの持つ力と、それを使う者の責任を力説する。そして、どう書くかだけではなく、なぜ書くかを自問し、読者にもその問いを投げかける。

ロイ・ピーター・クラークは〝アメリカのライティングのコーチ〟と呼ばれ、本書についても多くの賛辞が寄せられている。ピューリッツァー賞を受賞した「ボルチモア・サン」紙のジャーナリストであるダイアナ・サグは、本書について「技巧と文章術の精髄のみならず、作家の声とアイデンティティ、使命と目的に焦点を合わせた本」であり、「すべての物書きに勧めたい」と述べている。

この本には学びを通じた出会いの精神がある、と著者は言う。そして執筆者の仲間に加わるよう読者を招き、「いつからでもいいから書きはじめよう」「書きつづけよう、そうすれば、だんだんよくなる」と勇気づける。この本を読むことで「読者のみなさんにも、書きたいと感じてもらえたらと願っている」とも語っている。

なお、各章で採りあげた作品だけでなく、本文中に言及されている多くの書籍を一覧にして巻末に掲載した。邦訳がない本もあるが、ブックリストとして役立てていただけたらうれしい。ここはやはり、著者のことばを引いて締めくくろう。「ぜひそちらも読んでもらいたい！」

越前敏弥、国弘喜美代

二〇二〇年四月

ロイ・ピーター・クラーク（Roy Peter Clark）
1948年生まれ。創作講師、作家。ニューヨーク州立大学ストーニーブルック校にて博士号を取得する。1977年より、「セント・ピーターズバーグ・タイムズ（現、タンパベイ・タイムズ）」紙に記者として勤務。1979年からは、アメリカのジャーナリズム学校および研究機関であるポインター・インスティテュートに所属し、40年にわたり後輩の育成を行う。著書は『自由に書く（Free to Write）』（Heinemann Educational Books）、『ライティング・ツール（Writing Tools）』、『文法の魅力（The Glamour of Grammar）』、『書き手が困ったときは（Help! For Writers）』、『簡潔に書く方法（How to Write Short）』、『X線読みの技術（The Art of X-Ray Reading）』（以上、Little, Brown）など。『ライティング・ツール』は、アメリカで25万部を売り上げるベストセラーとなっている。なお小説作品には『三つの小さなことば（Three Little Words）』や『トラッシュ・ベイビー（Trash Baby）』がある。

越前敏弥（えちぜん・としや）
1961年生まれ。文芸翻訳者。東京大学文学部国文科卒業。学生時代には映像論やシナリオ技法なども学ぶ。卒論のテーマは「昭和50年代の市川崑」だった。おもな訳書は、『ダイアローグ』『ストーリー』（以上、フィルムアート社）、『ダ・ヴィンチ・コード』『Xの悲劇』『思い出のマーニー』（以上、KADOKAWA）、『解錠師』『生か、死か』（以上、早川書房）、『夜の真義を』（文藝春秋）、『おやすみ、リリー』（ハーパーコリンズ・ジャパン）、『世界文学大図鑑』（三省堂）など。著書に『翻訳百景』（KADOKAWA）、『越前敏弥の日本人なら必ず誤訳する英文・決定版』（ディスカヴァー・トゥエンティワン）、『この英語、訳せない!』（ジャパンタイムズ出版）がある。

国弘喜美代（くにひろ・きみよ）
翻訳家。大阪外国語大学外国語学部卒業。訳書に『パリで待ち合わせ』『スパイの血脈』『要秘匿』『あなたを見てます大好きです』（以上、早川書房）、共訳書に『オランダ靴の秘密』『報復』（以上、KADOKAWA）などがある。

名著から学ぶ創作入門

優れた文章を書きたいなら、まずは「愛しきものを殺せ！」

2020年5月26日　初版発行

著者　ロイ・ピーター・クラーク
訳者　越前敏弥、国弘喜美代

デザイン　戸塚泰雄（nu）
DTP　沼倉康介（フィルムアート社）
編集　伊東弘剛（フィルムアート社）

発行者　上原哲郎
発行所　株式会社 フィルムアート社
〒150-0022
東京都渋谷区恵比寿南1-20-6　第21荒井ビル
tel 03-5725-2001
fax 03-5725-2626
http://www.filmart.co.jp/

印刷・製本　シナノ印刷株式会社

Printed in Japan
ISBN978-4-8459-1924-6 C0090

落丁・乱丁の本がございましたら、お手数ですが小社宛にお送りください。
送料は小社負担でお取り替えいたします。